ESTAMOS HASTA LA
MADRE

ESTAMOS HASTA LA
MADRE

JAVIER SICILIA

temas 'de hoy.

Diseño de portada: Edgar Morales Rodríguez
Foto de portada: © Proceso Foto

© 2011, Javier Sicilia
© 2011, CISA Comunicación e Información, S.A. de C.V.

Derechos reservados

© 2011, Editorial Planeta Mexicana, S.A. de C.V.
Bajo el sello editorial TEMAS DE HOY M.R.
Avenida Presidente Masarik núm. 111, 2o. piso
Colonia Chapultepec Morales
C.P. 11570 México, D.F.
www.editorialplaneta.com.mx

Primera edición: agosto de 2011
Primera reimpresión: noviembre de 2011
ISBN: 978-607-07-0871-8

Impreso en los talleres de Irema, S.A. de C.V.
Oculistas núm. 43, colonia Sifón, México, D.F.
Impreso y hecho en México – *Printed and made in Mexico*

No comprendo la muerte,
esa súbita ausencia que nos deja
mirando un cuerpo inerte,
un gesto que se aleja
y ya no dice más que la oscura queja
del vacío, la sombra
de ese alguien al que amamos y ha dejado
de estar y ya no nombra
sino su desolado
hueco donde el silencio ha quedado
y se pudre la risa.

Javier Sicilia, *Pascua* (fragmento)

Prólogo

Javier Sicilia, el poeta, el pensador que transcurre en las entreveradas aguas de la filosofía y la teología, se vio atrapado por una tragedia incomprensible: la muerte de un joven hijo, asesinado no sólo por la acción de unas manos, sino por la violencia inmanente a un país que zozobra. A quienes lo conocen, a quienes lo conocemos, no sorprende su reacción. No se ha dado tiempo para llorar a Juan Francisco. Ha preferido compartir sus lágrimas con aquellos, sus semejantes, que han sufrido tragedias que se hermanan con la suya.

Pocos ejemplos hay de intelectuales como Javier Sicilia que, después del asesinato de su hijo, abandona la poesía y se compromete a encabezar un movimiento que se ha vuelto un grito nacional y que reúne a miles de familias que han sufrido, de una o de otra forma, la violencia del narcotráfico y de la guerra que el gobierno emprendió para combatirlo.

De la noche a la mañana el nombre de Javier Sicilia está en boca, si no de todos, sí de muchos mexicanos. Pero el poeta lastimado es más que verso, llanto y grito de rabia. Es un hombre de pensamiento profundo que ha reflexionado no sólo sobre determinados momentos de la vida de este país sufriente sino, especialmente, sobre los problemas humanos y sociales que lo aquejan. La mira de su análisis en particular se ha centrado en torno al poder y a los poderosos.

Los textos reunidos en este volumen ofrecen al lector un amplio panorama del pensamiento político de Javier Sicilia sobre un país en vilo: el fallido intento por consolidar una sociedad democrática y, en cambio, el exitoso avance del crimen organizado que ha cobrado decenas de miles de víctimas en una cruenta guerra sin destino; los desacuerdos políticos con el gobierno de Felipe Calderón, así como las diferencias ideológicas con una iglesia —la católica— que no se solidariza con aquellos mexicanos que día a día son violentados en sus derechos humanos.

Desde hace décadas Javier Sicilia escribe en *Proceso* sobre la descomposición social del país: la irrupción del zapatismo en Chiapas y la negativa gubernamental a respetar los Acuerdos de San Andrés; los feminicidios de Ciudad Juárez; la liberación de los presos de la APPO; la necesidad de un juicio político a Ulises Ruiz..., temas que forman parte del epílogo con que el autor concluye sus artículos.

Antes de que mataran a su hijo, las cuestiones relacionadas con el narcotráfico ya habían ocupado un papel relevante en numerosos textos de Javier Sicilia. Escribía:

> De una lectura cuidadosa de la historia se desprende que hay que enfrentar el narcotráfico de otra manera: abandonando la perspectiva de una 'guerra', obstaculizando cada vez más el lavado de dinero y reglamentando el uso de ciertas sustancias.

Sicilia manifiesta sus preocupaciones sociales desde una perspectiva cristiana, humanista, de respeto a toda diferencia. Critica a su propia iglesia desde todos los ángulos posibles: económico, político, social, cultural. Es un católico pensante, controvertido, a quien no amedrentan las jerarquías eclesiales. Sólo con la lectura de este libro podremos comprender la función social que con sorprendente celeridad ha logrado el autor en la sociedad mexicana.

Hoy Sicilia está en el centro de los debates en torno a la guerra contra el narcotráfico, confrontado con las políticas del gobierno de Felipe Calderón. *Estamos hasta la madre* es su lucha y la lucha de todos los mexicanos que clamamos por justicia y paz.

La batalla de Javier Sicilia es pública. En privado, los lectores podremos dialogar con su pensamiento y hermanarnos en un dolor que nos hiere a todos los mexicanos. Este libro es un importante paso hacia nuestra curación.

Rafael Rodríguez Castañeda

La democracia:
el valor del no

La democracia sin primavera

El 13 de mayo, Fidel Velázquez, con ese desplante de esclerosis senil que ya empieza a hacer graves estragos en nuestra nación (la CTM debería aprender de la iglesia católica a retirar a sus dirigentes a partir de los 70 años), se puso a amenazar con romper relaciones con cualquier gobierno de oposición y con abandonar incluso al PRI en caso de que las elecciones del próximo 6 de julio fueran contrarias a su partido (*La Jornada*, 13 de mayo de 1997).

La amenaza del líder cetemista es, en estos momentos en que México se prepara para las elecciones del 6 de julio, una actitud autoritaria y antidemocrática.

No hay que asombrarse, Fidel Velázquez ha sido un omnipotente en la CTM, una especie de hongo malsano que, crecido a la sombra del partido en el poder, ha podrido la dignidad del sindicalismo. Su adhesión a las dictaduras y al Leviatán de Hobbes es ancestral. Por ello, si traigo a la memoria sus declaraciones, no es por su novedad, sino porque ellas me permiten hacer una reflexión sobre la democracia.

¿Qué es la democracia? Esta palabra que escuchamos decir por todas partes está, como las declaraciones de Fidel Velázquez lo confirman, vacía de contenido. En nuestro país parece jugar el papel de prostituta de la política; se ha acoplado con todos los adjetivos imaginables: democracia representativa, popular, autoritaria, dirigida, librecambista, etcétera. Pero un concepto que quiere serlo todo termina por no ser nada y por servir a cualquier cosa: lo mismo a la revolución que a la contrarrevolución, al terror que al *status quo* y a la mediocridad. Nuestro actual régimen dice que es democrático. Los partidos de oposición dicen que no, y que sólo en ellos radica la verdadera democracia. Sin embargo, ninguno de ellos define el término claramente porque saben que si lo hicieran todos ellos tendrían que dejar de llamarse demócratas y expresarse como lo hizo el líder cetemista. En este sentido, la democracia, dice acertadamente Jean Robert, "ha sido tan vendida y comprada, tan violada como el concepto al cual se refiere: el poder del pueblo".

¿Qué es entonces la democracia? Douglas Lummis, en un maravilloso texto que todos los políticos de nuestro país deberían leer (*Radical Democracy*, Ithaca, Cornell, University Press, 1996), nos dice que la democracia no es ningún arreglo particular entre instituciones políticas y económicas. Por lo tanto, no es el voto ni las elecciones libres (aunque estos puedan ayudar a desarrollar el proyecto democrático), mucho menos el "libre mercado", el Tratado de Libre Comercio, las afores, etcétera. "La democracia no es un 'sistema', sino un proyecto histórico que la gente [no los partidos] manifiesta luchando por él" (p. 21). "Es —vuelvo a Jean Robert, quien ha comentado maravillosamente a Lummis— la lucha del pueblo por el 'poder del pueblo', no un aparato que pretenda representar a este poder". Por ello la democracia es siempre corruptible, tan corruptible que muy fácilmente se convierte en su contrario. "Es la aventura —dice Lummis— de seres humanos que crean con sus propias manos las condiciones de su libertad" (p. 19). Es siempre posible en cualquier tipo de régimen, incluso en los llamados "democráticos", "el arte (esta palabra la podría firmar gustoso el subcomandante Marcos) de crear lo posible a partir de lo imposible", una construcción que nunca termina y que es la constante conquista por parte del pueblo de espacios independientes y autárquicos.

Vista desde esta perspectiva, ¿podemos decir que en México hay una lucha democrática? La ha habido, pero día con día se cierra más. A partir del estallido zapatista del primero de enero de 1994, los procesos de movilización social por parte del pueblo, o de lo que se ha venido llamando la "sociedad civil", se desencadenaron en busca de conquistar espacios verdaderamente libres: la participación de las ONG y de Alianza Cívica, los bastiones civiles zapatistas, la lucha de los transportistas de la Ruta 100, la lucha del Barzón, etcétera.

Recientemente Serpaj, Espacios y Picaso realizaron un análisis sobre el costo humano de las luchas sociales en México durante 1994 y 1997. En dicho análisis registraron, entre 1994 y 1996, 9 mil formas diferentes de lucha en todo el país que se expresaban en reuniones públicas, acciones organizativas, marchas, mítines, denuncias, protestas, bloqueos, boicots, huelgas, ayunos, ocupaciones de espacios públicos y de instancias institucionales, acciones armadas, amenazas, retenes, desplazamientos de población, desalojos, detenciones, secuestros, procesos judiciales.

Es interesante observar en ese estudio que los procesos de lucha por espacios democráticos en México han disminuido y que esta disminución coincide con un aumento importante de muertos y de heridos que los defensores del actual régimen han cobrado mediante secuestros, emboscadas y asesinatos, es decir, en acciones que nada tienen que ver con enfrentamientos armados.

Delante de estos datos, que hasta el momento sólo se refieren al 94, 95 y el primer semestre del 96, y frente a la creciente militarización del país, a la ruptura del diálogo con los zapatistas, a la devastación en Chiapas de los bastiones civiles del EZLN y su paulatino cerco, al incremento de la tortura, a los alardes de Fidel Velázquez, lo único que se puede concluir es que la lucha democrática se rompe bajo el peso de una represión selectiva que corre el riesgo de generalizarse, una represión ajena a la información.

Mientras los partidos políticos juegan palaciegamente a la "democracia" (lo que en realidad sólo buscan es la toma del poder) mediante el desprestigio de sus contendientes, las jugadas sucias y los insultos, los verdaderos procesos democráticos, en el sentido en que lo he definido siguiendo a Lummis y a Jean Robert, están siendo destruidos bajo la ignorancia de la sociedad civil y con la complacencia de todos los políticos que se dicen demócratas.

Pero como lo ha demostrado también Lummis, la democracia es una primavera, una estación a la que inevitablemente sigue otra: la del invierno. No es una visión romántica y sentimental del contrato social; tampoco la visión desesperada y horrible de Hobbes quien, como nuestros actuales políticos, no creía en una primavera política, sino en el Leviatán, cuya violencia legítima mantiene cierta paz. En la medida en que la democracia es la aventura de los hombres "que crean con sus propias manos las condiciones de su libertad", en la medida también que "en política radical el arte de lo posible es el arte de extender el dominio de lo posible, el arte de crear lo posible a partir de lo imposible", la visión de Lummis es realista. La fe democrática es una virtud que consiste, dice Jean Robert, "en atreverse a confiar en el otro sin tener la entera seguridad de ser correspondido". Después de las esperanzadoras y primaverales movilizaciones democráticas que nacieron en 1994, hemos empezado a vivir, bajo la complacencia de quienes se dicen demócratas, la estación invernal de la represión selectiva, de la brutalidad velada, de la barbarie con rostro bonachón y libertario, la estación de la desesperación. Pero hay que recordar que debajo del invierno la vida sólo se ha retirado y aguarda, y que los topos continúan edificando sus ciudades en la noche para que un día el poder se autolimite, podamos asociarnos libremente y extender el reino de lo posible que es el de la independencia y el de la dignidad de todos en la confianza mutua.

19/05/1997

SECUELA DEL 6 DE JULIO

El 6 de julio los mexicanos logramos dar un gran paso hacia la democracia: por primera vez después de casi cien años, si tomamos en cuenta los 30 que Porfirio Díaz gobernó, se respetó el voto y con él la dignidad de los ciudadanos. Es, como digo, un gran paso, no la instalación de la democracia. Porque la democracia no es sólo el voto o la alternancia de los partidos en el poder o la pluralidad del Congreso, sino una constante construcción de espacios de libertad en donde, en una nación reconciliada consigo misma y con un destino común, cada uno tenga su parte de trabajo y de asueto, en donde las comunidades indígenas dispongan del espacio de autonomía y de dignidad que durante siglos les hemos arrebatado, en donde los obreros y los campesinos puedan trabajar sin amarguras y los artistas crear sin padecer el tormento de la desgracia humana, en donde, en síntesis, cada ser humano, en un sistema descentralizado, llegue a su madurez mental y moral y pueda, libre de la servidumbre, reflexionar, en el silencio de su corazón, sobre su propio destino.

Esta forma de la democracia, que está todavía muy lejos de nosotros, es un desafío para los partidos y la ciudadanía. ¿Podrá lograrse? Es nuestro deseo. Sin embargo, "el porvenir —como lo afirmó recientemente Octavio Paz— es una interrogación". De las buenas intenciones (hemos visto con qué gran civilidad y espíritu republicano los partidos perdedores reconocieron sus derrotas y con qué grandeza el doctor Zedillo habló del triunfo electoral del ingeniero Cárdenas) se puede pasar a la disputa y a la intolerancia. Los crímenes, la cerrazón al diálogo en Chiapas, las represiones a disidentes, que caracterizaron el sexenio pasado y los tres años que van de éste, así como los insultos, las jugadas sucias, las calumnias, las disputas, que se vivieron durante las campañas políticas, están tan cerca de nosotros como la reciente fiesta electoral y las buenas intenciones de los partidos.

Hay que recordar en este sentido, para evitar cualquier embriaguez triunfalista, que un festejo semejante vivió el país en 1911 con la renuncia de Díaz al poder y el ascenso de Madero. La fiesta y las esperanzas duraron poco. En 1913, la disputa y los resabios del antiguo régimen asesinaban en Madero a la democracia. La dignidad llamó a las armas a todas las facciones políticas que lo habían encumbrado. Sin embargo, al destronar a Huerta, incapaces de un acuerdo nacional, llenas de rencores y resentimientos ideológicos, ávidas de poder, terminaron por aniquilarse entre sí e instalar en el poder una dictadura de partido que nos hizo perder por más de medio siglo la esperanza de la democracia.

El que la historia no se repita y se evite que el país derive hacia la ingobernabilidad, la violencia y la fuerza depende del gobierno, de los partidos y de la ciudadanía. El primero deberá autolimitarse y cuidar que los avances democráticos se respeten; tiene aún una deuda pendiente con Chiapas. Los segundos deberán abstenerse de su revanchismo político, de su espíritu de venganza y de las desmesuras ideológicas, y comenzar a pensar de manera democrática, es decir, cooperar entre sí poniendo por encima de sus convicciones políticas y partidistas un acuerdo nacional, la tolerancia y el bien de la nación. Los ciudadanos, como quedó claro durante el proceso electoral, no estamos interesados en las ideologías sino en un gobierno plural que limitándose cree los espacios de libertad necesarios para que cada uno de nosotros podamos resolver los problemas concretos que afectan nuestra vida diaria.

Por último, los ciudadanos debemos velar para que tanto el gobierno como los partidos cumplan con el cometido al que la voluntad popular los ha designado. Los ciudadanos debemos dejar de pensar que el poder emana únicamente del Ejecutivo y de las asambleas legislativas.

El poder (la lucha de los barzonistas, los bastiones civiles zapatistas, las actividades de las ONG, el triunfo ciudadano de este 6 de julio son una muestra de ello) está en el pueblo y ese pueblo pone su poder durante un tiempo determinado en manos de los representantes que eligió. Estos no tienen poder, ni siquiera existencia, fuera del pueblo. Si los representantes lo traicionan, si lo único que buscan es reinar contra y sobre todos, los ciudadanos deben, por dignidad y respeto al poder que detentan, desobedecer hasta que sus representantes acaten su voluntad.

La desobediencia civil, como alguna vez Gandhi lo dijo y lo demostró, "es la llave del poder". Un pueblo que desobedece cuando se le traiciona es un pueblo cuya voluntad jamás será doblegada.

Si cada uno de esos actores políticos cuida esa dignidad a la que está llamado y comprometido, si defiende contra sus intereses personales, y de partido, el bien común, el bien de cada hombre, mujer, niño que conformamos esta nación, el país podrá continuar construyendo su democracia. De lo contrario caeremos en una serie de conflictos y disputas que terminarán en la inestabilidad, la violencia y la fuerza.

Después de los sucesos del 6 de julio los mexicanos debemos estar conscientes de que toda traición consentida, de que todo acto de autoritarismo o de resabio nos hacen tanto daño como una guerra civil. Al cabo de estos casi cien años de amargas pruebas, el México que por fin ha triunfado en las urnas conoce la amplitud de su drama: no tener derecho al cansancio y estar obligado, contra todo, a proteger su dignidad. Ésta, creo, es la primera condición de nuestro resurgimiento y la esperanza del país.

14/07/1997

EL 68, UN DESAFÍO

Después de 30 años, bajo la incipiente conquista de una democracia representativa, hemos conmemorado, como nunca, la espantosa masacre del 68. Muchos artículos, análisis y libros se han escrito sobre este acontecimiento que nos sigue doliendo como una herida que no termina de cicatrizar, como una llaga que nos recuerda nuestro ancestral pasado autoritario y represivo, como el símbolo de una juventud que, como toda juventud, concentraba en sus aspiraciones los sueños más nobles del hombre, devorada por el Leviatán de Hobbes, por la bestia apocalíptica que lleva el nombre moderno de Estado.

Tardará mucho en cerrar esa llaga. Las naciones cargan siempre sus culpas como el recuerdo amargo de su impotencia para crear el mundo con el que todos soñamos. El 68, sin embargo, tiene un componente más que lo hace inolvidable. No es sólo el recuerdo de un hecho histórico y desgarrador, es también un desafío histórico.

En aquella juventud que hace 30 años tomó las calles, que enfrentó el autoritarismo gubernamental, que se montó sobre el Leviatán para domesticarlo, se concentran —independientemente de los intentos de izquierda por manipularla y dirigirla, de la paranoia sanguinaria de Díaz Ordaz, del cálculo mezquino de Echeverría, de la imbecilidad de los que entonces estaban al frente del ejército mexicano, de la poca claridad intelectual de los muchachos que entonces ganaron las calles— varias realidades que nos siguen interpelando: la libertad, la justicia, la democracia. Temas muy grandes para analizarlos en las páginas de un artículo y que desde hace 30 años siguen siendo motivo de nuestra reflexión ciudadana.

Quiero, sin embargo, porque en el 68 se expresa con toda claridad, hablar un poco de la democracia, de ese paradigma de las sociedades occidentales, del que todos hablamos, del que nos enorgullecemos como la más reciente de nuestras conquistas, y que en la realidad vivimos poco.

La democracia en sí, sin adjetivos, como la quiere Enrique Krauze, significa no el triunfo de un partido por la vía electoral, no el libre juego del mercado, no la posibilidad de que todos puedan competir y acceder al poder, sino como su etimología lo indica: *demos* (pueblo), *kratia* (poder), "el poder del pueblo". Por lo tanto, como lo señala Roberto Ochoa al comentar a Douglas Lummis, uno de los más profundos analistas de la democracia que vivió el 68, "es una palabra que le pertenece al pueblo [...]. Subversiva en cualquier lugar, ya que está en constante rebeldía frente a las imposiciones de la ambición humana [...]. Es el impulso natural de las personas que se reúnen con la intención de tomar libremente el control de sus vidas. Es una palabra constantemente robada por quienes fabrican y legitiman sistemas de dominación heterónoma que son externos al pueblo y propios de un selectivo grupo de individuos; una palabra que se implanta en comunidades y barrios como la imposición de una supuesta voluntad general que sólo obedece a los intereses particulares de una élite. Es la palabra usurpada por los proyectos de civilización y desarrollo impuestos desde fuera [...]".

El 68, en este sentido, fue el ejercicio y la expresión de la democracia, por ello nos sigue, más allá del horror de la represión, interpelando. El del 68 nació como un movimiento de autogestión. Fue el impulso de un mundo estudiantil que comenzó a vivir y a sentir en común y a ver que el Estado no debía ser el Leviatán de Hobbes, sino un frondoso árbol bajo cuya sombra los pueblos y las comunidades ejercieran su poder. Su articulación no sólo fue en los factos, la expresión de la capacidad del verdadero ejercicio democrático, sino también un desafío al mito hobbeano de que la naturaleza humana es egoísta y los hombres incapaces de mantener por ellos mismos vínculos de confianza.

Ese hecho fue lo que espantó al gobierno, administrador del Leviatán, y lo que la izquierda, que quiso manipular al movimiento —y que siempre ha buscado el poder para administrar a su manera al monstruo—, nunca comprendió. Su radicalidad y su coherencia democrática espantaban. Ahora, en los tiempos en que empezamos a conquistar una democracia representativa, nos inquietan.

Después de 30 años, el 68 parece decirnos que esa democracia representativa que anda en boca de todos, que, como dice Ochoa, "se estira [...] y domina cualquier arena política", no es democracia. Ella, que sigue los patrones del Leviatán es, en su parte más evidente, un mero instrumento de manipulación de los partidos para sus propios fines —hay que ver simplemente las disputas partidistas en la Cámara, su incapacidad ideológica de ponerse de acuerdo, para darse cuenta de que quienes supuestamente detentan el poder del pueblo en realidad detentan el poder ideológico de sus respectivos partidos, o de la manera populachera con la que los partidos eligen muchas veces a sus representantes para puestos públicos, para comprender que sus intereses son puramente elitistas— y en su parte oculta, esa que muy pocos ven, un instrumento sometido a una segunda bestia apocalíptica: los intereses de la economía de mercado, de los capitales financieros, de la globalización, de la industrialización y de la tecnología.

La representación partidista no es democracia, es una simulación de ella, pues ya no es el pueblo quien —como lo expresó en su forma de ordenarse el movimiento del 68— determina, ordena y dirige su vida en el ejercicio del poder, sino otro que hace como si actuara en lugar suyo; y el mercado no es una libertad democrática, sino una imposición, al gobierno, a los partidos y al pueblo, de los intereses capitalistas y de los totalitarismos, con rostro amable y promesas para el futuro, de la industria y la tecnología. Así, bajo el sueño de una democracia representativa, vivimos en realidad un proceso antidemocrático y un totalitarismo más terrible que el que vivió el mundo bajo el fascismo, las dictaduras militares y el comunismo.

Esta segunda bestia, que se ha constituido como el poder de un macro Estado sobre los Estados nacionales, y ante la que nos encontramos arrodillados, es la que nos impide ver la simulación que hay en la democracia representativa: "ejercicio de voluntad —vuelvo a Ochoa— que se reduce a escoger a uno de los pocos candidatos meticulosamente seleccionados por cúpulas [e] influenciado arteramente por las triquiñuelas de la mercadotecnia", hija del poder de la industria y de la tecnología.

Bajo su poder, la voluntad democrática que comienza a regirnos, y contra la que se levanta el 68 como un desafío, parece más un plan desarrollado en un laboratorio sociotecnológico que la expresión clara e inequívoca del poder del pueblo.

La reducción del término democracia a una mera realidad representativa que está sometida a los intereses partidistas y a las fuerzas del mercado, del industrialismo y de la tecnología, hurta su fuerza cultural a las autonomías locales y destruye la libertad de las regiones, convirtiendo a la democracia en un acto de usurpación de la voluntad del pueblo.

Si algo nos dice el 68 y, ahora, como una actualización de la substancia que lo animó, la lucha zapatista, es que la única democracia que existe está en las localidades: la universidad fue hace 30 años expresión de ello, hoy lo son las comunidades indígenas de Chiapas. Es ahí, en la localidad, en donde el verdadero poder del pueblo se ejerce, donde las personas toman sus decisiones y encaminan sus vidas.

El desafío que nos lanza el 68 y, hoy, la resistencia de las comunidades zapatistas, es que si queremos realmente una democracia, ésta sólo podrá lograrse si el Estado, a través de sus democracias representativas, pone un coto a las fuerzas del mercado, de la globalización, del industrialismo y la tecnología y, como un grande y frondoso árbol, da las garantías para que las localidades y los barrios puedan ejercer su poder.

La democracia es incompatible con la eficacia del mundo tecnológico, con un puro sistema de representación, con la idea de un progreso que se dirige a la uniformización, a la complejidad y sofisticación de aparatos, a la construcción de ciudades automatizadas, a la competencia y a la especialización que alienan no sólo nuestra identidad, sino el mundo de lo humano. Su rostro, en todo caso, es el crecimiento de nuestra libertad, de nuestra autonomía como personas en colaboración con nuestros semejantes, un mundo bueno y plural, austero, con herramientas autónomas, de culturas diversas, solidario y pacífico, es decir, un mundo que sólo puede nacer en las localidades y entre seres que no compiten, que no viven bajo la presión de la bestia tecnológica, la globalización y el mercado, sino que, dueños de sus propias vidas y, como dice Ochoa, conocedores de sus límites de comprensión, se "reintegran al orden de la creación misteriosa y bondadosa, dada y entregada desde siempre a nuestra responsabilidad común".

05/10/1998

LA DEMOCRACIA: MEDIOS Y FINES

"Su mayor equivocación —escribía Gandhi a quienes inspirados en la *realpolitik* querían acceder al poder con medios espurios— es creer que no hay ninguna relación entre el fin y los medios [...]. Es como si pretendieran que de una mala hierba brotara una rosa [...]. Los medios son como la semilla y el fin como el árbol. Entre el fin y los medios hay una relación tan ineludible como entre el árbol y la semilla [...]. Se recoge exactamente lo que se siembra."

Esta reflexión, vieja como los cerros —Gandhi no hizo más que recordar a los hombres las verdades fundamentales que han negado—, ha estado ausente de la lucha política de nuestro país. Desde la Revolución, con la gran excepción de Madero que llegó al poder por medios legítimos, la historia de la representación nacional ha estado puntuada por la cooptación, la traición, la represión y el crimen. Los frutos no han sido buenos: un país corrompido, desconfiado y miserabilizado que busca su equilibrio y su dignidad en la democracia.

Sin embargo, al encontrarla, los medios han sido nuevamente violentados. En este nuevo periodo por el que transitamos, la lucha por el poder se mueve entre dos aguas: la de los viejos métodos autoritarios y corruptos, en donde el crimen, como lo hemos visto con los asesinatos de Colosio, de Ruiz Massieu y de disidentes, tiene su lugar, y la de su nuevo rostro, quizá más terrible y brutal en sus consecuencias porque imbeciliza: la mercadotecnia.

Junto a la imposición autoritaria del antiguo régimen que expira, comienza a surgir una nueva forma de imposición: la de una imagen construida mediante eslogans publicitarios e imágenes que evocan, de manera blandengue y falsa, arquetipos de poder, de solidaridad y de confianza. En el régimen que expira, el capital se usa para comprar lealtades y fuerza; en el que surge, el capital se pone al servicio de una estructura tecnológica sofisticada que penetra las capas más profundas de la psicología humana pervirtiendo la verdad.

Aunque Ernesto Zedillo llegó al poder gracias a una combinación de los dos métodos, el aspecto que se refiere a la mercadotecnia no se había discutido hasta que recientemente Roberto Madrazo comenzó a ganar fuerza como posible candidato del PRI a la Presidencia gracias al uso que ha hecho de su imagen.

Lo que a raíz de esos sucesos nos deparará la contienda por el poder será, si se logra evitar la vieja tentación de la represión y del uso del crimen, una lucha mercadotécnica y tecnológica por ocupar la psicología del ciudadano y conquistar el voto. El medio es equivocado y las consecuencias serán desastrosas para el país, porque entre la imagen que se nos presenta y la realidad hay una disparidad brutal.

Tomemos el ejemplo de Roberto Madrazo. La fuerza política (con todo y su vulgaridad; la publicidad es siempre vulgar) de la imagen que nos vende no corresponde ni a su historia como político ni a la sustancia de un programa digno de gobierno. En el primer caso, Madrazo llegó a la gubernatura de Tabasco a través de los métodos antiguos: corrupción, cooptación y represión de la disidencia; en el segundo, el nacionalismo que dice defender en sus *spots* publicitarios carece de sustancia: ¿cómo defenderá a la nación y hará una política equitativa un hombre que subió al poder mediante el uso de capitales vinculados con la corrupción empresarial y defendió el proyecto neoliberal del salinismo y del zedillismo? ¿Cómo se venderá al país, como dice su publicidad, cuando en sus declaraciones al *Financial Times* de Inglaterra habló de privatizar la CFE y Pemex, bastiones importantes de nuestro nacionalismo?

Una mala semilla sólo puede dar un mal fruto y para prueba están los frutos que ha dejado Ernesto Zedillo, que prometió "bienestar para tu familia".

Pese a esto, Madrazo, en las encuestas realizadas —y como una confirmación de ese dicho popular que está de moda entre los chavos y que habla de los grados de corrosión ética a los que hemos llegado: "quien apaña, Dios lo acompaña"—, no sólo se presenta como el candidato a la Presidencia de la República por parte del PRI, sino que aparece como puntero para acceder a la silla presidencial contra Fox y Cárdenas.

Si uno de los dos quiere ganarle a Madrazo, con alianza o sin ella, tendrá que desplegar una campaña publicitaria más agresiva y maquillada que la del tabasqueño, más "apañadora". Pero eso, porque la publicidad es mentirosa, porque lo que se dice a través de ella no está amparado por el peso de la vida, de los actos y de un programa de gobierno verdadero, porque los medios pueriles sólo pueden producir frutos pueriles, no beneficiará a nadie.

El problema es grave; habla, por un lado, de la malicia de los hombres que quieren acceder al poder y que cuentan con la desmemoria y la ignorancia de los ciudadanos; por el otro, de la indefensión propia del ciudadano común que a fuerza de la desmemoria y la ignorancia que le fomentan los medios televisivos y la publicidad, pone en entredicho la veracidad de la democracia que se reduce al voto.

Lo que hoy nos debe preocupar más que el sueño de una justicia alcanzada por el entusiasmo que levanta la lucha democrática, es la lucha contra el embrutecimiento del hombre. Una democracia que, como lo estamos viendo con las campañas publicitarias de los precandidatos, se rebaja a emplear cualquier medio para conseguir la victoria, y se permite utilizar y explotar la debilidad de los ciudadanos, no sólo se degrada a sí misma sino al país entero. Sus resultados terminarán por envilecernos más.

16/08/1999

La mitología electoral

El mito es, en un sentido profundo, la expresión simbólica de una realidad indecible que nos trasciende y nos funda. Por desgracia, los mitos modernos han abolido el significado trascendente y lo han reducido a un sistema simbológico fundado en la mercadotecnia y las imágenes creadas por la publicidad. Reducido a símbolos publicitarios, el mito ya no revela en su encubrimiento de lo indecible el misterio de la trascendencia, sino un abuso ideológico, una universalidad mediante formas pueriles. El proceso es complejo, pero puede resumirse en un aforismo: la humanidad perdió su sabiduría por el conocimiento, extravió el conocimiento por la comunicación y la comunicación por la mercadotecnia.

El mito de la democracia, es decir, el mito del poder del pueblo, que ha recorrido a la nación mexicana a lo largo de 70 años, ha sido una larga construcción fundada en las ideas de hombres sabios que vivieron en la antigüedad clásica que, a través del conocimiento de la crítica racionalista del siglo XVIII comenzó articularse y mediante los sistemas de comunicación del siglo XX ha permitido sensibilizar las conciencias.

Después de 70 años de largas batallas y de hombres y mujeres que en nombre de ella han dado la vida, la democracia es ya casi una realidad en México. Se ha logrado un reparto importante del poder, las relaciones políticas han accedido a la competencia plural y tenemos unas autoridades electorales que han trabajado bien para eliminar lo más posible las posibilidades de fraude. El presidencialismo ha sido acotado y muchos caciques, dueños y señores de vidas y haciendas, en ciertas regiones donde aún perviven, como en Chiapas, empiezan a sentir que su poder declina bajo la presión de un pueblo consciente y dignificado. Podemos decir que el mito de la democracia se ha expresado por fin en nuestra nación bajo un republicanismo que el autoritarismo con disfraz de democracia ocultó. Por desgracia, en el momento en que esto sucede, el proceso de la mercadotecnia se ha montado sobre ese triunfo y ha comenzado a puerilizar el mito. Los partidos y sus representantes que compiten por ser los representantes del poder del pueblo, acosados por los medios de comunicación y su expresión: lo inmediato, lo que escandaliza, lo que expresa poder, en el sentido de fuerza, no de sabiduría ni de conocimiento, sino de brutalidad, no realizan propuestas simbólicas que expresen la profundidad de lo que significa ese poder, muestran simplemente imágenes que aparentan poseer los contenidos de ese poder. Expresan, como todos los productos que vende la publicidad, un sentido y un prestigio, pero en realidad sólo ocultan una realidad vacía, sin trascendencia, sin unidad con su expresión significante.

Cuando una rica, hermosa y humilde papa es tocada por la mercadotecnia, la papa deja de ser rica y hermosa en su humildad para convertirse en un entramado de mentiras. Al realizar su prestigio a través de la fritura de delgadas rebanadas y de una bolsa bonita, aumentan su poder, pero ocultan una realidad vacía: la papa ha dejado de ser papa. Ya no tiene los ingredientes, ni la hermosura natural que posee y se ha convertido en una pura expresión, vacía de significado y de contenido, se ha convertido en una sabrita.

Lo mismo sucede con los partidos y sus candidatos. La democracia que dicen representar, tocada por la pueril magia de la mercadotecnia, realza su prestigio y oculta su vacío. Dicen representar la riqueza del contenido del mito de la democracia: el poder del pueblo, pero su expresión no responde a los contenidos de ese poder, sino a los que la mercadotecnia y los medios de comunicación les imponen. Así, para que el prestigio del poder que dicen representar tenga fuerza tienen que expresarlo mediante lo que los medios de comunicación quieren: la majadería, la bravuconada, la descalificación. Las propuestas serias no tienen cabida en el proceso "comunicativo", sólo tienen acceso a ese proceso si van envueltas con el ingrediente que el mercado y los medios de comunicación consideran vendibles: la violencia, la mentira que vende, el prestigio que vacía de realidad el contenido. Ya no se trata de construir el bien común, que está contenido en el mito de la democracia, sino de ganar el poder a toda costa ocultándolo bajo una capa de símbolos que dicen ser expresión de ella. La democracia, como lo hemos visto en los dos debates y en lo que los medios de comunicación exaltan de sus discursos, se ha convertido así en descalificación del contrincante, en venta de prestigio: ("yo soy el único, el verdadero, el depositario de los ideales del pueblo, los demás son imbéciles"), en envolturas bonitas, desprovistas de cualquier relación con lo humano: seguridad, agresividad con el enemigo, afabilidad con el ciudadano, flexibilidad y dureza. Cualquier rasgo de debilidad, de humanidad, es sancionado por los medios de comunicación mediante la descalificación. Quien represente el poder del pueblo tiene que expresarse con un sistema de símbolos que lo convierta en una especie de dios con el código de la modernidad: fuerte, pero tolerante; paterno, pero amigo; implacable con el enemigo, pero suave con el compañero. No importa el contenido, sino la imagen. Al volverse forma, el sentido de la democracia aleja su contingencia, se vacía, se empobrece, la historia que la ha fundado se evapora, no quedan más que imágenes, gestualidades para ganar electores. El sentido contiene un sistema de valores: una historia, una geografía, una moral, una trascendencia. Pero la forma en que los partidos y sus candidatos, tocados por la mercadotecnia, comienza a articularlo ha ido alejando esa riqueza. Su pobreza actual requiere de una significación acorde con su verdadero contenido.

¿Se puede dar? Estoy seguro de que no entre los partidos y sus candidatos, sino en el pueblo que dicen representar. Es ese pueblo el que a partir de movilizaciones, organizaciones, lucha diaria ha conformado el rostro democrático que hoy tiene la nación y que los partidos y sus candidatos están deformando. Es ese mismo pueblo el que debe pedirles un cambio en sus actitudes para que el mito adquiera verdadera realidad y verdadera presencia. Ese cambio de actitudes significa dejar de lado sus pueriles simbologías, liberarse del pueril corsé que les imponen los medios de comunicación y la mercadotecnia y ser inventivos; significa también concentrarse en sus propuestas políticas y crear un pacto de respeto entre ellos que lleve a una transición política que permita la gobernabilidad y la expresión real de lo que significa democracia: el ejercicio del poder del pueblo en sus múltiples rostros.

05/06/2000

POR UNA VERDADERA DEMOCRACIA

Estamos a dos semanas de las elecciones. Hemos visto en los procesos de campaña mucha conciencia civil de la ciudadanía y demasiada basura y prepotencia de los candidatos a los puestos de representación. Los discursos de estos últimos han estado salpicados por dos de los oscuros vicios que han perseguido a México desde su independencia: el caciquismo y el presidencialismo. Han hablado ante la nación como si ellos, de llegar a la Presidencia, fueran a gozar de un poder sin límites para aplicar sus programas públicos, como si no existiera un Poder Legislativo, como si fueran a gobernar solos. Los partidos que los apoyan, lejos de llamarlos al límite, no sólo se han solidarizado con esos gestos, sino que, además, han apoyado sus campañas con el juego sucio: la descalificación del contrincante y la propaganda soez; uno de ellos, el PRI, contra toda su exaltada renovación, ha vuelto a poner en marcha sus ancestrales lastres: la coacción y la compra del voto. Tal vez veamos durante estas dos semanas cosas más vergonzosas.

Es natural. Por vez primera, después de 70 años, estamos ante la posibilidad de vivir una alternancia de poderes y de transitar hacia un paradigma verdaderamente democrático; por vez primera estamos ante la posibilidad de conquistar nuestra mayoría de edad como nación. Eso lleva a los partidos y a sus candidatos a asumir actitudes adolescentes. El proceso es el de toda vida humana. Antes de llegar a la madurez —y en política la madurez se llama democracia—, se pasa por la adolescencia, encrucijada en donde los gestos maduros se combinan con fuertes dosis de prepotencia y locuacidad.

Sin embargo, el país no está en condiciones de perpetuar por mucho tiempo su adolescencia política, a riesgo de ver destruida su posibilidad de acceder a la madurez. Después del 2 de julio, los partidos y los candidatos tienen dos caminos: o se mantienen en sus pugnas, con lo cual la nación vivirá la ingobernabilidad y el desgarramiento, o asumen su tarea democrática.

¿Pero qué significa asumir esa tarea?

Hacia los años cuarenta, en pleno proceso de la independencia de India, Gandhi escribió estas palabras: "Un demócrata [...] es un hombre nacido para la disciplina. La democracia brota naturalmente en el espíritu de aquel que está habituado normalmente a obedecer de buena gana toda ley, divina o humana. Que los que tengan la ambición de servir a la democracia empiecen presentando ante todo las pruebas de que han sido capaces de pasar con éxito este examen severo. Además, un demócrata tiene que ser un hombre totalmente desinteresado. Tiene que complacerse en soñar, no en términos de interés personal o partidista, sino únicamente en términos de democracia

[…] Un [partidarismo] desbocado no puede hacer otra cosa más que permitir que reine la ley de la selva […]. Plegarse de buena gana a las obligaciones sociales, con el deseo de asegurar el bien público es servir al mismo tiempo a nuestro interés personal y al de la sociedad de la que formamos parte".

Estas palabras tienen un ejemplo en las recientes elecciones de un país cercano a nosotros: Chile. La contienda más fuerte se realizó entre la derecha y la izquierda. Tanto Lavin, que representaba a la primera, como Lagos, que representaba a la izquierda, tuvieron la grandeza y la delicadeza política de no mezclar en sus campañas los nombres de Pinochet y de Allende. Su fin era democrático: servir al pueblo por encima de sus posiciones ideológicas. Hacia la segunda vuelta, Lavin hizo algo más: tuvo el valor de emitir un comunicado televisivo sobre el conteo. Cuando se había contabilizado 30% de los votos, declaró: "La tendencia nos desfavorece"; cuando se llegó a 70%, dijo: "Hemos perdido. En este momento salgo a felicitar al presidente Lagos y a ponerme a su disposición". Así lo hizo. El triunfo se festejó con un gesto de absoluta civilidad democrática: un gobierno legítimo junto a una oposición decidida no a colaborar mansamente, sino a trabajar para ejercer un equilibrio de fuerzas, y una presencia muda y simbólica de la democracia: la viuda de Salvador Allende.

Tanto la reflexión de Gandhi como el ejemplo de Chile hablan de lo que se espera de los partidos y de los candidatos después del 2 de julio. Gane quien gane en la contienda electoral no podrá gobernar solo. Tendrá que hacerlo con el apoyo de todos los demás partidos que representan los sueños y las aspiraciones de otros mexicanos. Una democracia es un equilibrio de fuerzas que participan en el gobierno para el bien de todos. En una democracia nadie puede imponer su voluntad. De ser así, volveríamos a caer en la vieja enfermedad de la que hemos luchado por salir: la de una tiranía impuesta por una minoría a fuerza de miedo, coacción y corrupción. Si los partidos no logran ese gesto de madurez democrática habrán traicionado a Dios y a la causa que defienden.

México tiene graves pendientes que no se resolverán con la división, sino con la colaboración de todos para el bien común. Entre ellos están: el respeto a los Acuerdos de San Andrés (que al haber sido traicionados destruyeron la ya deteriorada legitimidad del actual gobierno de México), el regreso del ejército a las posiciones que tenía cuando estalló el conflicto, la desactivación de los grupos paramilitares y la reanudación del diálogo; la limpieza exhaustiva del Fobaproa, y una política económica incluyente —garantías para la reconstrucción de la pequeña, mediana y micro empresas, y fortalecimiento de las economías locales y sus culturas—, entre las más inmediatas.

Lo que los mexicanos esperamos después del 2 de julio no son las bravatas con las que los candidatos se han expresado ni el juego sucio con el que los partidos han apuntalado las campañas, sino una democracia madura, disciplinada e ilustrada que sirva al bien común y a la solución de sus problemas más duros a través de un consenso cuya mira sea la libertad. Una democracia adolescente, plagada de prejuicios, de prepotencia, ignorancia y supersticiones sólo nos llevará al caos y a la destrucción de aquello por lo que hemos luchado.

19/06/2000

La vida democrática y la humildad

A Tito Monterroso:
Y cuando despertamos, el dinosaurio ya no estaba ahí

Después del 2 de julio, México ya no es el mismo: la ciudadanía, el Instituto Federal Electoral, los candidatos, los partidos, el presidente de la República, dieron una lección de honestidad, de alta civilidad y de madurez política. Después de 70 años de una larga dictadura de partido, México ha entrado en la democracia y el dinosaurio que nos señoreó ha dejado de hacerlo. Podemos sentirnos por vez primera orgullosos y libres: los mexicanos hemos aprendido a no tener miedo y a reconocernos como una pluralidad. A partir del 2 de julio podemos decir que los principios elementales de la democracia, esos principios que hacen aceptable la vida política, han tomado en México carta de naturalización.

Sin embargo, esto es meramente un inicio. La democracia no es sólo una elección limpia en la que se respeta la voz de las mayorías. Es una construcción lenta, en la que participamos todos. Hacia adelante nos aguarda un largo camino que sólo es posible transitar con humildad. Todas las razones que aconsejan esa virtud están reunidas en la palabra democracia. Pues la democracia nos enseña que es necesario el consenso de ganadores y perdedores, la puesta entre paréntesis de nuestras respectivas ideologías y el aprender a mirar las necesidades del conjunto de la sociedad para poder resolver los problemas que nos aquejan.

Lo que después de la jornada del 2 de julio, del orgullo y del festejo nos aguarda es tratar de establecer un gobierno plural, representado no por intereses, sino por hombres éticos que puedan definir en común el orden que necesitamos. Dicho en otras palabras: es necesario que cada uno de los hombres y mujeres que tendrán un puesto de representación en el futuro gobierno se olviden de sí mismos y, con humildad, se aboquen a la tarea de generar una política que empiece por paliar los problemas más inmediatos.

Yo encuentro tres de los que el gobierno de Alianza por el Cambio, que ha ganado la Presidencia de la República, tiene en su agenda: 1) Respetar los Acuerdos de San Andrés, desmantelar los grupos paramilitares en Chiapas, hacer regresar al ejército a las posiciones que tenía cuando estalló el conflicto y volver a la mesa del diálogo hasta hacer posible que el EZLN se integre a la vida civil. 2) Dar garantías para rehacer y fortalecer la mediana, la pequeña y la micro empresas, y fortalecer las producciones y los mercados locales. 3) Limpiar el Fobaproa, lo que implica reformar la ley y hacer un trabajo de investigación minucioso para que aquellos que se enriquecieron ilícitamente con el dinero del pueblo sean procesados y sus bienes devueltos a la nación.

Esto no puede hacerse sin humildad (que es lo que hace a las buenas y verdaderas democracias), sin la humildad de poner entre paréntesis los intereses de grupo y los sueños ideológicos para con todos servir verdaderamente a la nación. Pues el demócrata, en resumidas cuentas, no es sólo aquel que admite que un adversario puede tener razón, que, en consecuencia, deja que se exprese y que acepta reflexionar sobre los argumentos que ha oído; es también aquel que a partir de ahí sirve a la verdad y al bien.

Cuando ocurre que un partido, es lo que hemos vivido en los últimos regímenes priistas, o los partidos, se encuentran lo bastante persuadidos de sus razones para aceptar cerrar la boca de su adversario mediante la violencia y traicionar la verdad en nombre de los intereses de unos pocos, entonces la democracia se convierte en demagogia y lo que reina es la barbarie del autoritarismo.

Los ciudadanos tenemos también nuestra parte en este ejercicio de la democracia y de la humildad. A partir del 2 de julio, los mexicanos hemos comprendido que cada ciudadano es el que elige y sostiene al gobierno que eligió. En este sentido, cada ciudadano es responsable de todo lo que hace su gobierno y, por tanto, tiene que prestarle su apoyo humildemente mientras ese gobierno tome decisiones aceptables. Pero el día en que ese gobierno se traicione, que no sea humilde y deje de servir al bien común, incluyendo a las minorías, cada ciudadano está obligado a exigirle reparación y, de no hacerlo, retirarle su apoyo. La democracia no está hecha para los que confunden humildad con humillación y se portan como borregos, sino para quienes están dispuestos a guardar humildemente la libertad y la dignidad.

A los ojos de algunos, demasiado ideologizados, estas perspectivas pueden parecer utópicas; pero para todos aquellos que se niegan a perder las conquistas democráticas que hemos obtenido, es este conjunto de principios los que convienen afirmar y defender. Sin la reunión de todos y la humildad para servir al bien común no habrá nunca una verdadera democracia y el triunfo conquistado el 2 de julio será sólo la ilusión de haber desterrado al dinosaurio.

03/07/2000

SIN HONOR, LA DEMOCRACIA ES UN ABSURDO

El honor, esa virtud que formó parte del hombre medieval y que fue uno de los pilares de la lucha política de Georges Bernanos en la Francia que bajo el peso de los valores modernos y de la Segunda Guerra Mundial se corrompía, se ha convertido en las sociedades económicas en una mera palabra decorativa, cuyo sentido se ha vuelto en sí mismo económico. La cualidad moral "que —según el diccionario— impulsa al hombre a comportarse de modo que merezca la consideración y el respeto de la gente", y que está asociada con la dignidad y la honestidad, se ha vuelto la cualidad de quienes detentan el poder y el dinero, mientras que sus contrapartes, la consideración y el respeto, se han convertido en sinónimos de lambisconería.

Sin embargo, el honor que, en tanto virtud, está cosido al ser del hombre, no puede morir por más que se le degrade. De repente, en donde menos lo esperábamos, ahí donde el hombre, a fuerza de explotación y de desprecio, ha sido despojado de todo, emerge y nos muestra el esplendor de su rostro. En este sentido, si algo conmueve del zapatismo es su honor, esa virtud en la que se funda el capital moral que lo ha hecho mantenerse firme a pesar de las adversidades y ganarse el respeto y la consideración de aquellos que aún reconocen el rostro de la dignidad.

En medio de las desproporciones y los desvalores del mundo económico, el zapatismo nos ha recordado que el honor no es un valor entre otros (mucho menos un valor decorativo y económico), sino el valor fundamental, ese valor en el que los seres humanos depositan el derecho a existir en su alteridad, ese valor que los lleva a colocar por encima de todo esa parte de sí mismos que debe ser respetada y que proclaman, incluso, superior a su existencia, ese valor sin el cual los preceptos y los actos carecerían no sólo de dignidad personal y de sentido ético, sino de esa grandeza que hace del hombre una verdadera imagen de Dios.

Creo, en este sentido, que la virtud del honor revelada por el zapatismo contribuyó en gran medida a que la llamada sociedad civil lo descubriera en ella, conminara a los zapatistas, en nombre de ese mismo honor, a detener su lucha armada y, unida, lograra la transición democrática que ahora vivimos.

Pero el honor no termina ahí. En realidad comienza. El nuevo gobierno, tanto como la sociedad a la que representará, no deben perderlo de vista, pues sin él la democracia sucumbirá bajo el peso de la pura racionalidad instrumental de lo económico y de sus máquinas; esa racionalidad que sobrepone la abstracción del desarrollo a la integralidad del hombre y que comienza a hacerse sentir con la miope política hacendaria que el gobierno de Fox pretende que asuma el pueblo de México.

En este sentido habría que recordarle al nuevo gobierno que se inspira en el cristianismo, algunos puntos fundamentales relativos al honor.

Hay con toda evidencia un honor cristiano (nos equivocaríamos si quisiéramos preguntar la definición de ese honor, por ejemplo, al obispo de Ecatepec). El honor al que me refiero es humano y divino, es, como lo define Bernanos, "la fusión misteriosa del honor humano (el respeto a su integridad) y de la caridad de Cristo (el don de sí)". No debe, por lo tanto, confundirse con la caridad, que es la sustancia de la vida cristiana. El honor tiene su sitio. Se encuentra ahí en donde los valores de la vida cristiana se aplican a la vida temporal. En este sentido su papel tiene relaciones con la caridad, pues sin el honor, la obediencia a los deberes y al ejercicio de las tareas que hemos tomado a nuestro cargo se vuelve tan inútil y vana como las virtudes teologales y morales de la caridad cuando les falta el amor sobrenatural. Pero si la fe, la esperanza y la caridad son gracias infusas que sólo pueden venir de lo alto, el honor llega de todas partes: de arriba y de abajo, de Dios y del hombre, de la iglesia y de la sociedad, de lo espiritual y de lo temporal. Tiene su sitio esencial en esos dos niveles que deben ser inseparables. En este sentido, el honor implica vivir las tareas que asumimos en función de nuestra condición de hombres integrales y del común, y no en función de abstracciones económicas que se superponen a él. No se puede tener honor cuando se intenta aplicar una política hacendaria que reduce al hombre a un ser meramente económico e impide el desarrollo de las micro y pequeñas empresas que, según las promesas de la campaña foxista, el nuevo gobierno quiere beneficiar; no se puede tener honor si se entrega todo al mundo económico y se pierde de vista la integralidad del hombre en el orden de lo social y de lo espiritual. No se puede tener honor si el sentido político se transforma en una visión empresarial que sumirá al cuerpo social en un servilismo productivista. No se puede tener honor si supeditamos al hombre al racionalismo de la máquina y del mercado. El entrampamiento en el que se encuentra el honor del nuevo gobierno y de los mexicanos radica en que se quiere hacer convivir los valores modernos: la globalización, la productividad industrial y sin límites, la competencia y el desarrollo tal y como lo entiende el paradigma económico de la globalización, con la dignidad. Esta convivencia innatural hace del honor una suerte de esnobismo y de afectación anacrónica. Hay un honor en los oficios y en las producciones con herramientas autónomas, pero la sociedad económica, sus herramientas heterónomas y su competencia han corrompido los oficios; hay un honor en el trabajo creativo, pero la máquina y una política absurda de impuestos no sólo lo ha destruido, sino que ha lanzado a la gente al desempleo; hay un honor familiar, pero las condiciones económicas, si no condenan todavía al pobre al celibato o a vivir bajo la pena de no procrear, lo privan de los medios materiales para cumplir con dignidad las prerrogativas familiares y lo hunden en la miseria. En un mundo así, el honor no sólo está roto, sino que, además, hace imposible la democracia, pues la convierte en un absurdo. En estos casos la obediencia y la resignación (el viejo discurso de las ideologías totalitarias y de ese otro totalitarismo que aparenta carecer de ideología: el mercado) del hombre en un futuro promisorio no son soluciones, pues para salvarnos en el deshonor es necesario ser santos. Pero las vocaciones heroicas son excepcionales y México no es un pueblo de excepciones, sino de ciudadanos que necesitan del honor para vivir y realizarse como seres humanos en el tiempo.

¿Podrá el gobierno de Fox, que llegó al poder gracias al honor que el pueblo de México reencontró en él, ser un gobierno honorable y crear condiciones para que el honor pueda pervivir en nuestro país?

Es poco tiempo para decirlo, pero la actitud que el gabinete de transición está asumiendo en relación con la política hacendaria y el intento de tratar al país no como si fuera una comunidad de hombres y de ciudadanos, sino como una empresa económica, nos obligan a recordar el sentido del honor sin el cual cualquier democracia se vuelve absurda.

06/11/2000

La Constitución, la esperanza y el miedo

La propuesta de Vicente Fox para crear una nueva Constitución es un acontecimiento importante. Implica refundar el Estado. Una necesidad que nace no sólo de los cambios que ha vivido el país desde 1917 y que lo han ido conformando de manera distinta —una Constitución no es otra cosa que el reflejo, expresado en leyes, de la manera en que un país está constituido; es lo que la gramática es a la lengua—, sino también y, sobre todo, porque nos permite, a la luz de nuestra historia, la posibilidad de pagar la deuda pendiente que tenemos con el México de los excluidos. Crear una nueva Constitución implica en este sentido revisar con clarividencia y detalle lo que realmente somos y, por lo mismo, revisar los márgenes mismos de nuestra nación.

Desde que Morelos concibió los *Sentimientos de la nación* (14 de septiembre de 1813), hasta la redacción de la Constitución de 1917, pasando por el Acta constitutiva de la Federación, aprobada el 31 de enero de 1824, México, como bien lo ha definido Gustavo Esteva, "fue una invención desafortunada". Los grupos criollos que concibieron el Estado nunca se preocuparon por conocer y expresar la pluralidad que era y continúa siendo México. Volcados hacia las instituciones que se desarrollaban en otros países, los padres de la nación las trajeron a contrapelo y conformaron el rostro del Estado a imagen y semejanza de ellas. Dando la espalda a las culturas, aspiraciones y esperanzas de la mayoría de los mexicanos, ninguna constitución ni ningún proyecto de nación, desde el Acta constitutiva de la Federación, ha logrado superar la incapacidad de dar rostro a la condición real de la mayoría de los mexicanos. Dedicadas, como expresaba Gamio, a "forjar patria", perseguidas por un sentimiento de inferioridad frente a los Estados que una axiomática económica ha decretado como "mejores", las élites intelectuales han estado empeñadas en hacer entrar por fuerza lo real de México en los modelos importados que han formado nuestras dos constituciones.

Las disputas que a lo largo del tiempo ha vivido nuestra República son hijas de esta contradicción. Guillermo Bonfil, en su *México profundo*, señalaba que esa contradicción es hija de diferencias entre dos realidades sociales: la del México imaginario, formado por las élites intelectuales y económicas que se han empeñado en forjar a la nación dentro de los moldes de la civilización occidental, y el México profundo, formado por ese mosaico de pluralidades que, arraigadas en las culturas mesoamericanas, asumen el proyecto occidental de manera distinta.

Debajo del México imaginario que se ha expresado en la Constitución y sus instituciones, existen muchos pueblos y comunidades, incluso barrios dentro de las urbes, que viven con sistemas de vida determinados por la cultura mesoamericana y que el régimen ha excluido o ha miserabilizado al tratar de incorporarla a un proyecto nacional ajeno a sus culturas. Las luchas intestinas que ha vivido el país desde su independencia, los desacuerdos entre las facciones revolucionarias de 1910 (reivindicaciones agrarias —Villa— y comunales —Zapata— contra reivindicaciones de desarrollo industrial —Carranza, Obregón, Calles—; más tarde el sueño agrario y nacional de Lázaro Cárdenas contra el sueño modernizador de Miguel Alemán), los alzamientos de las comunidades indígenas brutalmente reprimidos a lo largo de los siglos XIX y XX; tianguis, el mercado informal, el cultivo de subsistencia, contraposición a las empresas trasnacionales y la industrialización agraria; los municipios y pueblos que, en contraposición a las leyes constitucionales, continúan rigiéndose por usos y costumbres; las herramientas autónomas de las economías pueblerinas contra las herramientas heterónomas de las economías globalizadas, y el alzamiento del EZLN y sus demandas de autonomía indígena, muestran algo de esa contraposición de la que nos habla Bonfil.

En este sentido, habría que decir —contra el concepto que manejan las élites intelectuales y económicas, sean de derecha o de izquierda— que los constantes enfrentamientos que ha vivido el país no son sólo entre ricos y pobres, entre liberales y conservadores, entre izquierda, centro y derecha —estos pertenecen a una lucha entre las élites por la dirección del modelo imaginario—, sino, y sobre todo, un enfrentamiento entre un modelo político y económico importado de Occidente con diferentes matices (el que imprimieron los conservadores y los liberales después de la Independencia; el que le imprimieron los liberales jacobinos, después de la Revolución; el que le han dado las pugnas entre la derecha, la izquierda, el nacionalismo revolucionario y la tecnocracia empresarial), y el de un plural con diversas formas de vivir lo político y lo económico.

A partir del 2 de julio de 2000, México transitó de un Estado autoritario a un Estado democrático. Esta transición ha implicado un cambio sustancial en el liderazgo político (en las personas y en la forma de constituirlo); ha implicado también un cambio en las relaciones políticas, económicas y sociales entre los mexicanos, un resurgimiento del México profundo; por lo mismo, ha generado también la necesidad de plantear una nueva Constitución, que estaba ya en el ánimo de muchos mexicanos a partir de los procesos hacia la democracia que venía viviendo el país desde finales de los ochenta, y que se hicieron más claros con el surgimiento del zapatismo y las demandas de los indígenas.

Desde esta perspectiva, una nueva Constitución puede ser esperanzadora, si ayuda, a partir de una sólida exploración de lo que México es en su sustancia, a redefinir lo que el proyecto dominante y su expresión constitución han soslayado: los ámbitos de comunidad y sus autonomías, las limitaciones al campo libre de la economía y de la producción de bienes y servicios de todo tipo, la restitución a los pueblos, a las comunidades y a los barrios de su memoria y de su autonomía creadoras, fortaleciendo sus culturas, sus producciones vernáculas, su autosubsistencia y sus mercados locales. Estas demandas, por el momento, sólo puedo expresarlas mediante una negativa a lo que la imposición de la globalización pretende: no más educación frustrante y discriminatoria; no más dependencia de especialistas que monopolizan los instrumentos sociales e imponen una manera de comportamiento; no más tecnologización que destruye las identidades culturales; no más mitos de desarrollo y de riqueza para seguir generando miseria y destrucción de los espacios vernáculos y naturales; no más pérdida de valores espirituales en nombre de la globalización, de la competencia, del bienestar y del dinero, para generar más corrupción, más impunidad y más crímenes.

La esperanza es la de un proyecto de Estado que al fin reconozca la pluralidad de los pueblos y las culturas que lo forman y la diversidad de sus aspiraciones.

Hay, sin embargo, un temor, que una nueva Constitución sólo sirva para realizar un mero ajuste de las estructuras vigentes con el fin de que se cumpla lo que el gobierno de Salinas de Gortari dejó pendiente: la reforma política. Para muchas personas en el gobierno, en los partidos y en las empresas, éste es el sueño: con una democracia ajustada a los cánones vigentes de las sociedades "avanzadas", los mexicanos podríamos definir por nosotros mismos el rumbo del país ajustándolo al modelo económico actual. Es lo que recientemente ha expresado el sector privado de lo que espera de la "renovación" de la Carta Magna: "cambiar todo lo relacionado con el papel rector del Estado en la economía nacional y con el control de las áreas estratégicas, a fin de permitir una mayor intervención de los empresarios" (*La Jornada*, 7 de febrero).

Un cambio constitucional así no sería sino una variante del viejo proyecto histórico de las élites que lo único que consolidaría sería el imperio del llamado neoliberalismo, de la globalización sin matices, de la exclusión de las mayorías y de su miserabilización.

Nos encontramos ante un parteaguas fundamental. La creación de una nueva y buena Constitución dependerá en gran medida de la noción de democracia que logre prevalecer en el país. "No se trata, simplemente —como lo señaló Gustavo Esteva (*Ixtus* No. 26)— de un ajuste del régimen actual o de la agonía del heredado de la Revolución, sino de la última fase de la vieja disputa histórica entre los mexicanos para definir el rumbo de la nación. El proyecto dominante trata de incorporarla al estilo que [prevalecía] al final del siglo XX, para que se enfrente sin rezagos políticos a la exacerbación de sus contradicciones en la era de la 'globalización'. El otro [en el que está incluido el zapatismo como expresión del México profundo], que ve en ésta una perspectiva de marginación para las mayorías, intenta realizar la primera revolución del siglo XXI: una revolución democrática radical, basada en los ámbitos de comunidad. Pero sólo viendo con claridad hacia atrás, derivando las lecciones pertinentes de la lucha popular, será posible comenzar a construir la sociedad con la que ha soñado la mayoría de los mexicanos desde que adquirieron esa condición".

11/02/2001

EL GOBIERNO DE FOX Y LA CRISIS DE LA UTOPÍA

El 2 de julio, cuando el pueblo de México se volcó a las urnas para terminar con más de 70 años de una especie de dictadura de partido, encumbrar a la Presidencia de la República a Vicente Fox y fundar una Cámara plural, México, como alguna vez lo dije, no votó por un determinado proyecto político, sino por una utopía.

La palabra tiene el sentido de "un proyecto de sistema social halagüeño", dice el diccionario Océano; aquello que en el orden social debería ser, un sueño que contiene el mejor de los mundos posibles dentro de lo humano.

Durante los primeros meses del nuevo gobierno, la utopía pareció delinearse o, al menos, el gobierno parecía caminar hacia ese horizonte: la apertura de Vicente Fox a las demandas de la lucha zapatista, la Marcha por la Dignidad India para defender la ley Cocopa sobre derechos y cultura indígenas ante la Cámara, el lento, pero seguro, cumplimiento de las tres demandas zapatistas para reanudar el diálogo, la manifestación pública del propio presidente Fox de revisar el expediente de Montiel y Cabrera (los campesinos ecologistas de la sierra de Petatlán y Coyuca de Catalán) injustamente encarcelados por proteger los bosques de Guerrero, entre otras, caminaban en este sentido.

Más de cien días, sin embargo, han bastado para que la utopía traicione su sentido social y se convierta en lo que guarda su sentido etimológico, no el mejor de los mundos posibles, sino "un no lugar". La reforma fiscal que propone el gobierno foxista, la traición del Legislativo a la ley Cocopa, la obstinación del procurador de la República, Rafael Macedo de la Concha, para no reconocer el amparo de Montiel y Cabrera y ponerlos inmediatamente en libertad, no sólo ponen en entredicho la utopía y la conducta ética del nuevo gobierno, sino que ponen en riesgo la gobernabilidad del país. Con estas actitudes, tanto el presidente Fox como el Congreso parecen gobernar no para el pueblo de México y la construcción de la utopía que los encumbró al poder, sino para el Banco Mundial, el Fondo Monetario Internacional y los intereses de las oligarquías económicas mundiales.

Cuando se revisan las reglamentaciones que el Banco Mundial impone a los países para préstamos de dinero y la manera en que México se adecua a ellos, cuando se estudia el Plan Puebla-Panamá y se atiende a los pactos que comienzan a realizarse para poner en marcha la Asociación para el Libre Comercio de las Américas (ALCA), se puede entender que la actitud que está asumiendo el gobierno es la de beneficiar a los grandes capitales y a las grandes inversiones en contra de la nación.

De aprobarse la propuesta de reforma fiscal que intenta gravar alimentos, medicinas, pago de colegiaturas y libros, el gobierno endosará a las clases medias y a los pobres una carga económica que no podrán sostener, que esclavizará y barbarizará al pueblo y que únicamente beneficiará a los grandes consorcios y a los bandidos que protege el Fobaproa, cuyas fortunas ya estamos pagando.

Lo mismo puede decirse de la ley de derechos y cultura indígenas que recientemente elaboró y aprobó el Legislativo. Cuando la nueva ley desconoce los puntos sustanciales de los Acuerdos de San Andrés: la autonomía y libre determinación de los pueblos indios como sujetos de derecho; tierras y territorio; uso y disfrute de los recursos naturales y elección de autoridades municipales, no sólo manifiesta una profunda insensibilidad para comprender la manera en que mira, siente y vive el indio (ese otro distinto a nosotros) y humilla la confianza que tanto los indios, los zapatistas, el propio presidente Fox y la sociedad civil depositamos en ellos, sino que se coloca del lado de las expectativas del Plan Puebla-Panamá.

Con comunidades indias que no son sujetos de derecho, que carecen de territorios y que no pueden usar y disfrutar de los recursos naturales, el camino a la expansión industrial y comercial y a los pactos comerciales con las trasnacionales queda abierto. Frente a ellos, los pueblos indios, "amparados" por una ley injusta, correrán el destino de su desaparición absorbidos o desplazados aún más por los intereses de la economía global.

Algo semejante sucede con la detención ilegal de los campesinos ecologistas Montiel y Cabrera. Mientras el aparato de justicia deje libre por falta de pruebas a criminales (uno de ellos protagonizó recientemente, al lado de otros, el asalto y la violación a tres mujeres, una de 12 años, en el poblado de Santa Catalina en Tepoztlán), Montiel y Cabrera, con todas las pruebas de su inocencia, el apoyo de Greenpeace, de Amnistía Internacional, de intelectuales y de diversas asociaciones nacionales e internacionales (recordemos que se les han otorgado los premios Goldman, Chico Mendes y Sergio Méndez Arceo), permanecen en la cárcel.

¿A quiénes beneficia su detención? Nuevamente a los grandes capitales: a Rubén Figueroa Alcocer (impune de la matanza de Aguas Blancas), a la Boise Cascade (limitada en Estados Unidos y en Canadá por su irracional tala de bosques), a la Costa Grande Forest Product y a los caciques de la región.

El gobierno de Vicente Fox está traicionando no sólo todo aquello que prometió, sino, entre los que de ellos se dicen cristianos y alardean de su fe, humillando el Evangelio y desprestigiando el honor de la iglesia y de quienes tomamos el camino de Cristo. Su discurso ético y de renovación se estrella impotente con los gestos de su administración que comienza a sacrificar todo a las abstracciones de la bestia económica. Hay algo de hipocresía en todo esto. El gobierno democrático que emanó del 2 de julio y la utopía con la que se encumbró ha entrado en una terrible crisis que lo obliga a decidir: o bien, deja su máscara ética y admite que el fin de la economía global justifica los medios que se disfrazan de democracia, es decir, admite que el sacrificio del pueblo y de las honestas gentes puede ser legitimado por las fuerzas ciegas del mercado, o bien renunciará al mercado como filosofía absoluta y, trabajando a favor de la justicia, estará dispuesto a sacrificarse junto a los hombres de aquí y ahora por una verdadera utopía en la que está comprometida no la economía, sino la dignidad de cada mexicano, su lugar en el mundo. Si escoge abiertamente, como ya lo hace desde una máscara democrática, el primer término de la alternativa, la crisis de conciencia y la doble moral con la que parecen estar gobernando se habrá terminado, la situación se habrá aclarado y las cosas se polarizarán más. Si, por el contrario, admite el segundo empezará por rehacer la reforma fiscal, por revisar la ley indígena y restituirle los puntos que le arrancaron, y liberar a Montiel y a Cabrera. Entonces demostrará que la democracia realmente señala, al menos para México, el término de la última utopía absoluta, la del mercado global que, como ya lo demostraron las otras grandes utopías totalitarias, "el fascismo y el marxismo, terminan por destruirse a sí mismas por el precio que terminan por costar" (Albert Camus).

Entonces será necesario caminar de nuevo hacia esa modesta utopía con la que se inició la democracia de este país, una utopía que quiere encontrar el justo sitio de la economía en relación con la política y de la política en el mundo de lo humano. Una utopía que al reivindicar la dignidad del débil y encontrar nuestras proporciones y límites recupera la medida del hombre sin la cual el mundo de lo humano deja de ser.

06/05/2001

La democracia en tiempos de neoliberalismo

Casi nadie duda de que la democracia sea hoy en día el mejor de los regímenes políticos. Casi nadie duda tampoco que, al ser el ejercicio del poder del pueblo, sea una lenta y larga construcción. Llegar a una mera e inestable democracia representativa le ha costado a México muchos años de sangre, de luchas y de sufrimiento. Por desgracia, este tipo de régimen lleva en sí mismo sus propias contradicciones. Aristóteles, al criticarlo, decía que su principal defecto era que en el orden de ciertas decisiones de importancia el número de los imbéciles siempre sobrepasa al de los sabios y prudentes, al grado de que la verdad y la justicia, dentro de un proceso político, podía recaer no en las mayorías, tampoco en las minorías, sino en una sola persona.

Esta realidad llevó, por ejemplo, a Thoreau, un antecedente de Gandhi en Estados Unidos, a desarrollar la resistencia civil como medio para oponerse a las decisiones imbéciles de las mayorías. Lo que Thoreau decía con su resistencia civil —y lo que más tarde Gandhi dijo con su lucha no violenta en India— es que para vivir la justicia dentro de una democracia es necesario contar, no con las decisiones de las mayorías, sino con la unanimidad, y la unanimidad tiene sus costos: implica, antes de tomar una decisión, un largo trabajo de descubrimiento de lo justo.

En las comunidades del El Arca, fundadas por Lanza del Vasto —el discípulo católico de Gandhi— en Europa, la unanimidad ha funcionado muy bien. Las decisiones difíciles se toman así. Pasa tiempo en lograr el consenso, pero la decisión que se toma después del proceso está siempre en relación con lo justo y lo verdadero.

Si recuerdo esto es porque la reciente aprobación de la ley indígena —una de las decisiones más difíciles que tenía y, pese a la aprobación constitucional, continúa teniendo el país— se enmarca dentro del defecto que Aristóteles encontraba en las democracias. La aprobación se llevó a cabo por un acto mayoritario, pero contra todo sentido de lo justo. Fue una decisión de orden ideológico, sustentada no sólo en una tremenda ignorancia de lo que es el México indígena y campesino del sur y en una descalificación de los argumentos señalados en la Ley Cocopa, sino bajo la óptica de los axiomas modernos del desarrollo. Para la mayoría que aprobó la ley, sólo hay un camino para México y el mundo campesino e indígena: el desarrollo bajo los términos dictados por la economía mundial.

La afirmación, por ciega, raya en un malentendido que Occidente viene arrastrando desde finales de la Edad Media, cuando cierta tradición político-filosófica decidió, sin ningún sustento real, que la causa de la pobreza era la avaricia de la naturaleza, la escasez de sus frutos (como si la condición limitada de la naturaleza que da sólo lo que su límite puede dar fuera sinónimo de egoísmo). Para esa tradición —que desde Hobbes y Hume se ha continuado de una forma desmesurada en el neoliberalismo— el remedio de esa escasez debe ser el crecimiento económico y, por lo tanto, las sociedades y sus conocimientos tradicionales, basados, como la naturaleza, en el límite y no en la escasez, deben ceder paso a esa nueva racionalidad.

Malthus, un hijo de esa racionalidad, cuyas tesis —aunque ya no se nombre a su autor— han adquirido una nueva vigencia en el México del siglo XXI, convenció a sus contemporáneos de que tanto el crecimiento económico como la limitación de la población exigen previamente un proceso continuo de "cepillado civilizador", destinado a imbuir en los "salvajes" el imperativo de la sociedad moderna. "Civilizar —escribía Malthus— a varias comunidades de tártaros y de negros (a las comunidades indígenas, dirían los actuales orquestadores mexicanos de la ley indígena) y orientar su producción (según las leyes de la globalización y del mercado) son, sin lugar a dudas, empresas de largo alcance", pero necesarias.

Los indios, para los orquestadores de la ley —gente que sigue muy de cerca a Malthus y a los filósofos del liberalismo—, deben desarrollarse para aprender a manejar sus recursos en función de las exigencias económicas; deben, por lo tanto, abandonar sus pretensiones de autodeterminarse y su sabiduría ancestral para someterse a los imperativos de los grandes consorcios transnacionales que tendrán cabida con el Plan Puebla-Panamá. Si antiguamente, cuando en el Renacimiento comenzó a surgir la racionalidad económica, fueron sometidos a la esclavitud de los encomenderos y luego, después de la Independencia y la Revolución, marginados bajo las políticas gubernamentales de integración a la nación y desarrollo, hoy deben desaparecer como indios e integrarse al monolingüismo económico de la globalización.

Para estos nuevos demócratas, la globalización significa que todos los problemas, incluyendo el problema indio, deben tratarse en una esfera de decisión y de acción que excluye al hombre común sea de la cultura que sea.

De lo que no se dan cuenta es de que con ello dirigen al país hacia una desposesión política que dará paso a un mundo en donde sólo existan mercados, deseos en conflicto, necesidades ilimitadas y uniformidad cultural; a un mundo de la escasez, en donde las comunidades tradicionales y sus límites naturales no tienen sitio y en donde la tierra de México —no el suelo concreto que defienden los indios, el suelo concreto de las comunidades rurales— se volverá el mítico patrimonio de una abstracta comunidad planetaria.

La ley indígena quiere someter a la comunidad tradicional a una instancia de control de recursos escasos y promotora de su uso racional por parte de compañías transnacionales y de expertos en economía. Ella degradará a los pueblos, a los consejos comunales y a las comunidades locales para convertirlos en meros eslabones de un orden global cuya condición de existencia es precisamente la miserabilización y destrucción de cualquier comunidad real.

La ceguera que se produjo con los mitos del desarrollo impide que la mayoría que aprobó esa ley se dé cuenta de que de todos los predicamentos que amenazan hoy a la tierra —y que esa misma mayoría racionaliza como problemas planetarios cuyos costos sociales serán compensados por el desarrollo— ninguno tiene su origen en las comunidades tradicionales. La miseria cada vez más aguda que padece México debe más bien atribuirse a la destrucción sistemática de su pluriculturalidad y de sus estructuras tradicionales en nombre del desarrollo.

Frente a esta forma negativa en que se articula la democracia, ¿qué hacer? No encuentro otra forma que mantener, como lo hicieron Thoreau en Estados Unidos y Gandhi en India, una resistencia disciplinada que obligue a las mayorías a volver a discutir la ley. Una ley de este tipo, de cuya existencia depende mucho de la construcción democrática de México, necesita ser aprobada por unanimidad y bajo criterios justos. Eso requiere una apertura de la mayoría del Congreso, tiempo, mesas de discusión y un lento trabajo de resistencia que permita convencer a las mayorías de que su ley es injusta, ajena a lo humano y tendiente a una mayor miserabilización de la vida y de los seres humanos de este país.

Si no logramos eso, para la ley indígena y para las decisiones cruciales que debemos tomar en el país, entonces tendremos que aceptar que la democracia es sólo un disfraz del totalitarismo económico, un lento y doloroso camino hacia la destrucción de la política y un camino abierto al imperio de los inhumanos axiomas de la tradición liberal (incluyendo al marxismo) y a las guerras étnicas que actualmente asuelan Europa.

26/08/2001

EL VALOR DEL NO

Un gobierno siempre sospecha de las movilizaciones sociales. No las mira como síntomas de sus equívocos políticos, sino como manifestaciones de grupos que tienen intereses oscuros y buscan desestabilizarlo; gente intransigente cuyos "no" toma como actitudes desafiantes.

Detrás de los "no", que siempre hay en las movilizaciones sociales, se tiende a ver un componente de negatividad, de ausencia de optimismo, de no querer mirar las cosas buenas que se han hecho.

Sin embargo, como lo señala mi amigo Jean Robert, en la política, como en la vida cotidiana, oponerse a algo malo no sólo es bueno, sino que entre mayor es la oposición, mejor. Esos "no" permiten ganar algunos "sí" que mejoran la vida social y política.

Desde el 1 de enero de 1994, cuando un puñado de indios se levantó para decir "Ya basta" a un gobierno que los había marginado hasta la miserabilización, México ha vivido una serie de benditos "no". El zapatismo, en este sentido, inauguró no sólo una nueva manera de hacer política, sino de ejercer la democracia.

Cuando después de aquel 1 de enero los zapatistas, atendiendo al "no a la violencia" de la ciudadanía, bajaron las armas, se inició un nuevo proceso en el país. Lo que comenzó siendo un movimiento rebelde de reivindicación indígena, se convirtió pronto en un hacer político desde la ciudadanía. Con ello, el zapatismo y la movilización ciudadana que provocó nos recordaron, primero, que la política (la vida de la ciudad), en su sentido más noble, no es una actividad de profesionales, sino un compromiso de los ciudadanos con su propio país, y con las ciudades y las localidades que lo componen; segundo, que la democracia no es sólo el ejercicio de un poder representativo, sino, como su etimología lo indica (*demos*, pueblo; *cracia*, poder), el poder del pueblo.

El "no" zapatista generó una voluntad ciudadana de proteger lo que es nuestro en sus diferencias; generó también un sentido de la localidad, de la pertenencia y de la dignidad, y una exigencia a las autoridades de ser fieles al mandato que el pueblo les otorgó como salvaguardas del bien común.

En el orden de la defensa del mundo indígena, el "no" zapatista reunió en su marcha a la Ciudad de México no a una clase social, ni a un gremio, mucho menos a un partido. Por las plazas donde pasó reunió a amas de casa, a obreros, a campesinos, a comerciantes, a intelectuales, a artistas, a estudiantes que pedían y aún piden un mundo indígena que pueda autodeterminarse, que deje de ser burlado por los intereses insensibles del mundo económico, que mantenga viva la dignidad de sus tradiciones y su derecho a existir.

Este tema de conciencia ha permitido, como he dicho, el surgimiento de otros "no". Uno de ellos, fue el que, en 2000, movilizó a todos los mexicanos a las urnas para terminar con 70 años de una dictadura de partido.

Recientemente, movilizó a la ciudadanía de Cuernavaca para decir "no" a la construcción de una megatienda en el Casino de la Selva y preservar la memoria histórica y cultural de la ciudad; movilizó también a los cañeros para decir "no" a un proyecto político que desatiende al campo en función de la globalización.

Cada una de estas movilizaciones y de los "no" que esgrimen son un ejercicio político ciudadano que habla del país que queremos: un país con diferencias, que ponga límites al mercado global y a la insensibilidad económica de los grandes consorcios; un país donde —en el caso de la defensa del Casino de la Selva— los locatarios del mercado López Mateos y los tianguis que lo rodean —mismos que se encuentran en las inmediaciones del Casino— continúen vendiendo sus productos; un país en donde no se destruya la ecología ni la memoria de los que nos antecedieron y dejaron sus obras para nosotros; un país donde haya sitios arbolados, lugares donde la población pueda reunirse sanamente; un país en donde los campesinos tengan garantías para la producción y venta de sus productos; un país que tenga un lugar digno para cada uno de sus compatriotas.

Todos estos "no" han logrado poner en movimiento una actividad legislativa hasta ahora desconocida en México. Gracias a ellos se obtuvo —aunque imperfecta y llena de los vicios de quienes aún creen que la salud de las naciones está en la globalización indiscriminada— una ley indígena ante la cual continuará habiendo un perentorio "no" que logrará, tarde o temprano, la verdadera dignidad que reclaman los indios; se ha logrado sensibilizar al Legislativo para que se cree una ley que proteja el patrimonio cultural y artístico del siglo XX; se logró la expropiación de 27 ingenios azucareros cuya ineficiencia estaba destruyendo la producción de caña de nuestro país.

Los "no" ciudadanos son la expresión más clara del ejercicio democrático. No son, como muchas veces se cree, la minimización de los logros de un gobierno; esos logros no tienen por qué discutirse ni magnificarse. Son lo que se espera de un buen ejercicio del poder. A nadie se le magnifica cuando hace lo que tiene que hacer; son, en cambio, un llamado de atención para que corrija aquello que traiciona su condición de gobierno, una manifestación profunda de la vida política de una nación, y un reclamo para que el uso ancestral de la ley como escudo del pobre y protectora del pueblo se restablezca en cada acto de gobierno.

Hace poco, mi amigo Jean Robert me recordaba un pasaje de *La convivencialidad*, de Iván Illich. Lo cito: "Se comprende que una sociedad distinta es posible cuando se logra expresarla claramente. Se provoca su aparición al descubrir el procedimiento por el cual la sociedad presente toma sus decisiones. Se organiza su estructura, cuando se utiliza la lengua materna y los procedimientos tradicionales del derecho para servir a fines opuestos a los que fija su presente uso".

El "presente uso del derecho" consiste muchas veces en abusar de la ley volviéndola escudo de los intereses de los ricos. Pero es a partir de los "no" del pueblo que esa ley vuelve a encontrar su sentido y su ejercicio positivo de defensa del pueblo. Cada "no" opuesto a la injusticia le da sentido y significado a la democracia, a la dignidad de lo humano y a la vida política de una nación y de su gobierno.

09/09/2001

LA DEMOCRACIA Y SUS DESENCANTOS

Después de vivir bajo el peso de una tiranía o de una dictadura, la democracia quiere decir algo. Para los mexicanos, que —desde los aztecas, pasando por la Colonia, la Independencia, el primero y el segundo imperio, el Porfiriato y la Revolución— hemos vivido siempre bajo el peso de formas dictatoriales o tiránicas, la democracia se fue convirtiendo en una especie de tierra prometida o de paraíso terrestre. Con ese entusiasmo salimos a las urnas el 2 de julio de 2000 y con ese mismo entusiasmo festejamos la derrota del priismo.

Sin embargo, después de más de un año de haberla conquistado, el rostro de la democracia no es mucho mejor que el del antiguo régimen. Es más, se sigue pareciendo a él como una gota de agua a otra gota de agua.

El problema radica no en la democracia, cuyo sentido etimológico es el poder del pueblo, sino el mundo en el que la democracia se encarna.

Para que una democracia pueda ejercerse realmente es necesario que se dé en los ámbitos de las comunidades, es decir, en ámbitos reducidos en donde el pueblo, consciente de sus necesidades, de sus tradiciones, de sus valores, puede elegir unido a aquellos que dentro del mismo pueblo son los mejores para el ejercicio de lo político, es decir, del bien común; ciudadanos dispuestos a prestar un servicio.

En el mundo en que vivimos, un mundo sostenido por los poderes de la globalización, del mercado y de las inversiones millonarias, lo político —el bien común— ha sido desplazado por el de la política —la lucha por el poder y su conservación—, y la democracia (el poder del pueblo) por un entramado de partidos que han hecho del ejercicio representativo una profesión alimentaria al servicio de los poderes de la economía.

Frente a esto, las diferencias entre los regímenes y las posiciones partidarias se han vuelto casi intangibles: estilos y retóricas distintas, pero la misma sustancia. ¿Qué diferencia hay, por ejemplo, entre la reforma fiscal implantada por el régimen de Carlos Salinas de Gortari y la que ahora aprobó el régimen democrático de Vicente Fox? O, para hablar de los poderes locales, ¿qué diferencia hay entre la demagogia de López Obrador y la del propio Fox? ¿Es distinta la corrupción de Rosario Robles durante su gestión como jefa de Gobierno de la Ciudad de México, a la de sus antepasados priistas? ¿La política económica del panista Estrada Cajigal en Morelos se diferencia de la que aplicó su antecesor priista Carrillo Olea? ¿Los sueldos de nuestras autoridades están en relación con el servicio ciudadano prestado o es la misma forma de corrupción, sólo que legitimada, con la que los políticos del antiguo régimen se enriquecían?

Fuera de la retórica y del maquillaje, en el fondo no ha cambiado nada. Los beneficios están en función de los intereses de los profesionales de la política y de las empresas a quienes apoyan y los apoyan. El Estado moderno y democrático continúa siendo el mismo que alguna vez definió Nietzsche: "El más frío [e insensible] de todos los monstruos fríos". Bajo el peso de un mundo economizado y globalizado, dirigido por hombres que han hecho de la política una profesión, el fondo de la democracia es tan tiránico y totalitario como el de nuestros antepasados priistas. En ella no han desaparecido los crímenes, el terrorismo fiscal, la corrupción, las prebendas, los privilegios de las clases políticas profesionalizadas y de los grandes capitales, y el desprecio por el pueblo y sus múltiples rostros y necesidades.

Si en el antiguo régimen los ciudadanos éramos sacrificados como reses al poder de un nacionalismo vacío y corrompido, hoy somos sacrificados al poder de lo económico.

Qué decir, entonces, ¿que la democracia es un fracaso?

No, el problema, como lo he dicho, no es la democracia, sino la estructura en la que se encarna. La democracia, como lo estamos viviendo, es un fracaso y un régimen, como decía Platón, un poco mejor que el de las tiranías, cuando se encarna en estructuras institucionalizadas, profesionalizadas y economizadas. No lo es cuando se encarna en ámbitos pequeños, comunitarios y pueblerinos. A esos niveles, donde los ciudadanos se conocen, participan de valores comunes y de un sentido de la tradición, la democracia recupera el ámbito de lo político que es el del bien común.

Alguna vez, en estas páginas, al comentar el pensamiento de Douglas Lummis, dije que la democracia siempre es una construcción. Ahora, frente al desencanto que comenzamos a vivir con la conquista de un Estado democrático, el paso que sigue son las luchas de reivindicación de espacios autónomos —pienso en la resistencia zapatista, en la lucha por la defensa del Casino de la Selva, en la de los ejidatarios de Atenco o en la lucha por la exención de impuestos de los escritores—. Dicho en otras palabras, la voluntad de crear cierta capacidad de decisión en grupos diversos y fortalecer los espacios comunitarios evitando las institucionalizaciones y las rigideces del Estado. En las circunstancias actuales, creo que es el único vector de combate contra los poderes de un totalitarismo económico que se encubre bajo el rostro de la democracia. No es la verdad política, pero, al menos, creo, es el trabajo político que se necesita ahora en la ya larga tarea de la construcción democrática.

Tal vez una vieja divisa anarquista pueda resumir esta lucha de la democracia: "Antes de cambiar el mundo comienza por cambiar tu calle".

13/01/2002

¿DEMOCRACIA O ILEGALIDAD?

Desde octubre de 2001, cuando el gobierno, en un acto digno de un régimen autoritario, expropió los ejidos de San Salvador Atenco para crear un nuevo aeropuerto en Texcoco —proyecto que sólo beneficiará a 5% de la población, despojará a los campesinos del trabajo y sus vínculos comunitarios para lanzarlos al empleo y al subempleo y continuará con el ya largo deterioro que vive el DF y el Estado de México—, los ejidatarios de San Salvador Atenco iniciaron su resistencia: marcharon con sus machetes —no armas, sino signos de sus herramientas de trabajo— e iniciaron el largo y farragoso camino de las demandas legales.

Pasaron nueve meses de resistencia civil sin que nadie los atendiera —a los pobres, pese a la democracia y al acontecimiento guadalupano que la iglesia ha vuelto a actualizar con la santificación de Juan Diego—, nadie los atiende. Tuvieron que llegar al enfrentamiento con una policía que les salió al paso para impedirles su pleno derecho de interpelar al gobernador, incendiar patrullas, tomar rehenes, tener heridos y gritar que estaban dispuestos a ir hasta las últimas consecuencias de la violencia, para que el gobierno decidiera hacer lo que desde octubre del año pasado debió haber hecho según su condición democrática: sentarse a dialogar, a escuchar por qué casi 70% de los campesinos que sufrieron el decreto de expropiación no están dispuestos a entregar sus tierras y a negociar.

Esta historia no es nueva. Es hija del pasado autoritario y corrupto que arrastramos desde hace siglos y que ha caído como una herencia maldita sobre un gobierno cuyo sentido de la democracia parece reducirse al voto.

En 1994, los indios de Chiapas, que llevaban siglos de pedir por todos los medios legales su reivindicación, tuvieron que levantarse en armas para ser escuchados y ganar un mínimo de la dignidad que les corresponde; ya en el régimen de Fox, tuvo que ser asesinada Digna Ochoa para que los campesinos Montiel y Cabrera, a quienes Digna, el Centro Agustín Pro, Amnistía Internacional y Greenpeace defendían, y sobre los que estaba más que demostrada su inocencia, fueran liberados —a ella aún no se le hace la justicia que le pertenece, y los funcionarios y miembros del ejército que usaron la corrupción y la ilegalidad para mantener presos a Montiel y a Cabrera se encuentran aún libres—. Este año, las normalistas de Amilizingo, en el estado de Morelos, que llevaban pidiendo por las vías legales un aumento a su presupuesto, tuvieron que incendiar patrullas y llegar a la ilegalidad de la violencia para que la proverbial sordera del gobierno de Estrada Cajigal se sentara con ellas a negociar y a darle salida a sus legítimas demandas. Podría continuar con una enumeración que sobrepasaría las páginas de mi artículo. Basten, sin embargo, estos ejemplos para mostrar un estado de cosas que niega y pone en peligro nuestra incipiente democracia.

La ilegalidad y la violencia, lo sabemos por la historia, es siempre el último recurso ante la sordera y la ilegalidad con la que los gobiernos y los poderosos proceden; es la última instancia ante al hartazgo de no ser escuchado, es el grito de la desesperación frente a un Estado de derecho que es constantemente violado por las autoridades que dicen detentarlo; es el signo atroz de que la democracia, el poder del pueblo, ha sido violentado. A nadie le gusta la violencia. Los seres humanos necesitamos terribles y poderosas razones para decidirnos a levantar la mano contra otro. Los atenquenses tuvieron que pasar nueve meses de desprecios para que una provocación estúpida del gobernador Montiel hiciera que sus instrumentos de trabajo se volvieran por vez primera armas de defensa.

El mensaje que en este sentido está mandando el gobierno es muy grave, es el mensaje de la sordera que abre la puerta a la ilegalidad. Para que ustedes, pueblo, puedan ejercer la democracia —parece decir el gobierno—, para que puedan ser atendidos y reivindicados por las autoridades que eligieron, no basta la legalidad, la resistencia civil, las pruebas contundentes del atropello a través de las instancias legales del gobierno; ustedes necesitan ponerse en estado de ilegalidad y de violencia; sólo así los escucharemos, hasta el día en que, por nuestra incapacidad para ejercer la democracia, no quede más remedio que la represión.

En medio de los atropellos de los que constantemente es víctima la gente, de los focos de descontento que brotan por todas partes y que, atendiendo a la vía democrática que construimos, se canalizan infructuosamente por las vías legales y políticas, este mensaje puede llevar no sólo a la ingobernabilidad, sino a la insurrección entre los descontentos que día con día crecen y, luego, a lo que desde el 68 tanto hemos despreciado y tantos lamentos nos ha arrancado, la represión y el sufrimiento. El origen de la tragedia, parafraseo a Camus, está en la sordera de los dioses, y los gobernantes de nuestro Estado democrático han comenzado a creerse dioses.

Al igual que los de Atenco, una gran mayoría de la ciudadanía de Cuernavaca llevamos, a través del Frente Ciudadano pro Defensa del Casino de la Selva, casi un año de resistencia para evitar que en ese predio se construya una megatienda perteneciente al grupo Costco y que en su lugar se haga un parque y un centro cultural. Desde hace un mes, frente a la sordera de las autoridades, plantamos un campamento de resistencia en una de las entradas del antiguo hotel; desde hace casi un año hemos apelado a las instancias legales demostrando lo inviable del proyecto Costco en ese lugar y las ilegalidades, la barbarie y las irregularidades en las que han incurrido el gobierno y los empresarios que pretenden construir ahí: el predio fue vendido por parte de la Tesorería Federal a una tercera parte de su valor comercial; no se respetaron las obras artísticas que guardaba el recinto —la paraboloide del gran arquitecto Félix Candela y las obras pictóricas y escultóricas de Reyes Meza, González Camarena, Calder, Orozco Rivera, Francisco Icaza, entre otras, fueron destruidas casi en su totalidad—; el proyecto de impacto ambiental arrasará tres cuartas partes de los 471 árboles que habitan en el predio —muchos de ellos centenarios—, 274 especies no arbóreas y 46 plantas de especies diferentes de las que depende la existencia de por lo menos 100 especies de aves; generará un mayor caos vial, afectará a los locatarios del mercado municipal, a los productores campesinos que lo abastecen y a los pequeños comerciantes asentados en el área, y sepultará —los expertos del INAH lo saben— una memoria que data del preclásico.

Pese a estas evidencias, que han sido documentadas y entregadas a las instancias legales, la sordera y la prepotencia de las autoridades y del grupo Costco siguen su marcha. ¿Esperan que recibamos el mensaje que le mandaron a Atenco y a las Amilizingas para que las demandas de la ciudadanía de Cuernavaca sean escuchadas y aceptadas? Nosotros nos negamos. Creemos aún en la legalidad, en la resistencia no violenta y en la democracia, defendemos esa conquista que costó demasiada sangre en el pasado. Pero el mensaje sigue ahí, y para los desesperados se levanta como una espantosa tentación y una horrible pesadilla.

A menos que las autoridades escuchen y atiendan en el momento en que deben escuchar y atender, la democracia estará en riesgo y con ella la tentación de la violencia y sus nefastas consecuencia: la represión y la persecución de los inocentes.

El gobierno debe entender que la verdadera generosidad hacia el porvenir, que es un atributo de las democracias, consiste en darle a los hombres en el presente y en su momento lo que corresponde a su historia y a sus vidas y sentarse a dialogar antes de que la violencia estalle. De lo contrario, la dignidad y la justicia quedarán una vez más avergonzadas, y las conquistas que hace dos años logramos, sepultadas en la vacía retórica de la política.

28/07/2002

LA DEMOCRACIA Y SUS CORRUPCIONES

Entre las muchas cosas interesantes que se dijeron en la polémica que se suscitó en las páginas de *Proceso* sobre el derecho de la iglesia a hablar de política, el doctor Julio Muñoz introdujo un tema que ahora que han concluido las elecciones intermedias vale la pena analizar: el valor de la democracia.

¿Es la democracia todavía un ideal movilizador? ¿Lo fue algún día? ¿Por qué, después de las elecciones de 2000, las elecciones intermedias de

2003 se vivieron con un desencanto manifestado por el gran abstencionismo que vivieron las urnas, un ejercicio político que expresa el repudio de la mayoría de los ciudadanos por los partidos y por sus campañas?

Douglas Lummis, quien de joven vivió la *Flower Generation* en Berkeley, escribió al respecto un libro fundamental, *Radical Democracy*. En él recuerda que en los debates políticos de los años setenta y ochenta la democracia se adecuaba a todos los adjetivos inimaginables: liberal, socialista, representativa, dirigida, americana, librecambista…, al grado de que la palabra democracia ya no quería decir nada. Se usaba y se continúa usando para justificar lo mismo la revolución que la contrarrevolución; lo mismo el autoritarismo que la mediocridad blandengue.

Sin embargo, durante la segunda mitad de los años ochenta, en particular a raíz de la Revolución del Poder de la Gente que en Filipinas logró derrocar en las urnas a la dictadura de Ferdinando Marcos, la democracia comenzó a significar algo distinto. Le dio, en su radicalidad y su fuerza de unidad, el sentido original que tiene la palabra: el poder del pueblo.

Algo semejante sucedió en México durante las elecciones de 2000. Por segunda vez en las urnas —la primera fue con Madero— el pueblo unido le quitó esta vez el poder a esa extraña forma de las dictaduras llamada el PRI y se lo entregó a Vicente Fox.

Lo interesante de ese hecho, diría Lummis, no es que lo haya entregado a Fox, sino que durante los comicios se haya ejercido el poder del pueblo. Lo que el pueblo mexicano expresó en esas elecciones de 2000 es que la democracia no es el nombre de ningún partido (recordemos el voto útil); no es el arreglo de instituciones políticas y económicas; no es tampoco "el voto —como lo señala Jean Robert en un comentario a Lummis— ni las elecciones libres, aunque estas instituciones puedan apoyar el proyecto democrático; [tampoco] el mercado libre ni el Tratado de Libre Comercio, sino un proyecto histórico que la gente manifiesta luchando por él […]. La democracia radical es la lucha del pueblo por el 'poder del pueblo', no un aparato que pretende representar ese poder. De ahí que, de entre todos los conceptos políticos, el de la democracia es el más corruptible, el que más fácilmente se transforma en su contrario. La democracia [por lo tanto] sólo puede ser una recreación jamás acabada. Es [recordemos de nuevo los comicios de 2000 o la resistencia de Atenco o la lucha del Frente Cívico Pro Defensa del Casino de la Selva] que, en palabras de los que la han experimentado, "no se puede agotar en palabras".

Por ello, hablando en términos radicales, la política, en una democracia, no es, como frecuentemente se dice, "el arte de lo posible", sino, como lo dice el propio Lummis —palabras que el zapatismo podría hacer suyas— "el arte de extender el dominio de lo posible, el arte de crear lo posible a partir de lo imposible".

En este sentido, el abstencionismo del 6 de julio no puede leerse —como muchos lo han leído— como un acto apático, sino como un ejercicio de la democracia radical en sentido contrario al de las urnas. Es el no de las mayorías del pueblo a la corrupción que ha vivido la democracia después de las elecciones de 2000; es un no dicho a la mediocre política del gobierno de Fox y de las Cámaras, pero también a todos los partidos que se han convertido en una clase social parásita del pueblo; es un no a los altos salarios que cobran nuestros funcionarios, diputados, senadores, gobernadores y alcaldes por "grillar" y no escuchar ni servir a las demandas populares; un no a la subvención millonaria a los partidos y a sus onerosos gastos de campaña; un no a su ausencia de sentido político. Es, en suma, un grito silencioso que pide replantear la cuestión de la democracia en forma radical, es decir, desde sus raíces; que pide una rehabilitación, una devolución de su credibilidad.

Se podría decir, en síntesis, que ese abstencionismo, esa negativa de la mayoría del electorado a no entregarle el poder a nadie, es la negativa a aceptar que se invierta en campañas millonarias y en el sostenimiento parasitario de una clase política sin imaginación, mientras las universidades tengan déficit porque el gobierno no les entrega el dinero que necesitan y los maestros e investigadores son mal pagados; mientras se destruye el campo y las instituciones para la salud son mermadas; mientras no se castiguen los crímenes de cuello blanco y las malversaciones económicas de las campañas.

Esta forma en la que la mayoría de los ciudadanos se ha manifestado en dos momentos de su historia democrática podría concordar muy bien con las conclusiones de Lummis sobre el carácter fugaz de la democracia que tiene sus primaveras y sus inviernos, sus estaciones luminosas y sus estaciones en las que el mundo brutal del poder y sus corrupciones parecen desmentir nuestra fe.

Sin embargo, el abstencionismo puede tener una lectura adicional: la afirmación de que las políticas de Vicente Fox, de las Cámaras y de los partidos, robaron el valor fundamental de la democracia. ¿Qué quiere decir esto?

Iván Illich demostró que en el plano económico algo precede al valor económico: "el desvalor", es decir, la atrofia de las capacidades de autonomía que los valores económicos sustituyen. "Bajo la sombra del desvalor —dice Jean Robert—, la economía deja de ser lo que era para Aristóteles: la autogestión de la propia casa [para] volverse su contrario: la administración de la 'ley de hierro' de la escasez", de la producción heterónoma y el consumo ilimitado.

En una sociedad desarrollada, en la que el valor absoluto es el económico, un "despoder, es decir, un despojo de poder análogo al del "desvalor", precede necesariamente a la instauración del poder político. El abstencionismo del 6 de julio es, además de las negaciones de las que he hablado más arriba, la afirmación de la mayoría del electorado de que después de 2000 el poder que se instauró, lejos de impulsar el proceso democrático, continuó con la atrofia que el PRI había ido desarrollando, es decir, ahondó el "despoder", la parálisis de las asociaciones informales y de la autogestión que le otorga al que se le ha entregado el poder una carga adicional que le exige lo que el zapatismo definió muy bien como el "mandar obedeciendo". Es también la afirmación de que los partidos políticos, su actuación en las Cámaras, su parasitismo del trabajo del pueblo y su falta de imaginación, son una continuidad de ese despoder.

Este mal se encontraba ya inscrito en la democracia ateniense, en el siglo v a.c. Dicha democracia, que surgió de una reubicación autoritaria promovida por Clístense (506 a.c.), usurpó el poder que se ejercía en las calles y en las casas, lo entregó a consejos especializados y exclusivos —centros de hombres libres y nacidos atenienses— y paralizó las asociaciones "informales" y los procesos autogestivos. "De esta negación de un principio de asociación libre —dice Jean Robert— da fe la larga práctica del ostracismo, es decir, del destierro de cualquier ateniense que adquiriera demasiada influencia fuera de los lugares exclusivamente consagrados a la política".

El abstencionismo del 6 de julio es así la afirmación de ese robo del poder al pueblo.

¿Qué sucederá cuando ese pueblo, frente al fracaso y al "desvalor" que producen las democracias, decida recuperar sus capacidades autónomas y generar espacios autogestivos? ¿Se podrá decir que, entonces, la democracia habrá triunfado? No lo sé. Sin embargo, frente al fracaso de los poderes democráticos, frente a la cantidad de "desvalor" que están generando, ese camino —como lo ha vislumbrado el zapatismo— parece ser el único que al final de su oscuridad tiene una luz.

20/07/2003

LOS MOTIVOS DEL DESAFUERO

Cuanto más se reflexiona en el asunto del desafuero de Manuel López Obrador, más nos persuadimos de que una manera sutil del totalitarismo económico está tomando cuerpo bajo la forma de la democracia. El tema se ha tratado de muchas maneras a lo largo de estos meses en que los pleitos, las acusaciones y la demagogia han llenado el ambiente político del amargo regusto del hartazgo. El tema, sin embargo, no está agotado, y merece la pena seguir en él pues de la democracia se trata, de una democracia que, día con día, bajo el embate de la corrupción política y de los intereses económicos, corre el riesgo de desmoronarse una vez más en nuestro país.

Ciertamente, el Ejecutivo y el PAN tienen razón en su argumentación jurídica frente al desacato que López Obrador hizo al Poder Judicial y en su defensa del Estado de derecho. El problema, sin embargo, como lo afirmé en *La vertiginosa corrupción de Fox* (*Proceso* 1452), es que no ponen el mismo empeño en aplicar ese Estado de derecho en otros que lo han violentado de manera más grave. Pienso en Sergio Estrada Cajigal, el gobernador de Morelos, a quien Fox defendió y cuyos delitos en el orden de sus omisiones y sus vínculos con el crimen organizado, ampliamente documentado, han sido pasados por alto por el propio Ejecutivo, el PAN y el Poder Judicial; en los delitos de mucha gente que está en el Fobaproa; en los crímenes aún impunes de la guerra sucia; en las omisiones del gobernador de Chihuahua en el caso de las asesinadas de Juárez, y en el caso de los Amigos de Fox, por nombrar sólo algunos de los tantos delitos políticos que tienen humillada a la democracia, al Estado de derecho y al país.

¿Por qué entonces esta saña frente a un hombre como López Obrador? ¿Es por su manera autoritaria de gobernar que, de llegar al poder, haría retroceder los procesos democráticos que vive el país? ¿Es por el antiguo temor visceral de la derecha católica a todo lo que huele a izquierda y a opción por los marginados? ¿Es, quizá, por su reduccionismo político que lo llevó, durante la marcha del 27 de junio, a afirmar que era un complot de la derecha y, en un alarde de irracionalidad y de estrechez política, a dividir al país entre los ricos malos y los pobres buenos?

No dudo que López Obrador sea políticamente estrecho y reductivo. Yo así lo creo y, en muchos sentidos no me simpatiza. Hombre de un cristianismo superficial, se mira a sí mismo bajo el lente de un moralismo mesiánico que tiñe su pensamiento y sus actos políticos de la espantosa convicción de que no se equivoca, de que sus actos y su persona están revestidos de una misión sin fisura y de que toda crítica contra él es el complot de fuerzas oscuras que quieren impedir su misión salvadora. Hombre de un marxismo ramplón, mira el mundo bajo la borrosa lupa de la lucha de clases, de la bondad sin fisura de los pobres y de la maldad perversa de los ricos.

¿Pero basta esto para que el Ejecutivo y el PAN hayan emprendido una campaña de persecución política, basada en un desacato, como la que han hecho durante los últimos meses? ¿Acaso López Obrador no es tan peligroso, en el orden de los reduccionismos políticos, como el propio PAN, cuya política se ha basado en los dogmas más ramplones del liberalismo económico, es decir, en la inversión indiscriminada de capitales, contra los delicados tejidos que hacen posible la vida social de una nación: las culturas, sus relaciones económicas de soporte mutuo, su medio ambiente, sus conquistas sociales y las vidas pueblerinas? ¿No es tan peligroso como Roberto Madrazo y sus priistas, que basan su política en el mimetismo, en la corrupción velada, en los vínculos con el narcotráfico, en las alianzas innaturales y en la nostalgia de un poder total?

Es evidente. Sin embargo, todo esto se pone entre paréntesis, para arrasar a López Obrador. Las razones, por lo tanto, hay que buscarlas en otra parte.

Yo tengo para mí que la razón política que el Ejecutivo federal y el PAN encubren bajo la forma, legalmente clara, del desacato de López Obrador, tiene que ver con la protección al modelo neoliberal.

En el fondo, la supuesta transición democrática que vivimos en el año 2000 no fue más que la salida que los neoliberales priistas encontraron a las luchas internas y las escisiones que estaban viviendo al interior de su partido.

Me explico: mientras que desde Miguel de la Madrid ciertos sectores del PRI, los que estaban en ese momento en el poder, abandonando los ideales nacionalistas y, montados en los procesos de la naciente globalización, caminaron hacia la construcción del modelo neoliberal, los antiguos priistas, los que entonces se llamaron los "dinosaurios", que defendían el viejo modelo nacionalista con tintes de izquierda, quedaron relegados. La continuación del modelo neoliberal, en el siguiente sexenio, provocó la escisión. Los nacionalistas, con Cárdenas a la cabeza, fundaron el PRD e hicieron alianza con una izquierda terriblemente golpeada y desconcertada por la debacle de la URSS; los neoliberales, en cambio, frente a un PRI mermado y un pueblo harto de su estancia en el poder, encontraron su campo en un panismo que, acaparado por grupos neoliberales y ajeno a los ideales de Manuel González Morín —cuyos últimos representantes fueron Carlos Castillo Peraza y Luis H. Álvarez, el desolado y solitario Comisionado para la Paz en Chiapas—, se fortalecía. El panismo, en este sentido, representó para un PRI desgastado, golpeado por la salida de los nacionalistas y mirado con sospecha y hartazgo por el pueblo, la única alternativa para continuar con el modelo iniciado por De la Madrid, cimentado por Salinas y consolidado por Zedillo.

En este sentido, el poder y la popularidad acumulados por López Obrador a lo largo de su estancia en la Jefatura del Gobierno del DF significan, de llegar al Poder Ejecutivo, el acotamiento al modelo neoliberal. Lo que defienden el foxismo y el panismo no es, por lo tanto, el Estado del derecho, sino, amparados cínicamente en él, un modelo económico, un totalitarismo económico disfrazado de democracia, que los grandes capitales nacionales e internacionales, el Banco Mundial, el Fondo Monetario Internacional, el propio Salinas y sus grupos de totalitarismo económico, no están dispuestos a perder.

El supuesto Estado de derecho bajo el que se escudan el Ejecutivo federal y el PAN, y los reduccionismos políticos de López Obrador, sus alardes de fuerza mesiánica, que sus enemigos han capitalizado para mostrarlo como un peligro para la democracia, son sólo una pantalla que a nadie convence.

Frente a eso sólo quedan dos caminos: o se aplica la ley no sólo a López Obrador, sino a todos aquellos que en sus funciones políticas la han transgredido, y se restablece la confianza del electorado en el verdadero Estado de derecho y en el sistema político de partidos —lo que sería lo más sano y lo conforme con el orden de la ética política— o, frente a esa imposibilidad —nadie, en la realidad tan corrupta que vivimos, quiere pagar los costos—, se deja el asunto de lado y se transita, buscando pactos, hacia un proceso democrático sano hasta donde la realidad que vivimos lo permite, para continuar construyendo lentamente, con todas sus imperfecciones, el sueño de la democracia.

De no hacerse así, llegaremos a 2006 en un estado de polarización que a nadie conviene y bajo el peso de una democracia traicionada por los más horribles sueños de las ideologías.

10/10/2004

CUÁL TRANSICIÓN

¿Realmente hubo una transición democrática en México? Esta pregunta no ha dejado de rondarme desde que el PAN llegó al poder y desde que Vicente Fox tanto como los gobernadores panistas y perredistas se han comportado igual —a veces peor o más cínicamente— que los hombres del antiguo régimen. Creo que el asunto —pese a que después de las elecciones de 2000 el espectro de la lucha partidista se abrió a tres grandes fuerzas— se debe a que el PRI nunca se fue y a que su famoso mimetismo —esa extraña capacidad de adaptabilidad que asombró siempre a los politólogos— adquirió en la era de las democracias un rostro tripartito. En realidad el PAN, el PRD y el PRI son el mismo monstruo, pero ahora con tres cabezas, una especie de Cancerbero que guarda las puertas del infierno y cuyas cabezas están en competencia por la hegemonía en el país.

Desde que el PRI es el PRI, tres grandes corrientes lo atravesaron: la nacionalista, populista, antiimperialista y jacobina, cuyos representantes más claros fueron Calles, Obregón, Lázaro Cárdenas, Díaz Ordaz y Echeverría; la inversionista, modernizadora, abierta a los procesos de los mercados internacionales e indiferente a las ideologías con las que convivió utilitariamente —Ruiz Cortines, Miguel Alemán, López Mateos, De la Madrid, Salinas y Zedillo—; hubo otra, ajena a cualquier proyecto político, que entendía el poder como una forma de medro, mafiosa, caciquil y servil. A ella pertenecieron Portes Gil, Ortiz Rubio, Abelardo Rodríguez, Ávila Camacho, López Portillo y todos aquellos que hacían los trabajos sucios a cambio de prebendas y espacios de poder, y cuyos rostros más espantosos están hoy en Madrazo y Elba Esther Gordillo. Estas tres corrientes convivieron a lo largo de los años mediante alternancias, pactos políticos y equilibrio de fuerzas; una especie de mafia ordenada en función del capo que llegaba al poder.

El equilibrio, sin embargo, se perdió cuando a raíz de los procesos de globalización y de la caída del Muro de Berlín, la segunda corriente comenzó a establecer su hegemonía. A partir del régimen de Miguel de la Madrid, la corriente nacionalista no sólo fue acotada, sino que —frente a las fuerzas económicas neoliberales, que nacían de la unificación europea, de las directrices del FMI y del Banco Mundial, y se expandían a lo largo del mundo— perdió la posibilidad de acceder al poder dentro de un partido cuyos representantes más fuertes se alineaban de manera absoluta con los nuevos poderes internacionales. La fundación del PRD es hija de esa corriente nacionalista que encontró en una izquierda huérfana y desconcertada el capital político para volver al poder.

Ante la rearticulación que esa corriente adquirió fuera del PRI, la corriente inversionista y modernizadora debía fortalecerse también quitándose de sí el lastre de esa tercera corriente oportunista, que si en algún momento le sirvió, ahora pesaba sobre ella como un ancla en un barco. Su fortalecimiento lo encontró en un PAN devastado por las fuerzas empresariales que habían sostenido el modelo económico inaugurado por De la Madrid y solidificado por Salinas y Zedillo. Ese PAN, hipócritamente católico, se presentaba como un disfraz inmejorable para continuar con un proyecto político-económico que la corriente nacionalista, rearticulada en el PRD, amenazaba con hundir. En este sentido, la supuesta transición democrática fue sólo una nueva forma del mimetismo priista, una manera maquillada, sostenida por un fuerte aparato mediático —el voto útil—, de preservar un modelo económico costoso y fallido.

El fracaso del foxismo y el fortalecimiento del PRD es la puesta al desnudo de esa realidad. Deslavado el maquillaje, evidenciado el traje del emperador, el golpeteo que el PAN ha realizado en el último año contra el PRD y la saña con la que se ha perseguido el desafuero de López Obrador muestran de nuevo a esa corriente del PRI, con rostro panista, dispuesta a usar sus antiguos métodos con tal de detener a la otra corriente, con maquillaje de izquierda, que frenaría un proceso económico pactado desde hace casi 24 años. Ese PRI, disfrazado de PAN, ha usado de nuevo la basura que quedó en el priismo para, como otrora, hacerle el trabajo sucio y cortar la cabeza que creía sometida. La manera en que se ha perseguido en el último año a López Obrador —utilizando la retórica de un Estado de derecho inexistente, penetrando sus filas mediante corrupciones y videos— y la forma en que los priistas votaron en la Sección Instructora —encabezados por un Madrazo sometido a promesas financieras de ciertos empresarios corruptos—, muestran lo que en realidad había detrás de la transición.

Nada hemos ganado, a no ser una lucha de mafias que, a través de mimetismos partidistas, ha querido vendernos una supuesta democracia. ¿Se podrá lograr algún día esa transición? No lo sé. En todo caso, y aunque el PRD sea también una forma rearticulada de una de las cabezas del PRI, sin López Obrador en la contienda política por la Presidencia el país no podrá aspirar a lo que más se aproxima a la democracia: el libre juego de todas las esperanzas. Creo que México sólo podrá salir de su corrupción política si llega al final de su propio drama. A lo largo de los últimos 90 años sólo hemos padecido el autoritarismo en distintas facetas, pero no es sosteniéndolo y encubriéndolo hipócritamente como obtendremos la moral y la transición que realmente necesitamos.

10/04/2005

HACIA LA DEMOCRACIA

Vicente Fox, después de una batalla tan estúpida como infructuosa contra López Obrador, ha dado marcha atrás. Hay que reconocérselo. Habla de su fidelidad al espíritu que anima las democracias y que por un momento se oscureció en él. Lo que, sin embargo, sigue asombrando fue su tardanza. Fox, durante esta penosa campaña, estuvo a punto de perder el único capital político que aún le queda: su fidelidad democrática. Mareado, a fuerza de poder; estupidizado por una mujer tan ambiciosa como frívola; enceguecido por los cuchicheos de su corte, su defecto ha sido la sordera. Nunca ha escuchado. No se trataba de escuchar a la izquierda, sino a aquellos que, ubicados del lado del liberalismo, no cesaron de gritarle que su campaña a favor del desafuero y del proceso penal contra López Obrador era un error, ajeno a la democracia y a cualquier sentido de la justicia. Tuvo que mermar su capital político, enfrentar la entereza y la obstinación de López Obrador, sufrir los embates de la prensa internacional y sentir la indignación ciudadana que salió a las calles y que preparaba la resistencia civil, para comprenderlo.

Los costos han sido altos: el desprestigio de la Cámara de Diputados y del Poder Judicial, y la polarización ciudadana. Pero el resultado es bueno: la democracia —si no ocurren más desaguisados— está salvada en su proyecto. El problema ahora es saber si López Obrador, que ha salido fortalecido y que podría llegar a ser el próximo presidente, será capaz de continuar la construcción democrática.

López Obrador ha logrado aglutinar a su alrededor las esperanzas de los excluidos de la nación; ha visto bien el mal que nos corroe: la incompetencia y la corrupción de la clase política, su fasto, su colusión con los empresarios más deshonestos del país, la miserabilización de las mayorías en nombre del capital. En suma, ha logrado diagnosticar la iniquidad política. Ha hecho algo más: mostrar que el espacio democrático no está en los recintos institucionales, sino en el pueblo y en las calles. Sus movilizaciones, su obstinación en decir que en el pueblo y no en las instancias gubernamentales radica la política han recordado a la gente lo que la democracia sin adjetivos siempre ha dicho, que ella no puede ser el nombre de un arreglo particular de instituciones políticas, que no termina en las elecciones libres, que no radica en el mercado libre, que no es un sistema, sino, como lo señala Douglas Lummis, "un proyecto histórico que la gente manifiesta luchando por él" a cada paso, en cada momento de su historia.

El problema está, sin embargo, en las traiciones que acompañan a cualquier ejercicio del poder. Si bien López Obrador ha visto y puesto en marcha todo eso, en su tarea de jefe de Gobierno ha cometido muchos de los mismos errores que critica: ha solapado la corrupción de su equipo de gobierno, ha usado recursos públicos para apuntalar su poder y su imagen, ha hecho alianzas innaturales, tiene propensión al mareo, a la confrontación y, al igual que Fox, a la sordera. Si bien retomó de Gandhi la resistencia civil, ha desdeñado de él no sólo su negativa al poder —Gandhi nunca lo quiso; cuando el Partido Nacional le propuso la presidencia, el Mahatma la rechazó y propuso la disolución del partido con el fin de crear una Asamblea para la Rehabilitación de Todos—, sino también su concepción de la economía: el fortalecimiento de las autonomías pueblerinas.

López Obrador, a diferencia de Gandhi y a semejanza de Nehru y de Mandela, es un hombre de poder, y como todo hombre que aspira a él, cae y caerá, de llegar a la presidencia, en un acotamiento de la democracia que en su condición de disidente ha logrado activar: tendrá que hacer componendas y tomar posiciones que lo llevarán a ejercer el despojo que precede necesariamente a la instauración de cualquier poder.

López Obrador, en su lucha, ha tenido razón en sacudir los mitos de la democracia, pero desde el momento en que cree que su poder podrá hacerla mejor, se equivoca. Al igual que lo ocurrido con la democracia ateniense del siglo V, López Obrador no la instaurará, sino —como lo hará siempre cualquier hombre que cree en el poder del Estado— que instaurará un poder eminentemente político, es decir, el poder que no se ejerce en las calles y en las casas, sino en consejos especializados y exclusivos.

López Obrador y la izquierda democrática no han visto con bastante claridad (lo que sí ha visto el zapatismo) que este poder político, aunque se llame democrático, "presupone —como lo ha demostrado Jean Robert— cierta parálisis previa de las asociaciones informales", de las autonomías y de las localidades. De esta negación de un principio de asociación libre da fe su larga estancia en la jefatura de Gobierno del DF, de la que se ha excluido y visto con desdén a todos aquellos que adquieren demasiada influencia fuera de los lugares exclusivamente consagrados a la política y a lo que AMLO considera su proyecto de gobierno alternativo.

Ciertamente el proyecto que propone López Obrador para la nación es mejor que el del foxismo, que el de los neoliberales y que el de la pura corrupción priista. Pero, como él mismo nos lo ha enseñado en este último año, hay que limitarlo. Limitar no sólo el poder político del PAN y del PRI, sino el suyo propio y el del PRD, es un gesto democrático. Es obligar al poder a autolimitarse para que podamos asociarnos libremente y con mutua confianza, y hacer siempre presente la aventura democrática que es inseparable de la gente, de sus lugares y de sus problemas.

08/05/2005

¿TIENE SENTIDO EL ESTADO?

La mayor parte de las noticias y de los análisis políticos gira en torno al poder. Éste se critica, se denuncia, se toman posiciones con respecto a los partidos y a sus candidatos; se busca reformarlo de sus corrupciones; en síntesis, el poder del Estado ocupa todo. Pareciera que no podemos imaginar una sociedad sin él. Sexenio tras sexenio, después de soportar sus abusos, sus alianzas con los grandes capitales, los inmensos salarios de sus funcionarios, los enormes dispendios de las campañas políticas de los partidos que buscan administrarlo, y su aburrida ineficiencia, seguimos creyendo en el poder del Estado, en su necesidad, en su condición de padre proveedor de bienes y servicios. No importa lo que nos cueste —lo que tengamos que pagar para mantener sus simulaciones—, el Estado es un axioma de la vida política. ¿Pero siempre es así? ¿Podríamos imaginar una sociedad, como lo quieren los anarquistas, sin Estado?

Todas las teorías sobre el Estado, con excepción de la marxista y de la anarquista, lo ven como un mal necesario: el Leviatán que permite el orden social. El marxismo lo ha visto, sin embargo, como una realidad instrumental de dominación de las clases ricas sobre todas las demás. Para el marxismo ortodoxo, el Estado surgió en el momento en que la sociedad se dividió en clases como un instrumento para legalizar la explotación.

La caída del Muro de Berlín y la invasión del mercado parecen confirmarlo; y la lucha de la izquierda, apoyándose en la tesis marxista, busca darle un nuevo cauce. Todo el malestar que vivimos, todo el apoyo, para hablar de México, que se ha volcado en favor de López Obrador y de la izquierda democrática, busca hacer del Estado un instrumento que rompa con esa lógica, que sea un gobierno para el pueblo.

Sin embargo, esto, a partir de los análisis de Pierre Clastres sobre las sociedades sin Estado, parece una ilusión. Creo, como él, que en realidad el Estado no es el instrumento de las clases dominantes, sino el creador de ellas y de la explotación. Tomemos el último ejemplo comunista, Cuba. La revolución cubana, al igual que lo hizo la revolución de 1917, suprimió a la clase explotadora. No quedó bajo su suelo ningún burgués, ningún aristócrata, ningún terrateniente. Del gran aparato del Estado que marchaba junto con Batista sólo quedó una sociedad sin clases y, sobre ella, una maquinaria de Estado, administrada por el Partido, que detenta el poder en beneficio del pueblo trabajador. Sin embargo, más allá de la teología y del catecismo comunista, para el que Cuba es el último remanente del Estado de los trabajadores, lo que en realidad existe es también un sistema de clases. Una nueva sociedad de clases se construyó a partir del aparato del Estado, en la que los ricos, quienes están en el poder y tienen todos los privilegios, someten a una clase explotada que los sirve. Tanto Cuba como la exUnión Soviética muestran claramente, en sentido inverso a la teoría marxista sobre el Estado, la genealogía de las clases: es el Estado quien las construye; es también quien las sostiene. El Estado cubano, centrado sobre la "revolución", engendró una nueva sociedad de clases, una nueva burguesía cubana, que no es menos terrible que las burguesías de los Estados liberales actuales.

La condición de cualquier Estado es el poder, y todo poder quiere ejercerse mediante la obligación de hacer trabajar a otros, haciéndoles creer que en realidad él trabaja para ellos. Mientras en una sociedad sin Estado —me refiero a las sociedades llamadas premodernas— todos trabajan un poco para sí y mucho para los otros —sobre todo los que son elegidos jefes—, en nuestras sociedades, donde el Estado es un absoluto, surge una realidad inversa que dice: "Ustedes trabajarán para mí"; "yo tengo el poder y ustedes lo padecen por su bien"; la prueba es la obligación del pago del tributo, la obligación de entregar no sólo una parte de nuestras actividades para su sostenimiento y el de quienes lo hacen posible, sino también la obligación de vivir bajo el imperio de trabajos alienados y de beneficios institucionales que el propio Estado procura. Sólo los trabajos (empleos) que el Estado promueve y crea y sólo sus instituciones de servicio son verdaderos. Fuera de ellos no hay salvación. Como bien dice Clastres, "no hay máquina de Estado sin la institución del 'tributo'; pago del tributo [despojo de vida autónoma y comunitaria y beneficios inmensos para quienes guardan las instituciones] de aquellos sobre los que se ejerce el poder".

La cuestión fundamental es por qué obedecemos. Porque el Estado, al igual que lo hizo con la escuela —no podemos aprender ni acceder a una vida decente, dice el Estado, si no nos sometemos a dosis administradas de escolaridad—, nos introyectó el axioma de su necesidad. El destino de los Estados actuales es volverse cada vez más Estado. No debemos engañarnos con las apariencias. La más sincera de las voluntades de quienes prometen acceder al poder y administrar el Estado de manera más equitativa es una ilusión. El aparato, porque ésa es su lógica, se volverá cada vez más autoritario.

La única manera de escapar a él es limitarlo. El zapatismo es un buen ejemplo. Su negativa a servirlo, mediante autonomías y jefes que no son Estado, sino miembros del común que sirven y son removidos cuando no hacen lo que se les manda, son una manera de limitarlo. Pero para eso se necesita una buena dosis de imaginación, de vida pobre y convivencial y de las fuerzas creativas de las que el Estado nos ha despojado.

05/06/2005

LA PROPUESTA ZAPATISTA

La era de la democracia en México ha sido la era de la ausencia de proyectos políticos. No sólo el gobierno de Fox, que basó toda su estrategia en la mercadotecnia y en una administración gerencial, sino la lucha que desde hace tiempo se ha desatado entre los partidos y sus aspirantes al poder, lo muestran a cada momento.

A pesar del desagrado que la administración de Fox ha causado, todos los partidos y sus aspirantes no dejan de imitarlo. Han reducido la política a un juego mediático cuyo costo, en un país pauperizado, es altamente millonario e insultante. Junto a las imágenes que de sí mismos o de un estereotipo de sí mismos muestran en los medios, junto a eslogans tan superficiales como estúpidos, junto a sus viajes proselitistas cargados de mala retórica y gestos histriónicos, los proyectos políticos de los partidos y de sus aspirantes están llenos de ideas vacías y costosas: desarrollo, bienestar, inversión. No hay diferencia entre la izquierda y la derecha que no sea la del mismo paquete neoliberal, un poco más social, si se trata de la izquierda; un poco más empresarial, si se trata de la derecha. Pero en ambos casos el asunto es mantenerse en las líneas dictadas por el Banco Mundial, el FMI y la globalización, ganar el poder mediante campañas mercadotécnicas y enriquecerse administrando un rumbo diseñado en paquete.

No ha sido otra cosa lo que EZLN ha dicho al romper el silencio antes de decretar la alerta roja. La denuncia del subcomandante Marcos es la puesta al desnudo de esta evidencia que constituye la corrupción política de la democracia: En la disputa política de los tres partidos principales no hay otra cosa que el mismo juego neoliberal. En el mismo López Obrador, al que el propio Marcos tachó de "fascista" —un calificativo poco afortunado en un hombre de cultura superior como Marcos, un calificativo fácil sacado de las luchas de la izquierda universitaria radical, para las que todo aquello que no fuera puramente comunista era fascista—, no hay nada que no sea retórica mercadotécnica: políticas sociales que hacen de la gente objetos pasivos y dependientes de las instituciones del Estado y de las grandes corporaciones industriales.

Frente a esta puesta al desnudo de la realidad política de nuestro país, frente a esta exhibición del traje del emperador que portan los tres partidos más importantes y, junto con ellos, como horribles rémoras del Leviatán, los otros partidos, ¿cuál es la propuesta del zapatismo?

En apariencia ninguna. La crítica que se le ha hecho a Marcos es que sólo critica manteniéndose al margen de la lucha política partidista. Sin embargo, para quien sabe ver lo que el zapatismo ha hecho a lo largo de 11 años (en el momento en que escribo este artículo aún no se ha publicado *La sexta declaración de la Selva Lacandona*), la propuesta es evidente: no es un paquete político ya definido y administrado por las instituciones; no es un decirle a la gente lo que debe hacer o cómo debe votar, para continuar siendo un recurso humano administrado por los poderes del Estado y de las corporaciones mediante promesas que sólo benefician a quienes detentan el poder. Es, por el contrario, el ejemplo de un proyecto político que nació desde la base misma de la gente, un proyecto que sólo la gente puede descubrir a partir de sus problemas reales y comunes, un proyecto que, como los Caracoles, se da al margen del poder y de las elecciones, entre gente que ha decidido tomar el poder en sus manos mediante autonomías y solidaridades entre ella.

Lo que el zapatismo ha demostrado en sus años de resistencia, y es lo que está detrás de su acerba crítica a la degradación de la democracia representativa, es que el poder político y empresarial, basado en el industrialismo y el crecimiento sin límites, destruye el derecho del hombre a arraigarse en el entorno en el que ha evolucionado; que la globalización y el poder político que la administra destruye la autonomía de los pueblos, de las comunidades y de los barrios; que los partidos y sus complicidades con los medios de comunicación destruyen el derecho a la palabra y a las organizaciones comunitarias, es decir, destruyen la política; que el reforzamiento de los mecanismos de usura por parte de los partidos y de sus relaciones con el poder empresarial y técnico destruyen el derecho del hombre a sus tradiciones; que el poder del Estado y de las empresas, al hacer dependiente al hombre de sus modos de producción y de sus instituciones, paralizan su creatividad.

Contra esa forma del poder usurpado, que se disfraza de democracia, el zapatismo sólo pone el ejemplo de su lucha. No se trata de imitar el modelo de los Caracoles, sino de que cada organización, cada comunidad, cada pueblo, cada barrio, encuentre, acotando el poder de los partidos y del Estado, sus propias formas de vida. Pienso en el sueño de Gandhi, que buscaba fortalecer la vida de las 700 mil aldeas que formaban India y que confederadas formaban una nación de 700 mil rostros.

Para el zapatismo —y ésa es su propuesta delante de la falta de proyecto que en la preparación a las elecciones delata la lucha política de los partidos y del gobierno—, el restablecimiento del equilibrio social y político dependerá de la capacidad del cuerpo social de reaccionar contra la progresiva uniformización de los valores y su transformación en tareas técnicas dirigidas desde arriba y bajo intereses económicos ajenos a la gente. Si la gente no toma en sus manos su propia vida social y política, arraigándose en su tradición y en el servicio al común, terminará cercada por las iniciativas administradoras y explotadoras de los proyectos partidistas aliados con los grandes capitales, incapaz de recobrar el medio en el que las personas y las comunidades viven libres e independientes. El equilibrio social sólo se restablecerá cuando reconozcamos que sólo la persona y su común tienen sus propios designios, y que únicamente ellos pueden realizarlos.

10/07/2005

TOLERANCIA Y DEMOCRACIA

La tolerancia es una virtud moderna y, porque es un paliativo a la ausencia del amor, menor. Nació con el protestantismo, que al hacer estallar el poder religioso y crear una pluralidad de iglesias que interpretaban de diversas maneras la Escritura, tuvo que cultivarla para no entrar en conflicto y destruirse. El hugonote Pierre Bayle, que se estableció en las Provincias Unidas, huyendo de la persecución de Luis XIV, y John Locke, exiliado en ellas durante la restauración de los Estuardo, fueron sus primeros teólogos —de vuelta a Inglaterra, Locke, en 1680, escribirá su *Carta sobre la tolerancia*. Más tarde, en la época de la Ilustración, que hizo de ella el ideal de la vida en sociedad, el pastor ginebrino Jean Edmé Romilli redactó el capítulo "Tolerancia" de la *Enciclopedia*.

Hoy, bajo la democracia —ese sistema que, según Pascal Bruckner, inventó la maldad del hombre para limitar su maldad—, la tolerancia —que tras su rostro laico predica la indiferencia hacia los contenidos doctrinales de las diversas confesiones religiosas e ideológicas y exalta la libertad de conciencia— se ha vuelto la virtud por excelencia.

Podríamos decir que desde su ingreso a la democracia. México se ha vuelto un país tolerante. Las campañas políticas, donde los zapatistas pueden transitar a sus anchas por el país promoviendo La otra campaña, donde los candidatos a la presidencia pueden insultarse sin recato (lo que caracteriza a las campañas políticas y a los medios televisivos no es un exceso de tolerancia, sino un alarde de imbecilidad), la libertad de prensa, la polémica desatada por Monsiváis, hijo del protestantismo, con Abascal, hijo de un catolicismo trasnochado y burgués, sobre ese tema, hablan de ella.

¿Pero hasta dónde la tolerancia es tolerable? Si, por ejemplo, hay que tolerar la Biblia, por qué no tolerar los avances de la manipulación genética, y si los toleramos, ¿por qué no tolerar también la clonación y la eugenesia, que es su base, y cuyas prácticas horribles inauguraron los nazis? ¿Por qué no también tolerar *Mi lucha*, de Hitler, y con ella el racismo, la tortura y los campos de exterminio? Una tolerancia universal, como bien dice Compte-Sponville, "sería sin duda moralmente condenable, porque olvidaría a las víctimas, las abandonaría a su suerte", dejaría la puerta abierta a su eterna humillación. "Tolerar el sufrimiento del otro, tolerar la injusticia de la que uno no es víctima, tolerar un horror que nos elude, ya no es tolerancia, es egoísmo, es indiferencia".

En el orden de una democracia, la tolerancia, que se mide con un criterio más político que moral, también tiene sus límites: no el juego en el que todos hablan, expresan y luchan por sus convicciones, aunque éstas, como sucede en Europa con los partidos de la ultraderecha, sean moralmente condenables, sino su peligrosidad objetiva. En este sentido algo debe prohibirse si realmente amenaza la libertad y la justicia de un pueblo.

En el espectro democrático mexicano, pese a las descalificaciones de unos y otros y a sus respectivas acusaciones de intolerancia —estas acusaciones, libremente expresadas, dicen lo contrario—, no existe ninguna peligrosidad objetiva —el problema de las campañas políticas, como lo dije más arriba, no es un exceso de tolerancia, sino de imbecilidad.

El problema radica, precisamente, en aquellas injusticias objetivamente peligrosas que ha tolerado el Estado y que han generado el duro descontento que recorre al país. Tolerar en el poder a Sergio Estrada Cajigal o al Gober Precioso cuando se han documentado ampliamente los daños que han ocasionado a la vida civil; tolerar el tráfico de influencias y la corrupción de Arturo Montiel y de los hijos de Marta Sahagún; tolerar los crímenes de Luis Echeverría, los fraudes del Fobaproa, las corrupciones del PRD, del PRI, del PAN; la traición a los Acuerdos de San Andrés Larráinzar; los asesinatos de las mujeres de Juárez, las actividades ilícitas de la minera San Xavier; la compra del voto; el apoyo a las inversiones cataclísmicas de las grandes transnacionales contra el medio ambiente y las inversiones de soporte mutuo (microempresas) que ha generado la gente; la pérdida de las conquistas laborales, el fortalecimiento de las oligarquías económicas y políticas, la importación de transgénicos y la destrucción del campo; el despojo que se hace a la gente de su autonomía en nombre del gran capital y de los mitos modernos de la economía; los vínculos de la policía con el crimen organizado y la inseguridad pública; en síntesis, tolerar la injusticia y la esclavitud mental del mercado habla de la debilidad de las instituciones democráticas de México. Es esto y no el juego de las campañas el que amenaza a la democracia. Frente a eso, la propia democracia puede convertirse en un peligro verdadero para la vida republicana.

Democracia no es debilidad. Tolerancia no es pasividad.

"Una tolerancia universal —lo ha dicho bien Compte-Sponville—, moralmente condenable y condenable en lo político, no es virtuosa ni viable". Si en lo moral no es tolerable ni la injusticia ni la opresión cuando pueden impedirse o combatirse con un mal menor, en lo político no es tolerable lo que amenaza la justicia, la libertad, la autonomía y la sobrevivencia de la sociedad, de sus comunidades y de sus miembros.

Nuestra incipiente democracia ha tolerado todo y con ello ha abierto la puerta al debilitamiento de las instituciones y a las intolerancias que pueden nacer de allí. Quien llegue al poder tendrá, por ello, una gran compromiso si quiere salvar la democracia y la verdadera tolerancia, con sus incertidumbres y sus riesgos, esas incertidumbres y esos riesgos que valen más que la comodidad y las certezas de los totalitarismos y de las dictaduras, y que las debilidades de los que, temerosos de perder sus privilegios, toleran lo que moral y políticamente es y ha sido siempre despreciable.

26/03/2006

EL DESPRECIO DE LOS "DEMÓCRATAS"

Un niño muerto, 40 mujeres vejadas y violadas; más de 200 personas, ya sometidas y presas, golpeadas con toletes, pateadas, escupidas, humilladas durante horas y torturadas; casas destrozadas con saña;

dos líderes del Frente de Pueblos en Defensa de la Tierra tratados como asesinos y aislados en el penal de alta seguridad de Almoloya. Éste es el saldo con el que empieza a cerrar un régimen que se ha llamado democrático, un saldo que no ha dejado de resonar en los medios y que, a fuerza de repetirse, si la imaginación no nos ayuda —como advertía Albert Camus durante la guerra—, ella comienza a vaciarse de horror. ¿Y qué ve la imaginación? Un grupo de hombres frente a una mujer o un hombre desarmado y sometido que los mira con miedo, y al que se disponen a hacer sufrir, a hacerlo sentir una cosa, un objeto, un esclavo, un vómito.

Estas insoportables imágenes son la punta de iceberg del sistemático despojo que este régimen no ha dejado de ejercer sobre la gente y en favor de los ricos y de los poderosos. Durante todo el sexenio hemos visto brotes de descontento: campesinos y pueblos que se defienden frente a la salvaje destrucción de su campo y de sus modos de vida; ciudadanos que protestan ante los atropellos de un Estado que arrasa sus patrimonios culturales; obreros golpeados en sus conquistas sindicales; ecologistas que defienden un ambiente que en nombre del progreso se degrada hasta la erosión; marginados, desplazados, hambreados y, como para advertirnos que de eso se trata la democracia, he aquí, a final del sexenio, compañeras y compañeros que habían defendido el derecho de unos floricultores a vender su mercancía en la calle, o que simplemente habían acudido allí a dar testimonio, violadas o cosidos a patadas, a toletazos y a palabras soeces y humillantes. Y los que han hecho eso, con anuencia del gobierno, son hermanos nuestros que, en un tranvía, les hubieran cedido gustosos el asiento a las mujeres que hoy humillaron.

Esto es insoportable y nada lo justifica.

Una de las características de la democracia —lo escribí hace tiempo— es la tolerancia hacia cualquier manifestación, y la intolerancia frente a realidades objetivamente peligrosas. El régimen que se ha llamado a sí mismo demócrata —y que en realidad se inició así— ha invertido a lo largo de su acontecer esa característica de las democracias: ha tolerado y protegido a criminales y atropellado la ley (por ejemplo, hace unos días, el hermano y el sobrino del candidato a la gubernatura del PAN en Morelos, capturados por robo de autos, fueron liberados sin investigación ni proceso, y despedidos los policías que hicieron la aprehensión; y el jefe de escolta de Estrada Cajigal, Jorge Camacho Huerta, después de balear a un ciudadano, fue sentenciado sólo por lesiones y no por abuso de autoridad e intento de homicidio); ha tolerado también el despojo del campo, del medio ambiente y de los patrimonios culturales en nombre de la inversión acrítica, y ha respondido con la sordera, la violencia y la fabricación de delitos ante muchas manifestaciones justas de descontento. Las más visibles por su virulencia extrema han sido las recientes: la de los huelguistas de la Siderúrgica Lázaro Cárdenas, y la que hoy nos ocupa.

Tanto el gobierno federal como el estatal (priista) y el municipal (perredista) han justificado esta última barbarie bajo el signo del Estado de derecho y la violencia legítima. Pero, ¿se puede esgrimir el Estado de derecho con tanta soberbia y pureza cuando se ha protegido a verdaderos criminales?; ¿se puede esgrimir para desalojar a unos floricultores y unos campesinos que sólo han defendido su derecho a la tierra y manifestado su solidaridad con movimientos legítimos; es decir, a hombres y mujeres que no son ni han sido un peligro objetivo para la vida nacional? Y, suponiendo que así fuera, la violencia legítima —que en este caso surgió de la ineptitud política de las autoridades— ¿ampara el asesinato, la violación, las golpizas a hombres y mujeres capturados e inermes, el trato criminal a luchadores sociales, las humillaciones, la tortura y los insultos; en síntesis, la degradación de lo humano?

Como lo escribí en aquella ocasión, "nuestra incipiente democracia ha tolerado todo"; incluso, ahora, una violencia criminal de Estado. Con ello, el gobierno no sólo "ha abierto la puerta al debilitamiento de las instituciones", sino que ha puesto en riesgo la vida misma de la nación, ha polarizado los enconos y exaltado la represión y la violencia de los humillados.

Necesitamos un orden, es verdad. Pero el orden, el verdadero, sólo puede darse en el equilibrio y el acuerdo, y bajo el principio superior de la justicia. No hay verdadero orden sin ella. No se puede, como lo ha hecho el gobierno con estas atrocidades que nos humillan a todos, invocar la necesidad del orden para encubrir la injusticia, la ineptitud e imponer voluntades, cualesquiera que sean. No es exigiendo el orden como se gobierna bien; hay que gobernar bien para que el único orden que verdaderamente tiene sentido se cree. "No es —lo decía bien

Camus— el orden el que refuerza a la justicia; es la justicia la que da su certeza al orden".

La mayoría del pueblo de México queremos ese orden superior en donde, en una nación en paz consigo misma y con su destino, cada uno tenga su parte de trabajo y de asueto; donde el obrero y el campesino puedan trabajar sin amarguras ni amenazas, y el artista, crear sin tener que enfrentarse diariamente a la miseria; en síntesis, un mundo donde cada ser humano tenga su lugar y su sitio y sea querido y respetado como un hermano. Pero para lograrlo hay primero que dar los pasos en el camino de la justicia. Hoy, delante de tanta abominación, ese primer paso está en liberar a todos los presos de esta amarga represión, castigar a quienes la llevaron hasta el desprecio de la violación y la tortura, y distender el lenguaje y los actos de violencia para que las elecciones transiten en paz. Sin esa buena voluntad de todos, la democracia no sólo estará en riesgo, sino que, frente al desprecio de los que se llaman "demócratas", tendremos que afirmar con dolor que el desorden que se quiere combatir con el horror, el desprecio y la mentira será siempre preferible a la injusticia.

21/05/2006

¿Hacia la represión o la Convención?

Desde hace ya tiempo, en los procesos de resistencia civil que desató la coalición Por el Bien de Todos, López Obrador llamó a una Convención Democrática para el 16 de septiembre. La idea, pese a su sectarismo, que sólo ha convocado a las fuerzas políticas y sociales que conforman la coalición, es necesaria ante el desastre que viven las instituciones. Sin embargo, ante la legitimación que el TEPJF ha hecho de Calderón como presidente electo; el despliegue de fuerzas que el gobierno de la República realizó el 1 de septiembre para repeler cualquier movilización civil; las declaraciones del secretario de la Defensa, Ricardo Vega —"no debemos permitir que nos dividan, no debemos permitir que nos separen [...] hoy es momento de unidad en torno a los valores que nos dieron patria, en torno a las instituciones de la nación [...]", todo parece caminar no sólo a la desactivación de la Convención, sino hacia la represión.

El legalismo ha triunfado por encima de la política, y lo que le queda al poder —con un presidente electo por una minoría y con un alto descontento social— es esa salida, la peor. Es lo que resuena en las palabras del secretario de la Defensa y en el despliegue militar del 1 de septiembre; es lo que dice la represión de Atenco. Si López Obrador no deja el Zócalo y el corredor de los plantones —itinerario del desfile del 16 de septiembre—, lo que veremos en días previos a las fiestas patrias es lo contrario de lo que se festejará: un despliegue de fuerzas como las que se volcaron contra los independentistas de 1810; la retórica del poder que, bajo los signos de una independencia domesticada, embiste contra un proceso de independencia real, lo que terminará por desacreditar aún más a las instituciones que se quiere defender. Entonces se abriría la puerta de la desgracia, pues, sentadas esas bases de gobierno, la represión tendría que generalizarse a los brotes de descontento que se generarán a lo largo del país y del sexenio.

Por el contrario, si López Obrador deja el Zócalo y levanta el corredor de los plantones, la Convención no tendría el efecto ni la fuerza que alcanzaría de realizarse en las condiciones en que fue planeada: con un Zócalo tomado por la dirigencia de la coalición Por el Bien de Todos; muchos de sus simpatizantes se sentirían traicionados; otros, que ya están por separarse de la radicalidad de López Obrador y entrar en las vías políticas institucionales, lo sentirán débil y, al igual que los pollos lo hacen cuando uno de ellos está herido, se abalanzarán sobre él a picotazos; los medios, como lo hicieron con Atenco, harán lo demás.

¿Hay una manera de salvar la Convención sin costos represivos o políticos? Creo que sí, siempre y cuando se vuelva a principios no violentos y se replantee la idea. En primer lugar, para evitar una represión que sería lamentable para todos, y en un gesto de buena voluntad —la no violencia en sus mejores momentos está llena de ellos—, López Obrador debe retirar totalmente el plantón y quedarse, en un acto de profundas resonancias simbólicas, con un grupo de la Coalición, los de mayor altura ética, en el centro de la Plaza Mayor; en segundo lugar, debe dirigir la Convención hacia su apertura. No a crear un gobierno paralelo, hecho de sus propios simpatizantes, como es su primera intención —eso es caer en el mismo y despreciable juego de los panistas—, sino precisamente a crear las condiciones para generar una verdadera Convención que apunte a un nuevo Constituyente que aglutine a todas las fuerzas políticas, económicas, sociales, culturales, científicas y étnicas del país; un Constituyente que permita expresar el rostro que hoy conforma a la nación y que está hecho de millones de excluidos.

El subcomandante Marcos lo ha intentado. Es una de las metas con las que arrancó La otra campaña. Sin embargo, las circunstancias políticas lo rebasaron. Ahora López Obrador está en condiciones para articularlo, siempre y cuando el objetivo sea, como el nombre de su coalición lo dice, el bien de todos. Hay que rearticular las fuerzas de la no violencia, que es la fuerza del no poder, para salvar lo que debe salvarse y hacer posible el porvenir. Ése, creo, es el gran móvil, la pasión y el sacrificio que se requieren hoy en que la tentación del poder, que se sostiene en el legalismo, es la desarticulación de un movimiento y su total aplastamiento, la tentación de los que en el vacío del poder buscan no sólo la justificación de la represión para gobernar, sino la compra, en nombre de la institucionalidad, de todas las lealtades posibles.

Naturalmente, eso exige reflexión, creatividad, renuncia al poder y que se decida claramente si aún hay que añadir a las penas con las que la globalización ha cargado a los hombres, otras nuevas; y ello por fines que no siempre se disciernen bien, es decir, si hay que aceptar que México —es lo que busca el poder afianzado en el legalismo— se llene de armas, de odio y de muerte, o si es preciso ahorrar hasta donde sea posible la sangre y el dolor para —sin claudicar en la resistencia, sino ampliando sus tácticas y sus miras— darle una oportunidad a lo que de mejor hay en el movimiento encabezado por López Obrador.

La izquierda prepara el porvenir de México, y si se mantiene en una lucha de resistencia inteligente, cuyos objetivos sean el crecimiento de la democracia, es decir, el del poder del pueblo que sólo se expresa en la pluralidad, en la inclusión de todos y en el desarrollo de la autogestión, actuará en el más honrado y honorable realismo, ese arte de tener a la vez en cuenta el presente y el porvenir, y de obtener lo más sacrificando lo menos. Fuera de eso, lo que se ha avanzado se ahogará en la derrota que el poder quiere infligir a todos.

10/09/2006

EL EQUÍVOCO

Es indudable que la Convención Nacional Democrática (CND), que inició simbólicamente el 16 de septiembre, fue un éxito: miles de personas se volcaron sobre el Zócalo de la Ciudad de México para refrendar su vocación democrática, es decir, su afirmación de que la democracia es el poder del pueblo, y de que ese poder resistirá cualquier intento de exclusión de los poderes del Estado.

Por desgracia, el clamor popular que en ese momento llevó a López Obrador a declararse "presidente legítimo" ha acotado el proceso o, mejor, lo ha nublado. Declarar y declararse presidente legítimo es reducir una lucha, que tiene que ver con las libertades y las autonomías, a lo que ha constituido el mal fundamental de nuestro país: el caudillismo, el presidencialismo, el voto y la elección, la administración de las instituciones que la propia CND ha puesto en duda.

Lo que ha hecho interesante la batalla de la coalición Por el Bien de Todos no ha sido su lucha por llevar a la presidencia a Andrés Manuel, sino precisamente lo que esa primera batalla desencadenó: un movimiento verdaderamente democrático, una lucha que la propia coalición, tomando las palabras del libro de Douglas Lummis, ha llamado recientemente "democracia radical". La democracia en este sentido no es el nombre de ningún arreglo particular de instituciones políticas y económicas: no es el voto y las elecciones, no es el caudillo providencial al que un sistema corrupto despojó de la presidencia y al que hay que llevar al poder para que una vez más termine por decepcionarnos; tampoco un "sistema" y un aparato de Estado que pretenden representar la democracia, sino, como la resistencia civil —pese a sus contradicciones— y los campamentos nos lo han demostrado, un proyecto histórico que la gente manifiesta luchando por espacios de libertad. Es la aventura de hombres y mujeres que crean con sus propias manos y sus propias iniciativas las condiciones de su libertad.

Lo que hay de fondo en la CND es eso. Sin embargo, el sueño del caudillismo —que nos ha perseguido como una larga pesadilla a lo largo de los siglos— lo nubla. Desde el momento en que el pueblo reunido en el Zócalo elevó a rango de presidente legítimo a López Obrador, y éste, sin chistar, obnubilado por su propia imagen, lo aceptó, la democracia radical quedó oculta. En ese acto, que divide a la nación en dos repúblicas y abre la puerta a la tentación de la guerra civil, el gesto democrático de un pueblo se traiciona y la CND termina por afirmar que sólo cree en lo mismo que desprecia, en el Leviatán, en la deposición de la autonomía de cada uno a los pies del Estado, regido, en este caso, por una ideología que no es de derecha.

Pareciera que la coalición Por el Bien de Todos ha dejado de percibir algo que, durante más de tres meses de lucha y de los procesos autogestivos del zapatismo, se ha puesto de manifiesto: el poder que se ejerce en las instituciones es negativo porque despoja al pueblo de su poder. Bajo la sombra de ese "desvalor", la política deja de ser lo que debe ser —la autogestión, el servicio al bien común—, para convertirse en su contrario: la administración de la sociedad por la ley de hierro de las instituciones. Lo sabemos desde que la democracia ateniense en el siglo V antes de Cristo relocalizó de manera autoritaria y militar a los habitantes de la región de Atenas. Con ese gesto, Atenas no descubrió la democracia, como pretenden ciertos historiadores, y la democracia representativa, sino el poder esencialmente político, es decir, el poder que no se ejerce en las calles, en las casas y en las comunidades, sino en consejos especializados y exclusivos que administran la libertad y la vida de los hombres.

Pese a que la lucha popular realizada por la coalición y ahora por la CND ha puesto de manifiesto ese "desvalor", quieren hacer que López Obrador y el movimiento democrático que ha desencadenado se reduzca a un poder político representativo que, aunque se llame democrático, presupone la parálisis previa de las asociaciones "informales" y comunitarias, y el ostracismo —como ocurrió en la Atenas del siglo V antes de Cristo, y como sucede con todo poder político que se ejerce en consejos especializados y exclusivos, ajenos a la verdadera vida de la polis— de todos aquellos que adquieran demasiada influencia fuera de los lugares exclusivamente consagrados a la política.

López Obrador y la coalición Por el Bien de Todos han ganado las calles y reconquistado la democracia en su sentido radical, pero no se han dado cuenta. En este sentido, debieran repensar su acción. Hace algunos años —lo he citado en otros artículos—, Gustavo Esteva nos contaba que en el estado de Oaxaca un gobernador de origen indio convocó a los indios para que le expresaran lo que esperaban de su gobierno. Al final, un anciano tomó el estrado y exclamó: "Queremos que usted sea para nosotros como la sombra de un árbol". Eso es lo que muchos esperamos de López Obrador. No un "presidente legítimo" que como un Juárez motorizado recorra la República exigiendo se le entregue la presidencia que le robaron —eso es anacronismo y desprecio a la verdadera democracia—, sino un hombre que, negándose al poder y sirviendo a la democracia radical, sea un gran árbol contra la negatividad de los poderes, a cuya sombra puedan generarse más procesos autogestivos, más vida democrática y un nuevo Constituyente que permita acotar el poder político, que ha reducido la vida democrática a un puro juego de representaciones y partidos.

Limitar el poder no es, como pudieran interpretarlo quienes piensan que la democracia es la administración del Leviatán, un rechazo anarquista a cualquier poder político. Es —como alguna vez lo dijo Jean Robert y como lo ha demostrado la lucha de la coalición, y la del zapatismo con más clarividencia— obligar al poder a autolimitarse para que podamos asociarnos libremente y practicar la virtud del diálogo y del bien común. Es reconocer que todo el nosotros democrático se vive de manera plural y se arraiga no en las abstracciones del Estado y en las leyes de hierro de sus instituciones, sino en lugares concretos y entre personas libres que se asocian libremente.

24/09/2006

PALABRA VACÍA

Uno de los distintivos fundamentales de Occidente desde que Sócrates, en el siglo IV a.c. se puso a conversar, es la discusión, la convicción de que es posible llegar a la verdad a través del diálogo. Al empezar a vivir con otros un proceso de preguntas y respuestas, de intercambio de ideas, Sócrates mostró que el diálogo era un aprendizaje mucho más sólido y profundo que el de las verdades aceptadas o impuestas desde la tradición.

Esta novedad —a la que sólo daría una vuelta de tuerca esa otra realidad superior que también conformaría la vida de Occidente: la aparición en el tiempo de un hombre que dijo que no tenía la respuesta a ese diálogo, sino que él era la respuesta misma: la Verdad, la Palabra de Dios encarnada— no podía haber surgido sin una conciencia profunda de lo que la palabra es.

El *logos* griego no sólo significa palabra y pensamiento; significa también proporción y acto, el vínculo más bello que permite la unión de dos elementos dispares. En la palabra no sólo el cuerpo y el alma entran en armonía; también en y a través de ella los diferentes seres pueden poner en común sus percepciones y tender lazos que progresivamente los constituyan en unidades políticas armoniosas. Gracias a la palabra, escribió Aristóteles, los hombres acceden a la "percepción de lo bueno y lo malo, lo justo y lo injusto […] y la participación común en estas percepciones es lo que forman tanto una familia como una ciudad".

No hay democracia sin la palabra que suscita el diálogo y la proporción; no hay tampoco ciudad sin que esa palabra se encarne en hechos. Por desgracia, desde el nacimiento de la era instrumental, hacia el siglo XII, hasta nuestros días, pasando por el positivismo de Saussure, que la redujo a una pura arbitrariedad elevada a axioma lingüístico, la palabra se ha vuelto un instrumento vacío de contenido, una pura utilidad mediática sin carne ni peso en la realidad; una "verbocracia", como en 1971 Castillo Peraza la definió.

Nuestra democracia no es la excepción. Si algo la ha caracterizado es ese vacío, esa ausencia de sentido en la palabra y, por lo mismo, esa ausencia de diálogo. Nuestros políticos hablan, invocan el diálogo, el bien común, etcétera, pero al igual que Hitler lo hizo a lo largo de su horrendo gobierno, lo traicionan sin vergüenza alguna. Sus voces son un desencadenamiento de palabras que, dice Castillo Peraza, "operan como una cortina de humo para esconder sus desatinos". "Resolveré el problema de Chiapas en 15 minutos", clama Fox, y henos aquí, después de miles de horas, con la multiplicación de esos problemas en toda la República. "En nombre de Dios, no habrá represión en Oaxaca", afirma el católico Abascal, y henos hoy con heridos, detenidos, desaparecidos, muertos y una población harta, aterrada y devastada. "Calderón ganó las elecciones", claman los miembros del Tribunal Electoral, a pesar de hechos que lo cuestionan. "Las gané yo", gritan más fuerte López Obrador y la CND, a pesar de no haber presentado pruebas contundentes del hecho, y he aquí al país enfrentado y al borde de una guerra civil. "Quiero gobernar para todos los mexicanos y retomar propuestas de mi contrincante"; "busco tender puentes para el diálogo", insiste Calderón, y helo ahí nombrando un gabinete con gente de su partido y, siguiendo los criterios más atroces del neoliberalismo, con gente que servirá a una sola clase: la empresarial. "Nunca he dejado de gobernar; estoy por el diálogo", presume Ulises Ruiz, y su estancia en el poder está sembrada de sordera, represión, muerte y dolor.

Estos son sólo ejemplos de ese vaciamiento atroz y constante de la palabra que hoy nos gobierna, de esa verbocracia que si en las dictaduras es una forma tiránica de gobernar, en las democracias es un caldo de cultivo para la violencia de todos: cuando la palabra, que, ya vacía de contenido, sólo sirve para manipular y drogar al pueblo, choca con su propio vacío, todo concluye en la violencia. Ahí, como lo profetizaba Castillo Peraza, cuando todavía estábamos lejos de la democracia, "verbócratas y oprimidos coinciden en que sólo [por la violencia] puede resolverse la situación. La 'dialéctica de las pistolas' sustituye [así] a la dialógica de los procesos electorales", y hoy comienza a cobrar sus víctimas. A las legítimas protestas ciudadanas se responde con represión, y a la represión se contrarresponde con furia. Los bombazos en diferentes sedes; las amenazas, después de la represión de la PFP a la APPO, de grupos guerrilleros; las bazucas caseras y la exacerbación del terror por parte de un Estado verbocrático son síntomas alarmantes del vaciamiento de la palabra.

Estamos ante una crisis —cuyo sentido etimológico es momento de decisión—; o hacemos, como nos lo heredó la mejor tradición griega y cristiana, que las palabras, que son proporción, armonía y diálogo, se encarnen en hechos que muestren la justicia y no la irracionalidad de la razón de Estado o del todo o nada de las ideologías totalitarias, o abrimos la puerta definitivamente "a —eso que Castillo Peraza llamó— la rebelión de las acciones contra la tiranía del verbo vacío: hechos solitarios contra palabras solitarias, porque la complementariedad de unos con otros ha sido prostituida".

03/12/2006

La imposición de los medios

Un día Iván Illich, al hablarme de su infancia, me decía con tristeza: "Nunca olvidaré el día en que a mi pequeña Dalmacia llegó el primer altavoz. La fuerza de esa cosa se imponía sobre las voces de todos, y comprendí que la democracia desde entonces sería imposible. Ese aparato había roto el común en donde los hombres se sentaban a dialogar entre sí".

Un altavoz, una radio, una televisión —esos instrumentos en los que, como en los vasos comunicantes, algo se eleva al mismo nivel—, son formas del poder. Goebbels lo sabía; lo sabían también quienes, para elevar el nivel de consumo durante los años de la depresión en EU, pusieron en el centro de las casas la televisión. Quien multiplica su voz y su imagen tiene el poder de "elevar" —sería mejor decir "igualar"— a los otros con el contenido del discurso. No hay consumidor —de ideología o de necesidades— sin propaganda, y no hay propaganda sin un medio de comunicación en donde un emisor activo cae sobre un receptor pasivo. De ahí la disputa por los medios entre el Estado y los señores de la comunicación. Se trata de controlar el poder y las conciencias mediante una estructura que, si bien ya no es la de una sola ideología —hoy los medios se han democratizado—, es la de la dictadura del consumo por su estetización. El medio dicta, y ese medio sólo muestra lo que reditúa en poder o dinero. Ya sean productos o política, los medios tratan de imponer el consumo de algo o de alguien estetizándolo según el canon mercadotécnico y desechando de su universo cualquier diferencia. En los medios todos —hasta los izquierdistas— portan con matices el mismo *look*, enfatizan con el mismo tono de voz y dicen las mismas cosas. Lo que cuenta es lo que se agrega de plusvalía mediante la estetización estandarizada y domesticada.

En sus inicios, para el *homo industrialis*, que había reducido todo a la productividad, la estética del mercado no era todavía un valor. Si el hombre se había convertido ya en un instrumento productivo, y la cultura en una realidad inútil, ningún productivista del siglo XIX se habría extasiado, como los populistas rusos ante un par de zapatos, con su lema: "un par de botas vale más que Shakespeare"; tampoco habría adoptado, con fines mercadotécnicos, el *look* de Oscar Wilde. Pero lo que les inspiraba ese rechazo era el utilitarismo y no el humanismo, la desconfianza respecto a cualquier forma de ocio, y no la adhesión a los valores de la cultura. Sus lemas "el tiempo es oro" o "el trabajo os hará libres", hacían de la planificación la modalidad exclusiva de la razón. Para el hombre de entonces lo importante era la productividad, y desde allí condenaba como despilfarro y frivolidad tanto las preocupaciones artísticas como las reactivas o de indumentaria. Al reducir el mundo a una perspectiva técnica, todo lo que no entraba en la esfera de lo funcional, lo contable y explotable, era pura literatura.

Sin embargo, este "pensamiento calculador", como lo definió Heidegger, integró por ese mismo espíritu de cálculo lo que en sus inicios condenó. Si algo caracteriza al mundo de hoy con sus medios de comunicación es su capacidad de domesticar todo y de reducirlo a sus fines. Así, el control de las necesidades se convirtió en objeto de una solicitud incesante.

Lo que, en su necesidad de optimizar todo, descubrió "el pensamiento calculador" es que el tiempo libre, que antes condenaba, podría ser una fuente inimaginable de servidumbre utilitaria si se racionalizaba correctamente. Así, al ver la utilidad de lo que condenaba como inútil, asalta, mediante las técnicas de la comunicación, el mundo de los apetitos y de los placeres. Si, por un lado, continúa reduciendo la cultura al rango de los gastos improductivos, por el otro eleva cualquier distracción al rango de cultura: todo lo que permita al deseo distraerse para dirigirse al consumo es cultura. Estetizar el mundo se ha vuelto así una manera de hacerlo consumible. Para el hombre actual, sea católico, de derechas o de izquierdas, ningún valor trascendente debe ser capaz de condicionar la explotación de los ocios y el desarrollo del consumo político, cultural o de uso. "Tantalice" —mantenga en estado de deseo— a su consumidor, es un neoverbo que en el mundo mercadotécnico se ha vuelto una palabra clave; y "tantalizar" significa estetizar, publicitar, comunicar, envolver todo con la plusvalía de lo deseable, tornarlo producto de consumo apetecible, degradarlo agregándole un valor ficticio y, por lo tanto, antidemocrático.

La democracia es un conjunto de miembros que en sus diferencias se hablan entre sí para descubrir el bien común, y no una colectividad sometida a la oferta impositiva de una máquina que ha expropiado la palabra. La democracia es pensar con otros, y no desde otros que, al dominar los medios, ocupan los ojos y los oídos de todos para transformar la vida y la democracia en consumo obligatorio de *show*.

21/10/2007

DEMOCRACIA Y ABORTO

En un espléndido artículo, *El equívoco de la democracia*, el filósofo Alain Finkielkraut muestra que esa palabra clave "designa a la vez un régimen y un proceso". Como régimen, la democracia afirma el poder del hombre sobre su vida social y sobre las normas de su acción. En ella nada está concluido, nada llega de arriba, "nada lleva el sello de lo eterno". Lo que la autoridad antiguamente quitaba a la argumentación para determinar lo que convenía a la vida social, ahora entra en un inmenso debate. Todo lo referente a los asuntos comunes se discute en común. "La reflexión colectiva disuelve y reemplaza las certezas de la tradición. Dios calla", y la sabiduría de los viejos ya no tiene sede. Donde antes reinaba la imposición ahora viven la conversación, la discusión, la controversia; donde habitaba el dogma, la reflexión colectiva. "La pluralidad no es una incapacidad, sino el dato fundamental de la política".

Sin embargo, como proceso, la democracia es también —y contradictoriamente— el sueño ideológico de la Historia en marcha hacia paraísos terrestres que aparentemente han perdido su rostro totalitario: "el cumplimiento progresivo de los derechos humanos, el doble desarrollo de la libertad de los individuos y de la igualdad de las condiciones". Aunque lo inacabado constituye la condición del régimen democrático, al proceso, "que sabe adónde se dirige", no le gustan los impedimentos, los bloqueos, los retardos. "En el momento en que [los demócratas] creemos reconciliarnos con el régimen y repudiamos [que sea sobrepasado por] una forma superior, el proceso toma subrepticiamente posesión de los lugares, y el porvenir [de las mañanas radiantes] mantiene así su imperio sobre las almas". Lo que hay en el fondo de un régimen que ha puesto todo a debate es, en realidad, en el proceso, varios atizaderos que, para contener el gran flujo liberador, se apoyan violenta y vanamente en sus prejuicios y privilegios.

Tomemos, entre cientos de ejemplos, la reciente reiteración de la despenalización del aborto. Detrás de su noble argumentación: los derechos de la mujer, la protección de su vida, la igualdad de las mujeres pobres con respecto a las ricas que pueden ir al extranjero, donde la despenalización del aborto existe, etcétera, habita no sólo el mismo principio autoritario —sólo que disfrazado de libertades— de quienes se oponen a ella, sino algo más: la posibilidad de banalizar la vida. Al igual que los opositores a la despenalización —que también son demócratas—, los triunfadores no defienden una opinión; formulan, como sus adversarios, una evidencia; afirman, como ilustrados, el paso de la sombra a la luz. La democracia, que tanto defienden, no es para ellos un espacio, una realidad inacabada, sino el paso arrollador de la verdad en el tiempo. Un remanente autoritario profundamente arraigado que los hace celebrar los avances de esa verdad, "impacientarse con sus tropiezos y fustigar sus regresiones con el lenguaje de lo incontestable".

En 1947, confrontado con la arrogancia totalitaria, Albert Camus, en su artículo *Democracia y modestia*, oponía a aquélla la humildad del régimen democrático, conformado por hombres que "saben que no saben todo", que admiten "que un adversario puede tener razón [...] y convienen en reflexionar sobre sus argumentos".

La modestia no hace parte de quienes están instalados en el proceso democrático. "La humildad —como lo señala Finkielkraut— no es su fuerte. Ignoran orgullosamente la finitud. Creen haber escogido la democracia de Camus contra el marxismo de Sartre, cuando en realidad [semejantes a sus adversarios, pero en sentido de la izquierda] dan lecciones [de la historia y sus progresos] exactamente como Sartre a Camus".

Detrás de los nobles argumentos que esgrimieron los que lograron la despenalización del aborto, y que son en México inobjetables, campea, sin embargo, la banalización totalitaria de la vida. Cuando la única constricción para ejercerlo se ha reducido a la etapa posterior a los tres meses de embarazo, sin acotamiento alguno, la despenalización termina por afirmar en su fondo que el hombre no se define por su capacidad para comprometerse y responsabilizarse de algo, sino por su derecho discrecional a usar en un periodo de tres meses de gracia la libertad egoísta de su 'yo'.

El compromiso con la vida de otros, que hasta recientes fechas era la marca distintiva de la autonomía, se presenta ahora como un fardo, como una constricción. Bajo el infantilismo moderno del derecho, nada existe ya que no sea el 'yo'. "Ningún otro —dice Finkielkraut— es 'yo' en mí que mis deseos, mis pasiones o mis humores actuales. Mi antiguo 'yo' y mis viejos [compromisos] no tienen más peso en mi vida que Dios o mi padre".

El 'yo', disfrazado de libertad y derecho, se va convirtiendo en la nueva tiranía totalitaria. En ella, el individuo es el mismo, conserva su carta de identidad, pero esa identidad tiene ya pocas cuentas que rendir. Es una identidad sin sustancia, desvinculada de la pesada carga de mantener el 'yo' en la fidelidad de sus compromisos con la existencia y en la modestia de la vida democrática; un 'yo' atado al llamado totalitario de la Historia, que la democracia creía haber superado.

21/09/2008

La dictadura electoral

Este año se celebrarán elecciones en una buena parte del país. Para todos —después de los grandes debates de los años sesenta, en los que la democracia fue la puta de los lenguajes políticos que la usaron con todo tipo de adjetivos: liberal, socialista, popular, del mundo libre, librecambista, etcétera—, la democracia se ha reducido a la representatividad. Decir "poder del pueblo" —es lo que la palabra significa— se ha vuelto, en la mente de todos, sinónimo de partidos, elecciones y representatividad.

La reducción —me parece— viene de una lectura errónea de Rousseau. El desmedido valor que le atribuimos a esta forma de la democracia se basa en el razonamiento roussoniano sobre la voluntad general. Sin embargo, y a diferencia de lo que la democracia representativa nos ha hecho creer, la voluntad general es importante no porque sea la voluntad de las mayorías, sino porque, en la medida en que es expresión de la ley —en lo que ella guarda de justo y razonable—, tiene más posibilidad de ser justa que cualquier voluntad particular. Por ello, una verdadera voluntad general, señala Rousseau, necesita reunir ciertas características. La más importante es que sea el resultado de un gran número de voluntades realmente independientes, es decir, que esas voluntades tengan la capacidad de juzgar por sí mismas y no según consignas en las que sólo actúa el mecanismo de las pasiones y de los intereses particulares.

Los partidos, por desgracia, no expresan la voluntad general, sino la voluntad de las particularidades partidistas. No importa que los jefes de partido representen a miles. El partido es una opinión particular que, como tal, está sujeta al error y a la injusticia, y que para expresar la voluntad general no usa la ley, sino la consigna, la propaganda, la coacción, la prebenda, el *show*. Los partidos no son la expresión de voluntades independientes, sino de formas dictatoriales que se disfrazan de libertad y representatividad. De ahí que cada vez que sube un partido al poder termine por servir sólo a sus intereses particulares en detrimento de la ley y la justicia.

Porque no es posible elegir un ideal democrático que se basa en los postulados de Rousseau y rechazar al mismo tiempo las condiciones sin cuyo concurso esos razonamientos se traicionan, en la era mexicana de la democracia las injusticias y la humillación de la ley campean tanto como en la era en que el régimen de un partido único señoreaba al país.

Las elecciones que nos aguardan no serán, por lo tanto, ni la expresión de la voluntad general —reducida a mayorías determinadas por la propaganda, las consignas y la manipulación— ni el poder del pueblo expresándose a sí mismo, sino el choque de voluntades particulares que nos señorearán según el número de ciudadanos que logren sumar a su interés particular; una forma perversa de las dictaduras que, a través del *show* mediático, nos hace creer que somos democráticos.

La verdadera democracia —así, sin adjetivos, como quería Enrique Krauze— no es el voto y las elecciones libres, aunque —hay que matizar— estos puedan —con dosis críticas y ejerciendo un lúcido y fatigante control que limite los intereses de los partidos— apoyarla; no es tampoco el libre mercado, al que los gobiernos sirven, ni un sistema —quizá por eso el propio Rousseau la buscó en el pasado en las sociedades primitivas, donde el tamaño de un pueblo permitía el nosotros democrático—; mucho menos un aparato que pretende representar el poder de la gente. Es, por el contrario, y como señalaba

Douglas Lummis, un proyecto histórico que la gente, más allá y más acá de los partidos, ejerce luchando por él; una atmósfera común que repentina y milagrosamente aparece en la vida pública del común de la gente. De ahí que entre todos los conceptos políticos, la democracia —lo muestran los partidos y las elecciones a las que buena parte del país está convocada— sea el más corrompible de todos y, en consecuencia, el que más fácilmente se transforma en su contrario.

En el fondo, la democracia es la aventura de seres humanos que, de cara a la justicia y lo razonable, van moldeando, con su conversación, con su común y sus manos, las condiciones de su libertad. Paradójicamente —como lo ha demostrado el zapatismo—, esa aventura sólo es posible con la renuncia al poder. Aunque la democracia es "el poder del pueblo", el poder que los partidos le roban no es la acumulación de esa voluntad general, sino una negación de esa voluntad que se traduce en los intereses del partido. Ese tipo de democracia paraliza el poder del pueblo. Bajo la sombra de ese poder robado, la política deja de ser lo que debe ser: la libertad de la voluntad general, para convertirse en su contrario, la administración de la gente por el poder de los intereses particulares de los partidos.

La verdadera democracia sólo surge ahí donde la voluntad general tiende a reducir, para todos, la acumulación del poder. "Limitar el poder político —escribía Jean Robert— es permitir que los seres humanos podamos asociarnos libremente y practicar la virtud de la confianza mutua"; es reconocer que todo el nosotros democrático se arraiga en un lugar concreto, a escala de lo humano y entre personas que habitan un común y no una abstracción llamada partido y Estado.

25/01/2009

Yo, POR EL VOTO NULO

La reciente campaña para anular el voto —el único ejercicio democrático de dignidad ciudadana en estos tiempos miserables— tiene razones poderosas: la descomposición del gobierno, la violencia del crimen organizado y del Estado contra la ciudadanía, la corrupción de los partidos, la reducción de lo político a campañas electorales basadas —en el país de la miseria— en millonarias inversiones publicitarias —el eslogan de pésima calidad y la imposición totalitaria de los rostros de sus candidatos—, el sometimiento del Estado a los intereses del mercado; en síntesis, el pudrimiento de la vida política; lo político reducido a la corrupción de una clase parásita que le cuesta demasiado a un país empobrecido por ella.

Sin embargo, estas razones de orden ético no son la causa, sino síntomas de dos realidades que en menos de diez años han conducido al mundo a una crisis global: la economía como el único valor al cual se ha supeditado el complejo tejido social, y la desproporción del Estado como principio rector de la conformación social. Del primero me he ocupado abundantemente en estas páginas. Del segundo he hablado menos. Recurro a un teórico olvidado y actual, Leopold Kohr, y a un pensador mexicano, Roberto Ochoa, que próximamente publicará un libro fundamental, *Muerte al Leviatán*.

Así como en biología Haldman y Thompson formularon la teoría de la morfología biológica, cuyo tema es la proporción que existe entre el tamaño y la forma de los seres vivos —tal forma y tal ser sólo pueden existir a cierta escala, pues pasado cierto umbral en el crecimiento o la disminución de su tamaño los haría perecer—, Kohr y Ochoa muestran que la descomposición de un país —cuyas causas en el nuestro llevan a la campaña de anulación del voto— se basa en un crecimiento desproporcionado del Estado que sólo puede mantener su existencia mediante todas las formas posibles de violencia —desde la guerra sucia y la manipulación mediática hasta la represión y el crimen.

Para que una democracia sea, es necesario que permanezca en una escala en la que —como en la Grecia de Pericles o en el zapatismo y sus Caracoles— la vida política sea la de un mundo en donde todos se conocen. Pasado ese umbral, la lógica de la soberanía que hace perder la proporción y la diferencia sólo encuentra sustento en la escalada de poder; así, un Estado utilizará cualquier tipo de violencia que le permita acumularlo. De esa manera, la vida política deja de ser el sitio del común para convertirse en el de la guerra por el poder, el sitio para el crecimiento desmesurado en contra de cualquier bien.

Esta idea del crecimiento permanente, que tiene su rostro más claro en la noción de desarrollo que el Estado auspicia, es absolutamente moderna en la medida en que, escribe Ochoa, sólo en la modernidad "el hombre se considera soberano del mundo y señor de la naturaleza [y] piensa que los límites son sólo obstáculos" que puede superar por la fuerza. "El Leviatán [la invención de Hobbes que nuestra modernidad toma como un axioma y no como una construcción histórica que ha entrado en una crisis fatal] ha borrado los márgenes físicos dentro de los cuales [el cuerpo de la vida social, el común] encuentra su tamaño apropiado, [ha creado un] espacio neutro y abstracto en el que aquí y allá ya no son proporcionales, sino iguales [y piensa] que desde aquí [un *locus* proporcional] puede extenderse siempre 'más allá' sin consecuencias: ocupar, conquistar y dominar", bajo la máscara de la administración y no de la política. Así es como la vida democrática —reducida al voto— destruye el común e instaura la tiranía de los partidos, de las corrupciones, de la violencia de Estado, de las guerras intestinas por el poder y el uso del mercado, de la distancia entre el gobierno y la vida ciudadana, y de la utilización de esa vida como mera carne electoral que legitime la condición parásita de los partidos.

La llamada a la anulación del voto es así una protesta oscura que habla del desfondamiento no sólo de un modelo económico que ha llegado al más alto grado de su contraproductividad, sino de un modelo político que en su gigantismo también ha dado de sí y se ha vuelto apolítico. Con ese "no" en las urnas, los ciudadanos no debemos buscar la recomposición del Estado y sus instituciones —es precisamente su desmesurado tamaño el que ha generado la descomposición de la vida política que provoca nuestro hartazgo—, sino acotar su ambicioso poder de dominación y construir una nueva Constitución basada —como lo propone lo mejor del zapatismo— en la proporción, en los límites, en las autonomías, donde la confianza mutua permite el florecimiento de las verdaderas democracias y las verdaderas economías. Se trata —vuelvo a Ochoa— de redefinir umbrales, esos lindes que, acotando el poder, separan "el terreno inhóspito del habitable [y a partir de los cuales] podemos edificar un 'techo común' que nos resguarde y nos permita hermanarnos".

Es la única salida frente a las desmesuras del Estado y el mercado. Una salida dolorosa, como todo aquello que quiere la salud. Buscar paliativos es sólo alimentar la enfermedad que nos llevará a la muerte y a perder de vista la sustancia de lo que puede salvarnos.

14/06/2009

"TODOS SON CULPABLES MENOS YO"

Con estas palabras, Louis-Ferdinand Céline, el creador de *Viaje al final de la noche*, no sólo definía su condición de víctima absoluta de la Segunda Guerra Mundial, sino la realidad de nuestra época: la irresponsabilidad. Si en el mundo griego un hombre conquistaba la gloria en la ciudad o se condenaba en ella era por sus actos, en el nuestro —como nos lo mostraron el cúmulo de acusaciones que los responsables de firmar acuerdos que dañan la vida de los mexicanos se lanzaron unos a otros en San Lázaro— los seres humanos parecen vivir en una inocencia perpetua. Culpables todos, desde el yo acusador, al final todos terminan por mostrarse como víctimas inocentes que hay que reivindicar.

La disputa de San Lázaro reveló, con un arte del más puro sofisma, toda la corriente del relativismo moderno: si lo único que cuenta es la autenticidad, cada cual, en nombre de sí mismo, se habilita para no someterse a las leyes comunes que lo desposeerían de ese sí mismo individual y distinto, en su incapacidad para el mal, de los demás: "¡No me juzguen —gritaban y continúan gritando cada uno de ellos—, los otros son los responsables y los traidores. Yo obré de buena fe, por el bien del país!"

Desde hace mucho (el asunto de San Lázaro es sólo su escándalo mediático), el presidente, los gobernadores, los alcaldes, los jefes de partido, los hombres y mujeres de las Cámaras, con un infantilismo atroz, se han convertido en excepciones a las que la ley y la moral tienen que adaptarse. Mirando "la paja en el ojo ajeno", nuestros "representantes" han hecho que la ley, en vez de servir para contener los apetitos y las desmesuras del ego, se esgrima para beneficiarlos en cualquier circunstancia.

Esta candidez, con la que nuestros políticos se defienden, pretende hacernos creer que en ellos no sólo hay ausencia de mal, sino —como si fueran entes puros, seres ontológicamente inocentes— una absoluta imposibilidad de maldad y de villanía. Ningún acto emanado de ellos

—jamás de los otros— puede ser malo, puesto que de ellos, que son esencias cuasi angélicas, procede, y en consecuencia queda santificado.

En este sentido, la victimización —esa calidad de sentirse juzgados por los verdaderos malvados, que a su vez se sienten también víctimas de los verdaderos malvados— es la versión fraudulenta del privilegio. Ella grita, en su defensa, que la ley debe aplicarse a todos salvo a ellos, y al hacerlo, como lo señala Pascal Bruckner, "esboza una sociedad de castas invertida donde el hecho [de ser acusado por algo que se cometió] reemplaza las ventajas de la cuna": la mala conducta que los demás tienen para con ellos es un crimen; en cambio, los actos criminales que cometieron son pecados veniales, gestos ingenuos, futilezas, que es falta de tacto, arrogancia, señalar.

Con estas actitudes, nuestros políticos parecen decirnos que a final de cuentas la democracia se resume en la autorización para hacer lo que se quiera (siempre y cuando se presente uno como un expoliado) y en el encubrimiento del derecho, ya no como protección de los débiles y de los ciudadanos, sino de los hábiles, es decir, de quienes disponen de las relaciones, del dinero y del poder para esgrimir su inocencia en cualquier circunstancia, aun en la más absurda, evidente y criminal.

En la postura de la víctima que nuestros políticos asumen cuando se les pone en evidencia, en ese arte de la impostura con la que en su rostro colocan la máscara de la dignidad herida, en esa sofisticada forma en la que se vive el Estado de derecho, reaparecen como nunca la arbitrariedad y el reforzamiento perverso de los fuertes que gritan a los cuatro vientos su condición de víctimas, de seres traicionados e incomprendidos.

Tomemos —para ejemplificar mejor lo que quiero decir y volver al escándalo mediático de San Lázaro, que en realidad es el pan nuestro de la política— el gesto de protección de Calderón a Gómez Mont cuando se supo de esos acuerdos que el propio secretario de Gobernación negoció con el PRI y que el presidente —otro inocente que se siente víctima de los ataques a sus malas políticas— ignoraba.

El objeto del espaldarazo fue confirmar una práctica común entre los partidos y los gobiernos que de ellos emanan: que los políticos, en nombre de cualquier tipo de interés, tienen que estar siempre por encima de la ley y de la moral, y que ningún político en ejercicio debe ser molestado, ni siquiera por errores graves o crímenes. Cuando esto sucede o, para decirlo con Bruckner, "cuando las élites se pretenden más allá del bien y del mal y rechazan cualquier tipo de sanción por sus actos, el conjunto del cuerpo social se ve inducido a repudiar la idea misma de responsabilidad [ése es exactamente el peligro de la corrupción: ridiculizar la honradez, convertirla en una excepción tan vana como trasnochada]", y a generar una actitud de irresponsable victimización.

Así, para nuestra desgracia, hay que entender los patéticos alegatos de nuestros políticos que pretenden liberarse de los rigores de la responsabilidad y de la ley; así, también, por desgracia, se va edificando la infantilización de una época que se hunde lentamente en las nefastas consecuencias de sus irresponsabilidades.

21/03/2010

MALOS PRESAGIOS

El despido de Carmen Aristegui de MVS, al igual que la fallida campaña mediática contra *Proceso* a raíz de la publicación del reportaje *Testigo estelar* (*Proceso* 1777) de Ricardo Ravelo, es un signo preocupante de la violencia que se ha instalado en el país y que parece haber entrado en una espiral ascendente. No importa si en el momento en que aparece este artículo Carmen, bajo las presiones de la sociedad civil, se encuentre de nuevo en el sitio que injustamente se le arrebató o que la fortaleza de *Proceso* haya remontado la tormenta de Televisa y del gobierno. Los golpes se dieron y el signo debe preocuparnos porque golpea duramente la libertad de expresión.

Ni el presidente de la República ni MVS ni el consorcio Televisa soportan que las noticias pongan en entredicho al presidente. Hacerlo —aunque hayan sido declaraciones de un testigo protegido o la divulgación de un suceso en la Cámara Baja en donde un diputado, de dudosa reputación, aludió al supuesto alcoholismo de Calderón— se responde con una violencia tan ilegal, absurda y desmesurada como la que acompaña diariamente a México.

Esas reacciones, lejos de poner en duda lo absurdo de la noticia, parecen confirmarla. Si Calderón no está involucrado con el narcotráfico, que combate muy mal, o no es alcohólico —muchos grandes políticos, como Churchill, lo fueron y su alcoholismo no restó nada a sus grandezas—, ¿por qué entonces reaccionar con la difamación y la censura a periodistas de alta solvencia moral cuya única tarea fue hacer un reportaje, dar una noticia y, en el caso de Aristegui, pedir una respuesta de la Presidencia a un rumor que la manta de Fernández Noroña simplemente magnificó? ¿Por qué el enojo vengativo del presidente y el juego infantil de mostrarse días después montando una yegua sobre Paseo de la Reforma, subiendo en un avión caza F-5, lanzando una pichada de beisbol y diciéndonos mediáticamente que no se halla en estado inconveniente? ¿Por qué no responder con grandeza?

En medio de la violencia que va convirtiéndose en el clima natural del país, en un México donde la corrupción y la ilegalidad campean por todas partes, en una república en donde los partidos políticos no tienen proyecto alguno y su único interés es el mismo de las mafias: mantener o conquistar por cualquier medio el poder y acallar —esos sí con manifestaciones no cruentas, pues hay que decir, en su descargo, que nuestros políticos y nuestros empresarios monopólicos han adquirido cierto grado de civilidad— a quienes disienten, la reacción contra Ravelo y Aristegui es grave. No sólo desliza la sospecha de que el rumor del río sí lleva agua y que la estatura de Calderón está —lo sabemos de sobra— muy lejos de la de Churchill; muestra también la incapacidad política que hay en el país para responder a los grandes problemas que nos aquejan.

Desprestigiar, intentar acallar la noticia y la crítica, como se ha intentado hacer con Ravelo, *Proceso* y Aristegui; hacer alianzas innaturales entre los partidos y reciclar políticos en función de su popularidad, de sus nexos con las grandes mafias sindicales, los grandes monopolios o los grandes cárteles; reducir la vida política al agandalle, al cochupo, al juego mediático y sus gastos millonarios, son las muestras más claras de que, como sucede con el crimen organizado, al gobierno, a los partidos y a las grandes empresas mediáticas el país y los ciudadanos les valemos madre.

No se trata de crear grandes proyectos ni de montar espectáculos llenos de triunfalismo. Los problemas nacionales son enormes y ninguna buena política se hace de manera espectacular. Se trata, en todo caso, de poner en la agenda política cuatro o cinco cosas fundamentales sobre las que gobierno y partidos trabajen a conciencia y cabalidad. Por desgracia, nadie está pensando en eso.

Es más fácil, entrados ya en la guerra y en la lógica de la violencia, agandallar, montar espectáculos, aterrorizar, hacer trampa, mostrar el garrote y asestar con él unos buenos golpes mediáticos para decirles a todos que la violencia va en serio y que no habrá miramientos si el asunto desagrada al poder. Lo demás no es asunto del gobierno ni de las empresas.

En un país "democrático" —recordemos la República de Weimar—, los periodistas dan información, los gobiernos la controlan después y, en ocasiones, como lo hacen los criminales, suprimen a los periodistas para controlarla mejor. Llega finalmente un día en que un puñado de militares y de industriales pueden decir "nosotros" al dar noticias y hablarle a la nación. No hemos llegado todavía allí, pero los signos del ataque a Ravelo —a *Proceso*, a través de él— y ahora a Carmen Aristegui —entre uno y otro median apenas cuatro meses de diferencia—, que se aúnan al estado de violencia y descomposición que vive el país, y a la falta de proyectos de los partidos, inquietan.

Esos signos nos dicen que detrás del berrinche presidencial, de la obediencia bovina e interesada de las grandes empresas mediáticas, por debajo de los operativos militares, del terrorismo del crimen organizado, del temor ciudadano y de la incapacidad del presidente para escuchar y hacerse una autocrítica siempre necesaria y siempre benéfica, la tentación autoritaria se incuba y trae malos presagios.

20/02/2011

Felipe Calderón,
el camino contrario

FELIPE CALDERÓN Y EL CATÓLICO HIPÓCRITA

Me contaba mi padre, un hombre frente al cual se podía mirar la grandeza de ser católico, que un día el hermano del doctor Rojo de la Vega —el famoso médico de los toreros—, en la cantina donde éste departía con algunos amigos, irrumpió exclamando: "¡Católicos de mierda!". El doctor, indignado, se levantó y lo increpó: "Recuerda que tu padre y tu madre eran también católicos", a lo que el hermano respondió: "Sí, pero de mierda". El doctor, de un golpe lo puso en el suelo. Desde allí, el hermano, señalándolo con el dedo, lo llamó "Caín".

La anécdota no dejaría de ser sólo una buena historia de sobremesa si no guardara una realidad espantosa. Ser, como mexicanamente se dice, "un mierda", es no valer nada humanamente; ser un católico así es peor: es haber llevado lo mejor de lo humano a lo peor, a su envilecimiento más atroz. Alguna vez, al referirme a Santiago Creel, usé la palabra pudrimiento (*Proceso* 1500). Pero lo que en Creel, que terminó concesionando casas de apuesta a Televisa, gastando 26 millones de pesos en una precampaña inútil y utilizando el poder para su provecho personal, fue una lenta degradación, en Felipe Calderón, Diego Fernández de Cevallos —ese encomendero extraviado en el tiempo—, Espino y la mayoría de la bancada panista, es su producto. Votar en favor de la Ley Televisa es no sólo haber golpeado la democracia y abierto las puertas al último de los totalitarismos —el más sutil de todos, porque se enmascara tras la apariencia de la libertad—, el del mercado y sus controles publicitarios, sino haber traicionado uno de los temas fundamentales del panismo y de la doctrina social de la iglesia: la subsidiariedad, es decir, la no sustitución de los organismos pequeños por los grandes, y el apoyo del Estado para que aquellos conquisten su plena libertad. Con la Ley Televisa, aquellos que desde su laicismo dicen representar el espíritu católico han hecho de Mammón el Dios, y de los valores más extremos e inanes de la burguesía, las virtudes del cristianismo. Ellos, tan estúpidamente preocupados por la píldora del día siguiente, por el condón, por los homosexuales, por mirar la paja en el ojo ajeno, no se han inmutado un ápice por arrodillarse y arrodillar al país ante el gran capital y sus monopolios ni por lo que eso trae de humillación a uno de los más altos valores del cristianismo y de la vida democrática: la libertad. Tras su puritanismo se esconde la hipocresía del libertino y del burgués, de aquellos que, arropados bajo el abriguito de la moral de las buenas conciencias, han hecho de los vicios privados virtudes públicas.

Felipe Calderón, quien, como alguna vez dijo Denise Dresser, significaba para el panismo el regreso a los principios, prefirió, frente a la brecha que le lleva López Obrador en la contienda electoral, traicionarlos y vender, como Esaú, su primogenitura por un plato de lentejas.

El asunto de su corrupción, sin embargo, viene de más lejos. Contra lo que su padre, Luis Calderón Vega, le enseñó del valor de la subsidiariedad que estaba en las bases del PAN —luchar "por crear una conciencia humanista, comunitaria, en los mexicanos, con el fin de hacerlos participar en los procesos políticos y satisfacer las exigencias del bien común" (*Proceso* 380)—, Felipe, ya desde su condición de dirigente del PAN optó, al impulsar la creación del Fobaproa, por servir a una sola clase, la de los empresarios. Desde entonces (el apoyo que le dio a la Ley Televisa lo constata de manera absoluta), no ha hecho más que arrastrarse ante los intereses legales más sucios y degradantes.

Podrá objetarse, sin embargo, que en el caso de la Ley Televisa hizo lo mismo el PRI y, de una manera más sutil e hipócrita, el PRD. Sin embargo, lo que indigna de Calderón y los panistas es que ellos lo han hecho con la hipocresía del saduceo. Del PRI y del PRD no se esperaba menos. Son hijos de la corrupción que trajo la *realpolitik* a la nobleza de la política. En cambio, de un hombre que significaba el retorno a los principios panistas, de un hombre que fue formado en los valores cristianos, de un hombre para el que la dignidad de la persona debía estar por encima de todo y a ella debía servir la vida política, es intolerable. Su actitud, como la de todos esos que, llamándose católicos, lo han acompañado poniendo de rodillas al país ante los grandes monopolios, no sólo humilla a México, sino a aquellos que aún tenemos un alto sentido de lo que ser cristiano significa en un mundo como este.

Felipe y esos católicos que, con toda justicia, habría que llamar de mierda, al pugnar y aprobar la Ley Televisa, olvidaron que el diálogo a la altura del hombre cuesta menos caro que el evangelio de las religiones totalitarias —llámense marxismo, fascismo, mercado o ideología católica— monologado y dictado desde los solitarios púlpitos de los medios; olvidaron que, tanto en la familia como en la ciudad, el monólogo precede a la muerte; que los cristianos —no los rezanderos, como ellos—, por el simple hecho de anteponer al hombre por encima de todo, se comprometen a luchar contra la servidumbre, la mentira y la indignidad.

Ellos han renunciado a su primogenitura, por las migajas que los nuevos dioses, los de los totalitarismos mercantiles, les han dado haciéndoles creer que mercado y cristianismo son iguales; que los valores de la burguesía, a la que han decidido servir, son los mismos que mecieron la cuna del cristianismo. Sus traiciones, sus corrupciones, no son más que la confirmación de la crítica que Emmanuel Mounier, tan caro a los fundadores del panismo, dirigió a la burguesía católica de principios del siglo XX, esa burguesía que, como ellos lo hacen ahora, había homologado los valores del mercado con los de la más alta tradición: "el desorden establecido del cristianismo", un desorden que en México hiede por todas partes.

¿Hay una manera de redimir toda esta basura? Sí: que Vicente Fox, quien también se dice católico, rechace desde su investidura presidencial la Ley Televisa, y que Felipe Calderón y las huestes del PAN vuelvan a los principios y sitúen su campaña, no en la denostación de López Obrador, sino en una propuesta política que reivindique lo que algún día le dio al panismo su mejor presencia. Lo que sería un milagro porque hasta ahora Vicente Fox, Felipe Calderón y la mayor parte de las huestes panistas no se han distinguido de esos católicos que un día el hermano del doctor Rojo de la Vega definió con tanto acierto y de los que, para nuestra desgracia, sólo han sido odiosos representantes.

09/04/2006

¿REBASAR POR LA IZQUIERDA?

Quizá de las tantas frases que Felipe Calderón le ha dispensado a la "izquierda", una, sacada más de un manual de tránsito vehicular que de la cultura de lo político, ha sido la que más se ha aplaudido a sí mismo: "Voy a rebasar a la izquierda por la izquierda". Pese a venir de la cultura de Tlaxcoaque, la frase no dejó de ser ingeniosa, desafiante y de generar expectativas: ¿de qué manera lo hará? ¿Logrará incorporar a su gobierno las propuestas de López Obrador y tender los puentes necesarios para sanar la división que la guerra sucia y su legalismo contribuyeron a generar en el país?

Por desgracia, como sucede en sistemas verbocráticos como el nuestro, no bien Calderón tomó posesión de la silla presidencial, la frase se desplomó en el vacío de su ingenio. Fuera de su entrada al Congreso por la puerta trasera —esa puerta reservada a los pobres, a los sirvientes, a los que no son bienvenidos, a los que avergüenzan las "refinadas" maneras de la clase y de la casa, es decir, la de los excluidos que encuentran su rostro y su dignidad en la izquierda—; fuera de retomar tímidamente la propuesta lopezobradorista de recortar el salario de los funcionarios públicos —10% contra el 50% propuesto por AMLO—, su desafío se detuvo. Al mirar la curva que se abría adelante frenó, se colocó de nuevo detrás de la "izquierda" y, contraviniendo la autoridad del manual de Tlaxcoaque —insólito en un legalista como él—comenzó a acelerar para rebasar por la derecha, por el punto ciego, por el sitio de los accidentes y los desastres: nombra un gabinete aliado con los peores poderes del neoliberalismo —no hay en él un solo representante de la izquierda—; cita en la Ciudad de México a los representantes de la APPO, para luego, en un gesto digno de las dictaduras disfrazadas de democracia, traicionarlos, encarcelarlos y tratarlos —al igual que Fox lo hizo con Ignacio del Valle y los líderes de Atenco— como criminales y no como lo que verdaderamente son: disidentes y presos políticos; recorta, en un gesto digno del franquista Queipo del Llano, el presupuesto para la cultura y la educación, y lo entrega al ejército —la cultura de las armas y, en tiempos difíciles como el nuestro, de la represión, contra la riesgosa inasibilidad de la democracia y de la libertad—; castiga a comunicadores libres —Gutiérrez Vivó, Carmen Aristegui— y, aliado con los monopolios televisivos con los que pactó vergonzosamente, comienza una censura digna del antiguo régimen: la del "ninguneo", la del "ni los veo ni los oigo", la del garrote que legaliza lo que carece de legitimidad, la del maquillaje que disfraza lo que no se quiere ver —la imperfección, la herida, el eczema— para exaltar, en un engaño visual, los prestigios de lo inexistente y drogar y embrutecer al espectador.

Calderón, prisionero de la verbocracia y de los intereses que lo llevaron al poder, olvidó que para rebasar "a la izquierda por la izquierda" hay que ser más radical que la "izquierda" y, traicionando su palabra, se apresta a hacer lo que el manual de tránsito, que citó como autoridad, desaconseja y califica de infracción: rebasar a toda velocidad por la derecha. Preso de su ceguera de clase —esa ceguera que ha pervertido la marea de fuego del Evangelio sustituyéndola por la inanidad de los valores burgueses y del mercado, y por la fiereza del garrote—ha creído que la izquierda es López Obrador y el PRD, y que entrando por la puerta trasera al Congreso y retomando una de sus propuestas, la rebasaría. Olvidó que ni López Obrador ni el PRD representan a la izquierda radical. Ellos, como alguna vez lo dije, son sólo el viejo PRI nacionalista que, apoyándose en una izquierda desconcertada por la caída del Muro de Berlín busca, de manera facciosa, lo mismo que él, sólo que de una manera más distributiva. El PRD es una versión domesticada de la izquierda, una versión redistributivista del mismo modelo económico que está en la base del neoliberalismo: la escasez, que se combate con el desarrollo.

Si Calderón supiera ver, vería que la izquierda —en el sentido de los excluidos— que tendría que rebasar no es la del PRD, a la que ni siquiera ha logrado acercársele por la "izquierda", sino precisamente aquella que ha maltratado con más saña o ha ignorado con más desprecio: la de la APPO —rostro negado del México profundo: los pueblos y los barrios— y la del zapatismo —en su discurso indígena y moral. Si Calderón supiera ver, sabría que esa izquierda no pretende el poder, sino su acotamiento; no pretende el desquiciamiento del mercado, sino su limitación para que sus formas autóctonas puedan florecer; no pretende la desaparición del Estado, sino su fortalecimiento en el sentido de la subsidiariedad: un Estado fuerte que lejos de monopolizar el poder —como lo pretende el PRD— y lejos de servir a los intereses de las grandes corporaciones —como lo pretende el liberalismo globalizado— fortalezca a los pequeños organismos para que puedan desarrollarse autónomamente; no pretende la desaparición de las autoridades, sino sus formas caciquiles y corruptas —llámense Ulises Ruiz, Gober precioso, Martha Sahagún o Elba Esther Gordillo—; no quiere empleo —que es la forma moderna del trabajo contraproductivo y del despojo—, sino que se le restituya lo que la modernidad les ha arrancado para recuperar un trabajo convivencial, basado en herramientas simples, en las producciones de subsistencia y en el mercado local; no pretende la desaparición de los ricos, sino su empobrecimiento, para conquistar una igualdad económica que permita la equidad...

Si Calderón supiera ver, sabría que la curva frente a la que se ha frenado para intentar rebasar por el lado menos propicio no es tan pronunciada, pero es más radical y más realista. Quizá su ceguera y su reduccionismo ideológico le han hecho creer que rebasar por la izquierda es usar los métodos militares de las dictaduras comunistas, que son los mismos que usan las dictaduras de derecha y las democracias disfrazadas al estilo Bush; es decir, que rebasar por la izquierda es rebasar por el lado equivocado. Pero sabemos muy bien que ese lado, el lado por el que rebasan los impotentes de izquierda y de derecha, sólo conduce a la volcadura, al desastre y al horror.

17/12/2006

LA FALSA POLÍTICA ANTINARCO

El gobierno de Felipe Calderón ha decidido enfrentar la droga —ese flagelo moderno que sólo pudo haber nacido de una sociedad absolutamente industrializada y economizada— mediante una violencia de Estado. Esa política, que desde su ascenso al poder y su apoyo desmesurado al ejército no ha dejado de clamar con el bombo y el platillo de la violencia armada y mediática oculta, sin embargo, una razón perversa: frente a la debilidad política con la que llegó al poder, Calderón sólo puede gobernar y limitar los movimientos sociales mediante el ejército; pero sólo puede legitimar su uso mediante la cortina de humo de la persecución al crimen organizado.

Una afirmación como ésta puede interpretarse como una paranoia izquierdista si no se atienden los absurdos costos que están comprometidos para combatir el narco con procedimientos sacados de una película hollywoodense. 1) Poner en movimiento al ejército ha implicado una reducción considerable al gasto de lo único que, en una sociedad hipereconomizada, puede reducir el crimen y la droga-dicción: la cultura y la educación; 2) la violencia desplegada por el ejército, lejos de disminuir los índices de criminalidad del narcotráfico y su influencia comercial, los aumenta —a la violencia del narco se agregan la violencia del Estado y la diversificación de las redes de distribución; 3) la corrupción y, por lo mismo, la infiltración del nar-cotráfico en los cuerpos del ejército y de la policía crece —el salario no puede nada contra los ilimitados recursos económicos del narco; 4) esta corrupción exige más gasto del Estado en materia de logística y de efectivos para la lucha contra el crimen organizado, lo que se traduce en menos recursos para educación, cultura y programas de apoyo social; 5) se da a la sociedad un mensaje contrario a cualquier realidad ética, digno de los que diariamente nos envían las películas de acción del cine estadunidense: a la violencia hay que combatirla con una mayor y terrible dosis de violencia; 6) los resultados de este inmenso despliegue son, como lo demostró la prohibición del alco-hol en Estados Unidos, mínimos: La droga continúa circulando, los cárteles encuentran nuevas y más efectivas formas de operar, y los impuestos, que ya no le bastan a una estructura política en sí misma corrompida, aumentan para destinarse a organismos de violencia estatal, tan inútiles como dispendiosos y contraproducentes.

Tanto Felipe Calderón como su equipo de asesores saben que en una sociedad económica la única manera de combatir el narcotráfico es domesticándolo, es decir, reduciéndolo a las leyes de hierro del mercado o, en palabras más directas, legalizando la droga. Un combate de esa naturaleza —poco efectivo en el orden de lo políticamente correcto, pero acorde con el pragmatismo de una política de mercado— sería más beneficioso para la sociedad que cualquier violencia de Estado: controlaría a las mafias obligándolas a entrar en la legalidad del mer-cado; controlaría la calidad del producto en beneficio de los consumi-dores, que nunca desaparecerán; recaudaría mayores impuestos para obras verdaderamente sociales y productivas —el narco lava dinero de manera estúpida—, y reduciría el gasto inútil que implica la logística de la violencia anticrimen, para invertirlo en cultura, en educación y en oferta de sentido para una población devastada por el crimen organizado. Junto con eso, podría hacerse algo más radical y desme-surado todavía —esto seguramente no lo han pensado ni Calderón ni sus asesores—: invertir el proceso y declarar ilegal la siembra del maíz y del frijol. Esto, frente a la crisis de la tortilla, incentivaría el campo, le daría una oferta interesante de trabajo a gran cantidad de informales que el industrialismo ha desplazado, le pondría un coto al TLC en materia alimentaria, y mucha tierra dejaría de estar sembrada con droga, para sembrarse de estos productos, lo que generaría una fuente de riqueza paralela cuyos beneficios, a diferencia de lo que ahora sucede con la droga, serían reales y productivos. Permitiría, además, que la corrupción de los cuerpos policiacos destinados a perseguir agricultores maiceros y frijoleros tuviera un sentido social de alto rendimiento.

Pero ni a Felipe Calderón ni a su equipo les interesa destruir el narcotráfico; mucho menos pensar en medidas radicales de beneficio social. Lo único que les importa es legitimarse en el poder reduciendo al mínimo cualquier movilidad social. No importa que las fuerzas armadas se corrompan en una lucha estéril y que la seguridad nacional se vea comprometida; no importa que la educación y la cultura se mermen en beneficio de la violencia; no importa que el país se degrade y la miseria crezca en pro de inversiones contraproductivas. Lo que importa, como otrora le importó a Vicente Fox, es el golpe mediático, la cortina de humo que legitime su incapacidad para gobernar y, en el caso de la nueva administración, su capacidad para sofocar o acotar cualquier movimiento de inconformidad social que ponga en evidencia su debilidad política.

En esta batalla tan absurda como inoperante, la única víctima se llama México.

25/02/2007

NIHILISMO Y DEMOCRACIA

En un espléndido libro, *La transparencia del mal*, Jean Baudrillard abre su reflexión con una frase tan contundente como precisa. "Si me pidieran definir a mi época, diría que vivimos después de la orgía". No conozco una mejor definición sobre el nihilismo que, bajo el simulacro del sentido —la democracia, la tolerancia, en síntesis, la ética—, es el clima de nuestro tiempo. Vivir después de la orgía es habitar la nadificación de cualquier sentido existencial, mientras se finge que se preserva un orden ético.

Detrás de los grandes discursos moralizadores, que no dejan de resonar en la política, en la economía, en la religión, no hay lugar en donde la nadificación no impere. Recientemente (el viernes 21 de septiembre) —para citar un ejemplo de los múltiples que vivimos diariamente—, Felipe Calderón pronunció un discurso ante los supuestos 300 líderes —los exitosos del *establishment*— más influyentes de México. Impecable en cuanto a contenido —en él se puede ver al personalista, al cristiano de cultura superior que no hemos visto en su accionar político—, el discurso es en los hechos una joya de esa nadificación a la que me refiero. El hombre que llegó al poder mediante alianzas innaturales con el caciquismo de Elba Esther Gordillo y la denostación democrática de su oponente más fuerte; el hombre que so pretexto de perseguir al crimen organizado gobierna con el ejército; el hombre que fortalece la depredación de los grandes capitales y ejerce una política de violencia hacendaria; el hombre que encubre las malversaciones de Fox y la señora Martha y encarcela a disidentes, cita, frente a 300 hombres privilegiados por ese orden político, a Gandhi: "Hay ciertos mandamientos que Gandhi heredaba a la gente de su tiempo; yo citaré quizá sólo tres de los siete que nos ha dejado…" No mencionó propiamente los mandamientos, sino los "pecados" a los que se refieren: "hacer política sin principios, hacer comercio sin moral; hacer oración sin sacrificios…"

No sé si Calderón haga lo último —lo sabrán Dios y su confesor—; lo que sí sé es que ni la política que emprendió desde su postulación como candidato a la Presidencia, ni el comercio que defiende —el de la globalización y el de las grandes empresas— tienen principios ni moral; lo que sé es que su política y su comercio son hijos de la orgía del consumo y del progreso que nos ha agotado a todos. El nihilismo que habita los factos del gobierno de Calderón —no sería muy distinto si nos gobernaran el PRD o el PRI— contradice la grandeza de su discurso y, al hacerlo, permite que la nadificación se haga evidente.

Detrás de las citas de Ortega y Gasset y de Gandhi, lo único que asoma es una política y un comercio, como recientemente lo señaló el subcomandante Marcos, de *fast food*, de *malls*, de centros comerciales y de bombas financieras; una política y un comercio hechos a imagen y semejanza de aquellos 300 líderes que una revista confeccionada por empresarios privilegió; una política y un comercio que exaltan —lo contrario de lo que Gandhi enseñó— el darwinismo económico, en donde, como cierra su discurso Felipe Calderón, sólo caben los competitivos y los ganadores.

Después de la orgía, el éxito del triunfador, del que sobrevivió a ella y dicta el canon del progreso como valor; después de la orgía, el gesto competitivo del depredador, del que se chingó a todos y tiene el derecho al poder y a aparecer en los medios de comunicación encubierto bajo el abriguito del discurso moral; después de la orgía, el nihilismo, la nadificación, la producción competitiva y el consumo absurdo; después de la orgía, la apariencia, el gesto benévolo del que montado en toda suerte de inmoralidades dice servir a la nación; después de la orgía, la barbarie que finge una moral; después de la orgía, la destrucción disfrazada de democracia y de buenas intenciones.

Nietzsche, el filósofo que en el siglo XIX tuvo el coraje de ponernos de cara al nihilismo encubierto tras los valores modernos, observaba que en medio de ese vacío, de esa orgía que fingía entonces habitar un mundo moral, ordenado, liberal y burgués, el pensamiento necesitaba una reconstrucción y que ello, como lo ha señalado Martínez Cristerna, "tendría que empezar con el cuestionamiento de lo que somos", es decir, con el cuestionamiento de todos los valores que encubren la nada.

Hoy, después de la orgía, en donde los discursos morales ya no permiten el encubrimiento y sólo dejan ver la nadificación en la que vivimos, ese cuestionamiento sea quizás el más urgente. Cuestionar lo que somos es renunciar a cualquier pretensión, a cualquier valor abstracto y abrirnos a esa humildad que nos permitirá un día encontrarnos con lo único verdaderamente real: los límites en donde la verdadera ética, la que ahora es puro discurso, encuentra su verdadero rostro y su verdadera articulación.

07/10/2007

PLAN MÉXICO, UNA NUEVA CORTINA DE HUMO

La iniciativa estadunidense de enviarnos, bajo el nombre de Plan México o, como ha sido rebautizado, Plan Mérida, un paquete de cooperación en seguridad de 1,400 millones de dólares, se suma a la campaña antinarco en que la debilidad del gobierno de Felipe Calderón ha basado lo más fuerte de su política.

En apariencia, y gracias a las campañas mediáticas que exaltan el crimen —no hay día en que no tengamos una buena dosis de asaltos, balaceras, violaciones, secuestros, descabezados y más linduras— y la necesidad de un ejército y una policía que demandan día con día más recursos para su actividad, la política de seguridad pública calderonista parece fundamental. No importa que la policía y el crimen crezcan a la par —el productor y el cliente se necesitan como el agua a la sed, y aún no hemos aceptado que estas dos realidades aparentemente antagónicas se refuerzan mutuamente produciendo un mayor crecimiento delictivo—; no importa que la inversión en seguridad sea, por lo mismo, absolutamente contraproductiva, que la falta de trabajo cunda por todas partes y los salarios de los escasos empleos existentes sean tan miserables como en la peor época del nacimiento del capitalismo; no importa que la cultura y la educación se miserabilicen sacrificando sus recursos en aras de la seguridad. En el espectro mediático, donde la propaganda es creadora de todo, la prioridad es la necesidad de seguridad.

Sin embargo ésta, desde que Calderón lanzó su política antinarco, oculta una realidad perversa: la debilidad de un gobierno que frente a las movilizaciones sociales, fruto del despojo y del empecinamiento político de someter a México a los controles del mercado global y de los intereses trasnacionales, sólo puede gobernar con el silencioso desmantelamiento de la disidencia y mediante el control, a través del miedo, de las movilizaciones sociales. Detrás de la cortina de humo de la violencia de Estado contra el crimen organizado —que la administración de Bush quiere hacer más espesa con los 1,400 millones de dólares de su paquete de cooperación—, lo que en realidad se oculta no es sólo la pérdida de la soberanía nacional, sino el fortalecimiento de un Estado militar con rostro civil, de un totalitarismo disfrazado de bondades de seguridad, de un brutal y maquillado control político en beneficio de los grandes capitales y de la nueva colonización: la del mercado y sus poderes.

Las razones no están en los medios —cuya tarea fundamental parece ser la de publicitar el crimen y las demandas de seguridad—, sino en lo que esa cortina de humo oculta y sobre la que los medios hablan poco.

Más allá de la nota roja y del incremento del narcotráfico y de los aparatos de seguridad del Estado, hay un gran crecimiento de los movimientos sociales, de la guerrilla, de las luchas indias y de los cada vez más excluidos del orden económico. Sobre ellos —como lo pudimos ver con la represión de Atenco y de la APPO en Oaxaca, donde la mayoría de los medios y el gobierno criminalizaron a sus líderes—, el ejército, la policía y el aparato judicial trabajan silenciosamente encubiertos bajo los golpes mediáticos que le ofrecen las balaceras y la crueldad del narcotráfico.

Para muestra basta lo que el Centro de Análisis Político e Investigaciones Sociales y Económicas (CAPISE) realiza desde 2002 en las zonas de Chiapas y Tabasco. En sus estudios se advierte cómo en los últimos meses 79 campamentos militares —59 de ellos en el territorio indígena de Chiapas—, en estrecha relación con las unidades militares de élite del Campo Militar Número 1, han arreciado la ofensiva del Estado mexicano contra las resistencias indias mediante despojo de tierras, desalojo forzoso y fabricación de delitos. ¿Cuántas de ese tipo de acciones militares y policiacas, que no aparecen en los medios, se realizan en todas partes del territorio nacional bajo la cortina de humo del combate antinarco?

De aprobarse el paquete estadunidense del Plan México, esta actividad en la que parece basarse la política de Calderón se hará más profunda, so pretexto de que se persigue a narcotraficantes y a terroristas —recordemos cómo en sexenios pasados se fabricaron delitos de narcotráfico a Montiel y a Cabrera por defender la sierra de Petatlán, en Guerrero, y cómo recientemente disidentes políticos de todo tipo han enfrentado cargos fabricados de terrorismo. En la actualidad hay 169 activistas presos con ese tipo de cargos (*La Jornada*, 28/10/07).

En el *Libro de los muertos*, recordaba Albert Camus, se lee que el egipcio justo, para merecer el perdón, debía poder decir: "A nadie he producido miedo". Si la Cámara no rechaza el Plan México y no logra desmantelar la política bélica de Calderón y de Bush en México, el día del Juicio Final buscaremos en vano a la mayoría de nuestros políticos en la fila de los bienaventurados.

04/11/2007

Contra el petróleo

La ya larga disputa por la reforma energética nos ha llevado a una confrontación tan pueril y peligrosa como esquizofrénica y absurda: privatizar o no el petróleo. Digo pueril, porque elude el problema fundamental: antes de decidir si vamos por el supuesto "tesoro escondido" con nuestros medios o con los del capital privado, habría que preguntarse si es buena una política económica basada en la energía fósil; digo esquizofrénica, porque, empecinados ambos bandos en no cuestionar ese problema, esta disputa contradice la firma que México ha dado al Protocolo de Kioto, cuyo objetivo es reducir en 5% los gases de efecto de invernadero —hijos del consumo de energías fósiles— en relación con los niveles que había en 1990. Una política económica —al estilo lopezportillista, que lejos de llevarnos a la "administración de la abundancia" nos sumió en una miserabilización de la vida— no es sólo destructora de la diversidad de las culturas, sino del ambiente en que esas mismas culturas y la vida florecen, es una política que al negar los principios —base de la ética— en nombre de valores —base de la economía— traiciona cualquier sueño de humanidad y de ecología.

Pensemos en lo que William Ophuls, uno de los pioneros del pensamiento sistémico, señala en su obra fundamental *Requiem for Modern Politics*: las pérdidas que produce la tecnología son mayores que las ganancias. La razón más evidente se encuentra en la primera y la segunda leyes de la termodinámica: la materia no se destruye, sólo se transforma, y toda transformación consume y degrada la materia útil. Esta pérdida se llama entropía.

Mientras que la vida florece en un maravilloso equilibrio que consiste en captar rápidamente energía solar y usarla al máximo antes de radiarla lentamente hacia el espacio, la energía industrial procede de forma inversa: captura altas dosis de energía y las procesa con gran rapidez y de manera brutal. Así, cuando utilizamos el petróleo sólo usamos en operaciones industriales 30% de su energía, el otro 70% se degrada en calor de baja calidad, irrecuperable y peligroso en su forma de ácido sulfúrico, que produce lluvia ácida, o en su forma de dióxido de carbono, que produce calentamiento global. En todo ese proceso, enmascarado por las comodidades del desarrollo, quemar petróleo equivale a incrementar de forma desproporcionada la entropía: el desorden y la destrucción de la biosfera. Es como estar en la cubierta del *Titanic* bebiendo y festejando con champaña, mientras al frente nos aguarda un iceberg.

Una política económica petrolera como la que Calderón ha propuesto como panacea del desarrollo, y en la que todos —incluyendo al PRD— se han montado de manera acrítica, se basa en un engaño termodinámico. Porque con la "producción de petróleo" en realidad no producimos nada; simplemente expropiamos —sea de manera nacionalista o privada y a altos costos energéticos— lo que la naturaleza tardó muchos eones en crear, y al mismo tiempo, al quemarlo, infligimos a la biosfera costos muy altos e irreversibles que exceden en mucho a los beneficios. Lo que en el axioma moderno del desarrollo llamamos beneficios es en realidad un producto colateral de lo que verdaderamente producimos: entropía. Producir, por ejemplo, una caloría de maíz mediante los métodos intensivos de las agroindustrias —generados en 70% por el petróleo: fabricación y uso de tractores, transporte y producción de agroquímicos—, requiere la inversión de 10 calorías. El aparente beneficio de tener maíz a granel guarda en su fondo un proceso entrópico que se paga en erosión del suelo y en un aumento de calor dañino.

Lo que ni Calderón ni López Obrador ni los radicales de ambos bandos, empecinados en su lucha por el poder y la competitividad —territorio de los animales— toman en cuenta es que, más allá del peligroso enfrentamiento en el que han colocado al país, el supuesto disfrute que nos traerá la explotación del petróleo lo tendrán que pagar el planeta y las futuras generaciones.

Obnubilados por el desarrollo, olvidan lo que la Academia de Ciencias de Estados Unidos y la Real Sociedad de Londres señalaron en 1992, y que, por desgracia, comienza a ser realidad: "Si las predicciones actuales sobre el crecimiento de la población resultan acertadas y los patrones de actividad humana en el planeta no cambian, ni la ciencia ni la tecnología serán capaces de prevenir la degradación irreversible del ambiente ni la pobreza en la mayor parte del planeta".

Lo que México necesita no es una política económica basada en el petróleo y su acelerada entropía, ni un enfrentamiento nacional por su causa, sino el silencio que nos permita pensar en una verdadera política incluyente de conservación y de límites energéticos. No podemos, en nombre de las desmesuras del consumo moderno que produce el petróleo, contribuir a la dilapidación del capital ecológico y cultural, cuyas consecuencias pagarán con creces el planeta y las futuras generaciones. Ante la reforma energética y sus disputas el único acto de dignidad es decir un rotundo "¡No, gracias!"

04/05/2008

TENTACIÓN TOTALITARIA

Por la pluma de Hermann Bellinghausen en *La Jornada* y por internet llega un comunicado. No es del subcomandante Marcos, sino de La Junta del Buen Gobierno. El comunicado es largo: contiene 22 incisos. Dice en síntesis que el 4 de junio se produjo una incursión militar y policiaca de 200 "provocadores" en las inmediaciones de La Garrucha. El operativo incluyó 10 vehículos y una tanqueta. En Galeana, uno de los poblados, los soldados, con las caras pintadas "para confundirse", alegaron que ahí había "mariguana" y que pasarían "a huevo'". Ante la amenaza, los indígenas sacaron machetes, palos y piedras para defenderse. Los soldados, después de pisotear las milpas, se retiraron amenazando con volver en 15 días.

La amenaza es sintomática. En medio de los zarandeos de un gobierno que no alcanza a ordenar el país y que se muestra cada vez más ajeno a los intereses de la gente, la guerra contra el narcotráfico se empata con la guerra contra las disidencias sociales. Junto a las represiones de Atenco y de la APPO, más las constantes acusaciones y encarcelamientos de líderes sociales, los territorios zapatistas no han dejado de estar amenazados. El comunicado que he citado no es más que el desarrollo de una estrategia militar que el Centro de Análisis Político e Investigaciones Sociales y Económicas (CAPISE) había reportado a principios de año, cuando, al anunciarse la Iniciativa Mérida, advirtió que 59 campamentos militares se habían reforzado en esos territorios indígenas.

Por mucho tiempo se ha creído que el Estado —"el más frío de los monstruos fríos", decía Nietzsche— es el gran culpable del terror. Frente a las sociedades democráticas, capaces de proteger a los particulares contra la voracidad del *Big Brother*, estaban las sociedades totalitarias que buscaban el Estado total. Sin embargo, con la desaparición de estas últimas, el asunto no ha quedado zanjado. El terror que ha desatado en México un Estado en apariencia cada vez más delgado, más democrático y liberal, muestra que el totalitarismo —como sucedió en la época del Terror francés— está en la idea misma de que el poder que detenta nace de la soberanía popular.

Así, en referencia al ciudadano y a la Constitución, y colocando la voluntad colectiva por encima de las libertades fundamentales, el gobierno liberal de Calderón está desgarrando la Constitución, alienando los derechos inalienables y ahogando la vida social bajo el peso, ya no de una enorme burocracia —como sucedía con los Estados totalitarios—, sino de los intereses económicos del mercado global que, dice el Estado democrático, están al servicio de la vida social.

Al igual que en los regímenes totalitarios, en el gobierno de Calderón al pueblo se le oprime en nombre del pueblo. Reverenciados en el discurso, los ciudadanos son vigilados y perseguidos en nombre de su seguridad. Sólo los poderes que emanaron del pueblo y están sentados en la estructura del Estado —Martínez Cásarez *dixit*— son los únicos que pueden decidir cuál es su bien. Es precisamente esta santificación de la democracia representativa la que está engendrando el despotismo y el terror.

En el origen del terror que vivimos está la idea según la cual el pueblo es soberano, y ya que la legitimidad de los gobernantes viene de él, todo lo que ellos dictan es legítimo. Como lo decía Édgar Quinet en su análisis de la Revolución Francesa: "El sofisma eterno de los plebeyos es que pueden hacer lo que quieren con el absolutismo, que esa arma en sus manos no daña a nadie, que ella es, para ellos, la lanza de Aquiles; que la tiranía ejercida por ellos pierde inmediatamente su mala naturaleza y se vuelve un bien". La violencia que los grupos disidentes, como los zapatistas, sufren bajo la máscara de la violencia del Estado contra el crimen organizado, vive de ese sofisma y de esa confusión.

De ahí a caer en formas nuevas de totalitarismo hay sólo un paso. Si para el fascismo se trata de plegar las instituciones jurídicas a la afirmación de la voluntad nacional detentada por el gobierno; si para los comunistas se trata de poner al partido de los oprimidos en el sitio del Estado y fundar, decía Zinoviev, una "civilización sin derechos" en nombre del derecho de los más débiles (tentación que habita en las formas más radicales del PRD), para el gobierno liberal de Calderón se trata de plegar las instituciones del Estado a la voluntad del mercado global en nombre del pueblo de México, y para su bien.

Para debilitar el derecho a la seguridad, la manutención de la paz interna, las libertades civiles, es decir, para debilitar los límites que los legistas clásicos asignaban al poder soberano, el gobierno de Calderón invoca la inversión del capital y la guerra contra el crimen y contra todo lo que tiene el sabor de la disidencia, en nombre de la nación y de sus ciudadanos, es decir, en nombre de su legitimidad democrática. El pueblo que describe y celebra es un pueblo comandado y en ascenso bajo el mando de la uniformación del capital global y del consumo. Para Calderón, el zapatismo y todo lo que se opone a esa lógica democrática son culpables. Su condición de extraños al sueño popular —global— que él detenta, los iguala a criminales organizados que hay que aniquilar para que la democracia viva.

15/06/2008

EL REINO DE LO IMPREDECIBLE

Nuestro siglo perdió los límites. Los males que desde el siglo pasado no han dejado de azotar a la humanidad tienen su origen en aquello que los griegos llamaron *hybris* —la desmesura—. El problema hoy tiene, sin embargo, un plus. Hemos convertido esa presencia del mal, que fungía como límite al hombre —y que en los griegos era el accionar de un puñado de locos como Prometeo o Sísifo—, en un derecho al que todos podemos acceder si conquistamos o nos colocamos en los centros del poder. "En nombre del bien —podría decir el hombre moderno— tenemos el derecho a cualquier desmesura".

Recuerdo en este sentido lo que Majid Rahnema —quien fue un alto funcionario en la ONU— narraba: "Cuando llegué como comisario de Naciones Unidas a Ruanda y Burundi, la ideología del panafricanismo estaba en auge. Presionamos entonces para que esas naciones que querían mantenerse independientes se unieran. Cuando salimos de ahí, sucedió la masacre que todos conocemos".

Algo semejante podemos mirar en la política antinarco de Calderón. Cuando llegó al poder, en nombre de la seguridad y la salud, aplicó una campaña policiaca y militar cuyos resultados conocemos. De la misma índole es la crisis financiera con la que cerramos la primera década de este milenio: los genios financieros y matemáticos de Wall Street, después de medir los riesgos financieros mediante cálculos de probabilidad que se apoyaban en variaciones sucedidas en el pasado, se lanzaron a la apertura de créditos cuyos costos tienen una analogía con las masacres de Ruanda y con las que a lo largo de los años la política calderonista ha acumulado.

El problema —del que podríamos hallar una larga enumeración de ejemplos en todos los campos de las actividades modernas— radica en que basamos nuestro accionar en la hipótesis de que, ya que la causa es buena, no sólo el fin, sino también los medios que se empleen, lo serán. Sin embargo, nadie, en estos casos, puede medir los costos de los mecanismos que para tal fin se echaron a andar. Obnubilados por la bondad de su acto o su derecho a hacer el bien, y confiados en su sabiduría de expertos en materia política y económica, así como en el poder que alcanzaron o les conferimos, se ven incapacitados para pensar en las situaciones límite. Imaginan que la información que hacen circular a través de planes y de propaganda es tan objetiva como un kilo de arroz.

Pero tanto en política como en economía la información no es previa a la realidad; no se construye hipotéticamente. Es la realidad la que produce la información. Ni los expertos de la ONU, que en nombre del desarrollo y sus consensos nacionales se sienten con el derecho a intervenir en las vidas de los pueblos, ni la moral clasemediera de Calderón que cree que los problemas se resuelven con firmeza y mano dura, ni los financieros y matemáticos de Wall Street que, encerrados en sus cubículos, piensan la realidad de los mercados en abstracciones informativas, conocen la realidad; ni siquiera se mezclan con ella. Han perdido lo que para Pascal era la base de la moral: "pensar bien". Ellos no piensan bien, sino en el bien que el poder —conferido por el dinero, el peso de una institución, sus diplomas obtenidos en las aulas universitarias y sus planes— los autoriza a emprender. Una forma de vivir espantosamente contagiosa.

Los hombres de hoy —empezando por los responsables de la política y de la economía—, antes de obrar, deberían aprender a "pensar bien". Etienne Perrot, un lúcido economista y filósofo, recordaba un principio que el Segundo Concilio de Letrán formuló en 1139. Dicho Concilio condenó el uso de las ballestas y las catapultas —no de las flechas ni de las espadas—. La razón era simple, pero profunda: las flechas de las ballestas y las catapultas iban tan lejos que los soldados no podían prever las consecuencias de sus actos. "Cuando los daños previsibles —dice Perrot— no están circunscritos, no debe hacerse nada. Es la base del principio de precaución".

Es también lo que Rahnema concluye después de años de intervención como experto de la ONU: "Si tuviera que derivar una lección de mi propia experiencia y de lo que veo a mi alrededor, debo decir que necesitamos una ética de la intervención [...] que sólo puede surgir cuando mi mundo interior no está separado del exterior [...]. Para llegar a ella habría que hacer un examen de conciencia sobre las razones por las que uno hace algo, y de la responsabilidad —en términos de las consecuencias que se implican— cuando uno decide hacerlo, porque aun con las mejores intenciones las consecuencias son catastróficas".

El ideograma chino wu-wei ("no acción"), que se enseñaba a los funcionarios del Estado, guarda también esta actitud como una sabiduría ancestral. Su práctica, que implicaba asentarse en el lugar adecuado, enseñaba que a veces intervenir debe ser, paradójicamente, una forma de no intervención.

31/05/2009

El triunfo de la guerra

Clausewitz, el gran teórico de la guerra, formuló una afirmación que nadie ha podido objetar: "La guerra no es más que la continuación de la política por otros medios". Habría que agregar a ella otra que la completara: "La paz no es más que la continuación de la guerra bajo la máscara de la política".

La reciente campaña electoral —el nombre mismo de campaña tiene un fuerte componente bélico— fue una larga guerra con sus estrategias, sus traiciones, sus bombas mediáticas. El fin no era el diálogo y el consenso en la búsqueda del bien común —que es el camino de las verdaderas democracias—, sino la exterminación política del adversario y la toma o la manutención del poder. El triunfo, sin embargo, ha sido pírrico. Quienes ganaron, ni representan a las mayorías ni, por lo mismo, tienen un gramo de legitimidad. Son los encumbrados de los poderes fácticos y de los intereses duros de los partidos y de las televisoras cuya paz mantendrá un modo de guerra que no tiene cabida en los moldes de las explicaciones teóricas y que, sin embargo, se mantiene cada vez más en las prácticas políticas mundiales, sean de las "derechas" y de las "izquierdas". Jean Robert la ha definido como "la guerra contra la subsistencia". Una guerra cuya justificación es el progreso y que los pueblos amerindios revelan cuando afirman: "El progreso mata".

Esta continuación de la violencia bajo el "pacífico" rostro de la política suscita día con día nuevas formas de resistencia. Mencionaré sólo algunas: en el mes de junio, los indígenas de la región amazónica de Perú se levantaron contra dos nuevos decretos de la llamada Ley de la Selva que permiten a la Shell Oil transformar la selva en un desierto petrolero. No lejos de allí, en Ecuador, otras comunidades indígenas resisten, mediante demandas legales, la intromisión de la Texaco en sus tierras. En México, los constantes embates del gobierno y de los intereses empresariales no han dejado de violentar a las comunidades indígenas y a los pueblos —hay que leer en *La Jornada* las constantes denuncias que Hermann Bellinghausen no cesa de hacer casi diariamente para tener un termómetro de esta violencia. La defensa del territorio de Atenco contra el progreso ha concluido en acusaciones criminales contra sus líderes y en sentencias absurdas y desproporcionadas. En el estado de Hidalgo, un amplio grupo de amas de casa luchan contra el establecimiento de un centro de confinamiento de desechos altamente tóxico en Zimapán. En Cuernavaca, una buena parte de la ciudadanía —desde la destrucción del Casino de la Selva y de la reforma del uso del suelo en beneficio de la inversión— no ha dejado de luchar contra la instalación de un tiradero de basura —desechos del progreso—sobre una zona de recarga acuífera y contra el despojo de los llamados trabajadores informales del espacio público. Una resistencia similar se ha llevado a cabo durante años contra la destrucción del cerro de San Pedro en San Luis Potosí por parte de la compañía minera San Xavier.

Podría seguir esta enumeración al infinito. Basten, sin embargo, estos ejemplos para señalar que el origen de estos movimientos es, como lo ha mostrado Jean Robert, "la violación de patrimonios y libertades por parte" de los poderes y, ante la protesta y la resistencia, la "manipulación de ley y la promulgación de reglamentos y de 'bandos de gobierno' para poder tratar a los manifestantes cívicos como delincuentes".

Esta guerra, con rostro de paz y de legalidad política y jurídica, es y será, en su fondo, la continuación de la lucha electoral, es decir, una forma sutil de violencia contra el territorio, la cultura y la manera de subsistir de la gente. "¿Qué hay en común —se pregunta Robert— entre el sitio de Gaza en Palestina, el asesinato del joven Grigori por un policía en Atenas y de Epifanio Celestino por un paramilitar mexicano, la tortura de gente inocente en Atenco en el camino a la 'peni', los insultos del presidente peruano a los indígenas del Amazonas"; qué hay entre estos y la criminalización de los ciudadanos que se oponen a la minera San Xavier?

Todas estas formas de la violencia son la muestra de una guerra sorda contra la subsistencia de los ciudadanos comunes, es decir, contra "la diversidad de las maneras de obtener la canasta básica y de depositarla sobre la mesa familiar y comunitaria", una guerra, en nombre del progreso, de los poderes políticos —tanto de la "izquierda" como de la "derecha"— y económicos contra los hombres de carne y hueso y del medio en el que naturalmente han vivido; una guerra contra la vida humana en nombre del salvamento de la economía industrial y la riqueza; una guerra de la desmesura contra el límite y la proporción.

Su realidad muestra no sólo que el despojo de la gente de su subsistencia —es decir, "de su capacidad de sobrevivir y de su sentido particular de la buena vida"— se volverá la condición del crecimiento económico que ilusoriamente quiere escapar de su autoaniquilamiento, sino también la muestra más clara de que el modelo político que lo protege se ha vuelto inoperante y ajeno a la realidad de la gente.

El hombre común está en la búsqueda de un retorno a lo que el sueño económico del industrialismo y el mercado destruyeron. Lo que saldrá de esa resistencia tendrá, para nuestra desgracia, que pasar por la creciente violencia de un Leviatán de doble rostro —el Estado y el mercado— que se resiste a morir y cuyos coletazos apenas empezamos a padecer.

12/07/2009

LA CONTRAPRODUCTIVIDAD CALDERONISTA

La contraproductividad podría definirse como aquello que, creado para obtener fines específicos termina, al rebasar ciertos umbrales, por volverse contra ellos. Cuando la escuela lejos de enseñar embrutece o cuando la energía, lejos de aumentar, por ejemplo, la movilidad, la paraliza, podemos decir que hay contraproductividad.

La guerra contra el narcotráfico, que el gobierno de Felipe Calderón creó como uno de los ejes de su administración, corre en este sentido. Nacida de la necesidad de desmantelar las redes del crimen organizado y hacer posible un México seguro, su presencia entre nosotros se ha vuelto contraproductiva en más de un sentido. Lejos de desmantelar las redes criminales y la circulación de las drogas, su presencia ha generado mayor inseguridad entre los ciudadanos, ha multiplicado no sólo las ejecuciones —los muertos por esta guerra son mayores que en zonas de conflictos armados como Irak—, sino también las redes por las que estas organizaciones distribuyen su producto y cooptan a las autoridades; ha creado también miedo en las organizaciones sociales que, so pretexto de esta guerra, son constantemente hostigadas y amenazadas —las denuncias contra el ejército en la violación de los derechos humanos han ido en aumento. Ha hecho algo peor: está destinando una buena parte del dinero que podría invertirse en educación y cultura —dos rubros importantes para disminuir el consumo de la droga— en inteligencia militar y policiaca, es decir, en actividades para la violencia. Además, con el desempleo que la crisis económica ha generado, con los bajos salarios que se pagan en una buena parte de los empleos que aún quedan, la oferta del crimen organizado se vuelve un sitio atractivo para quienes, bajo el peso de una sociedad de consumo, carecen de salidas.

La guerra de Calderón que perseguía la paz, se ha vuelto en ese sentido una presencia constante de la guerra o, mejor, una presencia constante de la parálisis y de la contraproductividad que garantizan la impunidad. Bajo el pretexto de la seguridad hay que vivir en el terror de encontrarse en medio de una balacera, de ser detenidos —como si estuviéramos en un estado de excepción— por el ejército o la policía para demostrar nuestra condición de ciudadanos pacíficos, de ser secuestrados, de ver reducidas las partidas destinadas a la producción de cultura y educación en beneficio de la violencia, de mirar el abismo en el que mucha gente, despojada por el sistema, puede encontrar una salida a su desesperación.

Los únicos que han ganado con ella son, al igual que lo fueron los financieros y especuladores, las instituciones contraproductivas de la violencia: policía, ejército, narcos, gobernantes y jueces corruptos, ciudadanos que lavan dinero e instituciones carcelarias. Esta guerra, como cualquier guerra, define a la ciudadanía como un recurso que —es la lógica del gobierno— hay que proteger a toda costa, o —es la lógica del crimen— que hay que explotar —por el secuestro, la extorsión, el consumo y el miedo— para, en ambos casos, maximizar ganancias improductivas. Esto es lo que ha significado en los tres años de gobierno de Felipe Calderón la guerra contra el narcotráfico: la exclusión brutal del ciudadano que quiere sobrevivir noblemente.

¿Hay alguna salida? Desde mi punto de vista existen dos. El tráfico de drogas es, en el orden del libre mercado —el orden del cinismo—, una empresa más que busca su nicho en la economía. Satanizada por la misma moral que ha exaltado el consumo y el libre mercado y que otrora satanizó otro tipo de empresas que, como la del alcohol, terminó por legalizar, el tráfico de drogas y la contraproductividad que genera su persecución puede desmantelarse legalizándolo. Con ello se controlaría, como he dicho, su calidad para un consumidor que siempre existirá dentro de sociedades basadas en el consumo, y se captarían impuestos que podrían invertirse en salud, en educación y en cultura como medios para reducirlo. La otra sería la que hace poco propuso el vocero de La Familia: negociar.

Desde que la sociedad de consumo sentó sus reales en México, el crimen organizado ha existido. Por mucho tiempo, el gran capo, que fue el Presidente de la República, lo controló con negociaciones que lo mantenían en la periferia. Hoy, frente a la contraproductividad de la guerra y la complejidad jurídica que implica la legalización de la droga, habría que volver allí. Negociar, como lo hacen las mafias cuando se fracturan, implicaría acuerdos que, sin legitimar los corredores de la droga, no se tocarían a cambio de que las propias mafias mantuvieran intocada a la población: no secuestros, no narcomenudeo. Las mafias tienen códigos de honor nacionales que, bien negociados, reducirían en buena medida la contraproductividad que su combate genera.

No es el bien —el bien implicaría un severo cuestionamiento de la idea de libre mercado, de desarrollo y del monopolio de lo económico—, pero es, dentro de una economía de mercado, el mal menor, un mal que al menos pondría un coto a la tremenda contraproductividad en la que el gobierno de Calderón, contra toda su lógica, se ha empeñado en los últimos tres años.

23/08/2009

FELIPE CALDERÓN Y MR. HYDE

Contra lo que se esperaba de un hombre formado en el humanismo cristiano, Felipe Calderón tomó desde el principio el camino contrario. Una especie de esquizofrenia, comparable a la que habitaba al Dr. Jekyll, el personaje de Robert Louis Stevenson, lo ha ido convirtiendo en una especie de Mr. Hyde de la política en cuya personalidad ya casi no queda rastro del humanista.

Desde el inicio, desde que tomó la tribuna legislativa para entronarse como presidente en unas elecciones tan turbias como abusivas, su política ha sido la violencia. A la guerra contra el narcotráfico, con la que su triunfalismo abrió su gestión, ha sumado ahora un paquete fiscal no menos violento y contraproductivo.

Las razones están a la vista. La guerra contra el narco no sólo ha generado y continúa generando una inmensidad de asesinatos y secuestros en condiciones que no habíamos visto desde la Revolución —torturados, descabezados, colgados en los puentes con mutilaciones sexuales—, sino que además ha generado una inmensa cantidad de negocios improductivos que se cargan a cuenta de la gente. En un artículo escrito en 2001, *La economía y el narcotráfico* (*Proceso* 1275), cuando Vicente Fox sentó las bases para esa guerra, mostraba los costos que esa guerra acarrearía. Para imaginarla pensemos en un iceberg invertido. Abajo se encuentra el 7% de los beneficios ilícitos que produce el narcotráfico, arriba, el 93% de los negocios limpios e improductivos, cargados a los contribuyentes, que genera el gobierno para su combate: policías, jueces, cárceles, logística policiaca, ejército fuera de sus recintos.

Ahora, a esa carga inmensa, Calderón le suma otra igual de violenta y contraproductiva: más impuestos. Ajenos a la realidad del país, encerrados en abstracciones matemáticas y variables económicas, los expertos calderonistas —que jamás se han subido al Metro ni caminado las calles del país, que han transitado de las aulas de Harvard o de las oficinas gubernamentales a los cubículos de Hacienda con salarios altísimos cuyos costos los pagan quienes producen—, han decidido, contra toda la realidad microeconómica de los mexicanos, aumentar los ya de por sí desproporcionados impuestos.

Hasta el siglo XIV, el pago de impuestos, con excepción de las contribuciones excepcionales para la guerra, era visto como un deshonor, como una vergüenza reservada a los países conquistados, como el signo visible de la esclavitud. Esa visión se encuentra por todas partes en la literatura de la época, lo mismo en el *Romancero* que en el *Ricardo II* de Shakespeare: "Esta tierra […] ha hecho una vergonzosa conquista de sí misma".

Con la consolidación de los Estados absolutistas, y después, con la emergencia de los Estados nacionales, los impuestos adquirieron legitimidad. Sin embargo, los abusos en ese rubro se vieron siempre como un signo ominoso. Por ejemplo, desde el ascenso de Enrique IV, quien cargó al pueblo con impuestos arbitrarios, hasta la Revolución Francesa —una de cuyas causas tuvo que ver con esos abusos—, Francia fue vista por los otros países europeos como el pueblo esclavo por excelencia, el pueblo que estaba a merced de su soberano como un rebaño.

La política hacendaria de Calderón es de ese mismo cuño. Calderón y sus muchachitos de gabinete no miran que los impuestos que ya existen son una dura carga no sólo para las pequeñas empresas, sino para la cada vez más grande mayoría de gente que trabaja mediante recibos de honorarios. Esta gente, que carece de seguridad social, de prestaciones —no se les pagan vacaciones ni aguinaldos y pueden ser despedidas en cualquier momento sin indemnización— deben ya pagar IVA y IETU. Aumentarles los impuestos es arrojarlos más allá de la esclavitud. Si a eso se agrega el 2% a toda la población, la miserabilización cundirá por todas partes.

Ese impuesto, que se pretende destinar a un programa de dádivas —Oportunidades, pese a la demagogia de Calderón, es una caridad burguesa—, lejos de solucionar el problema, lo aumentará. Aun cuando ese dinero llegara completo a sus destinatarios —cosa que la corrupción impedirá—, la paralización del trabajo y las condiciones de esclavitud a las que la mayoría de la población deberá someterse para pagarlo hundirán más al país. Los pobres, en los que Calderón trata de escudarse, no necesitan ese 2%. Su economía —y eso es lo que ha salvado al país de la ruindad de sus gobernantes— se mueve en una economía paralela y desenchufada del sistema.

Lejos de solucionar algo, los impuestos, como la absurda y contraproductiva guerra contra el narco, terminarán, como sucedió con la Francia de Enrique IV, por poner a la gente a merced de un soberano desquiciado, de un cristiano transformado en un Mr. Hyde al servicio de una clase política venal y tan contraproductiva como corrupta.

En su novela, Robert Louis Stevenson salvó al Dr. Jekyll matando a Mr. Hyde mediante el suicidio del doctor. Calderón podría salvarse también con el suicidio político del personaje que lo posee, es decir, renunciando o girando hacia un verdadero humanismo cristiano su política. ¿Tendrá la lucidez de Jekyll para hacerlo? Es difícil. En todo caso, alguien, quizá la propia gente, tendrá, como los franceses de 1789, que obligarlo.

18/10/2009

El hombre desnudo y la guerra de Calderón

En el antiguo derecho romano, recuerda Giorgio Agamben, existía una figura: el *homo sacer* (el hombre sagrado), cuyos crímenes el Estado no podía castigar, pero a quien cualquiera podía matar y quedar impune. Un ser que a la vez que estaba excluido de todos sus derechos civiles era sagrado en un sentido negativo.

La distinción, según Agamben, entre ese ser y el ciudadano, se encuentra en los dos conceptos que el mundo antiguo tenía para referirse a la vida: *zoe* (la vida tal cual es, la vivacidad vulnerable del vivir) y *bios* (la vida organizada, la vida política y protegida por el poder. Es curioso que cuando Jesús en el Evangelio de Juan dice "Yo soy el camino, la verdad y la vida", la palabra griega que usa el evangelista para vida sea *zoe*). El *homo sacer* es en este sentido un hombre amputado de su *bios* político y reducido a su pura *zoe*, a una vida desnuda como la de un animal, a un ser a quien nada ni nadie ya protege y, en consecuencia, puede ser destruido por cualquiera.

Nadie en el mundo moderno podría sostener esa categoría —las leyes, dicen nuestras constituciones democráticas, están hechas para proteger a todos—. Sin embargo, es cada vez más evidente que en el mundo en donde las víctimas nos preocupan como en ningún otro periodo de la historia, el *homo sacer* aparece sin nombre alguno, pero pleno en su condición de vida desnuda, de sacralidad desprotegida y, he allí la novedad, regulada en su asesinato por lo que Michel Foucault llamó "el biopoder". Desde las leyes que despenalizan el aborto y dejan a la *zoe* fetal al abrigo de la voluntad de la madre y del sistema médico, hasta la vida abandonada a la violencia por la soberanía del estado de excepción —la de los refugiados, los indocumentados, los pobres, los disidentes políticos—, pasando por la percepción bioética de la vida humana como un puro material intercambiable para la salud y el mejoramiento de la especie, el *homo sacer* no ha sido desalojado de la historia, sino reelaborado. Aunque todos esos seres tienen una vida supuestamente protegida por las leyes, en el orden de los factos carecen de cualquier significado verdaderamente político. Son pura vida desnuda y abandonada a cualquier poder.

En México, desde que Calderón desató la guerra contra el crimen organizado, el *homo sacer* aparece por todas partes bajo el nombre de "bajas colaterales", de "indocumentados", de disidentes políticos. Sus crímenes —que, como en la fórmula del *homo sacer* del antiguo derecho romano, no puede castigar el Estado— son no tener una identidad política, es decir, una identidad reconocida por sus vínculos con el poder y, en consecuencia, son *zoe* pura cuya muerte sirve al mismo poder.

Los estudiantes asesinados en varias partes del país; los muchachos masacrados en instituciones de desintoxicación; la muerte de Bety Cariño y Jyri Jaakola, quienes trataban de llevar alimentos a pueblos sitiados por fuerzas armadas; la del niño Sergio Adrián Hernández, asesinado por poderes estadunidenses entre Ciudad Juárez y El Paso, Texas; los "ciudadanos" matados equívocamente por el ejército en su persecución de narcotraficantes; los niños quemados en la guardería ABC; la muerte de Paulette y el sinnúmero de víctimas que desconocemos porque ni siquiera han tenido el "privilegio" de ser documentadas por los medios de comunicación, son hombres sagrados modernos frente a los cuales el Estado, como el poder romano de la antigüedad, no se hace responsable; a veces —cuando la protesta rebasa el silencio del Estado—, unas condolencias dichas con los dientes apretados y la justificación para redoblar la violencia. En medio de una guerra que lo justifica todo, esos seres son para el Estado *zoe*, vida desnuda cuya muerte se enterrará en los archivos de la burocracia y en la desmemoria moderna.

Lo más grave es que todos los ciudadanos, en medio de esta guerra, somos hombres sagrados en potencia. Salidos a la calle nos volvemos desnudez que cualquier poder puede solicitar para sus fines. Desprovistos en nuestra condición de *zoe* de nuestras libertades políticas, somos potencialmente susceptibles de cualquier intervención del poder.

Al igual que en el orden mundial que se ha vuelto biopolítico, pero de manera más explícita, en México el ser humano ha dejado de ser esa *zoe* que el cristianismo reveló como el sitio privilegiado de las relaciones éticas, para convertirse, como en el *homo sacer* de la Roma antigua, en una realidad vital pura que puede ser administrada, manipulada y asesinada impunemente por cualquier poder.

Los mexicanos tenemos que recorrer un largo camino para recuperar la dignidad. Para ello debemos rechazar claramente las mentiras con que el gobierno nos atiborra. No se construye la dignidad de la vida con la guerra ni con la propaganda; las palomas de la paz no se posan sobre los cadáveres; la libertad no puede mezclar a las víctimas con los criminales y convertirlas, por el sólo hecho de existir, en *zoe* disponible para las operaciones del poder. De eso hay que estar seguros, como seguros debemos estar de que la libertad no es un regalo que se recibe de un Estado o de cualquier poder, sino un bien que está en la *zoe* misma y que todos los días debemos defender mediante el esfuerzo de cada uno y la unión de todos.

27/06/2010

LAS CONSECUENCIAS DE LA ILEGITIMIDAD

La democracia en el México moderno ha sido tan incipiente como inestable. El primer momento en que pudo haberse logrado, se hundió con la usurpación de Victoriano Huerta, la Revolución Mexicana y el establecimiento de una dictadura de partido. El segundo está por hundirse con el sospechoso ascenso de Felipe Calderón a la Presidencia y la absurda guerra que desató contra el crimen.

Aunque uno y otro momentos tienen características diferentes —el primero fue burdo golpe de Estado que concluyó en la guerra y el establecimiento del poder del grupo de Sonora sobre los cadáveres de sus enemigos; el segundo, cuyas consecuencias aún no vemos, se fincó en un juego mediático y de manipulación de votos, que derivó en una guerra contra el crimen, en la ingobernabilidad y en un conjunto de facciones políticas, llamadas partidos, que se disputan no el gobierno, sino el poder para administrar esa misma ingobernabilidad—, ambos muestran que la crisis de nuestra democracia tiene que ver con la ilegitimidad.

Cuando no hay legitimidad —ya sea por usurpación violenta o por fraude electoral—, no hay manera de consensuar. Se gobierna con la fuerza o se vive la guerra. Calderón decidió gobernar con las dos: inventó una guerra para gobernar con la fuerza. Pero, al igual que Huerta, terminó rodeado por la guerra. El primero huyó —las razones políticas de las facciones que se le opusieron eran tan moralmente sólidas, y la poca fuerza armada que tenía a su lado tan débil, que no había forma de permanecer.

Calderón no lo ha hecho. Las razones de su guerra son absurdas en el orden político, pero moralmente correctas. Sin embargo, las consecuencias son igualmente atroces. En medio de una guerra que día con día se le va de las manos y cuyos costos son cada vez más espantosos; en medio también de su incapacidad para generar consensos políticos, el país no sólo vive el horror de los enfrentamientos entre los cárteles y los que estos libran contra el ejército y la policía, sino también el horror de las guerras mediáticas de los faccionalismos partidistas. Lo que en la época de Huerta era, para decirlo con Emilio Rabasa, la Bola, que luchaba por conquistar una grandeza negada: la democracia, en la de Calderón es una Bola sin rostro que lucha por lo más pueril: el poder y el dinero.

En esas condiciones, 2012 se anuncia atroz. ¿Habrá condiciones para un ejercicio verdaderamente democrático que lleve al poder no sólo a un presidente legítimo, sino capaz de hacer los consensos político que requiere el país y pacificarlo? ¿Surgirá, en medio de la ingobernabilidad, la tentación en Calderón de crear un estado de excepción y, a la manera de Fujimori, intentar prolongar su estancia en el poder? ¿O esa tentación surgirá en el mismo ejército que, imposibilitado para tener un marco legal en esta guerra, querrá tomar su propio camino? ¿El crimen organizado logrará penetrar de tal forma las filas del gobierno y de los partidos políticos que lo que tendremos será un presidente coludido con la barbarie? ¿Asistiremos —como sucedió bajo las consecuencias de la usurpación de Huerta— al ascenso de un grupo de poder que se perpetuará en él mediante la corrupción y la fuerza o, en otras palabras, veremos el retorno de un PRI que administrará la corrupción de las instituciones que creó y que la mediocridad de Fox no supo cómo desmantelar y refundar? ¿Qué sucederá con la izquierda que no logra reunirse; con los grupos disidentes que, como la izquierda de AMLO, el zapatismo chiapaneco o las guerrillas radicales, tienen aún un proyecto político? ¿Cómo jugarán sus cartas en medio de esta Bola más oscura que la de los tiempos de la Revolución?

Es imposible decirlo. Las consecuencias de la ilegitimidad abren un panorama sombrío que no anuncia un futuro promisorio para la democracia y la reconstrucción de un país que entró en el caos.

El lector, sin embargo, tendrá sus esperanzas. La mía es tan incierta y absurda como la de cualquier otro que en medio de la oscuridad del país camina a tientas en busca de una puerta, mientras imagina cómo puede llegar a ella: creo, después de escuchar las conclusiones de los Diálogos por la Seguridad a los que convocó Calderón, que su estancia en el poder es más dañina que su ausencia. Calderón debería irse, o bien las Cámaras debieran destituirlo y colocar en su lugar a un presidente interino cuya legitimidad permitiera crear los consensos que salvaran la vida democrática y las elecciones del 2012. Esos hombres aún existen en nuestra vida política. Sin embargo, ¿las facciones tendrían el valor y la estatura moral de hacerlo? y, en ese caso, ¿tendrían —lo que no tuvieron los hombres de la Convención de Aguascalientes— la altura política para respetarlo y respaldarlo?

¿Quién podría saberlo? Sin embrago, prefiero hacer un esfuerzo de razón que aceptar una política de poder cuya ilegitimidad nos tiene sin sueño. Una buena regla de conducta es pensar que aún hay espíritus libres que pueden encontrar una salida razonable a lo irracional.

05/09/2010

LA GUERRA DE LOS INSULTOS

Para las lenguas antiguas —pienso en el sánscrito, en el hebreo o en el griego—, las palabras son sagradas. No sólo nombran las cosas, sino que hacen que las cosas sean, es decir, poseen un dinamismo y una fuerza vital que permite que su contenido se realice. Sólo existe lo que se nombra. La rosa, por ejemplo, sólo aparece en el mundo porque pronunciamos su nombre, porque le damos con él una existencia activa y un contenido. De lo contrario sólo sería algo sin significado, una realidad incognoscible, sumida en la oscura pasividad de su ser.

A pesar de que esa percepción ha desaparecido de nuestros conceptos lingüísticos, las palabras siguen teniendo ese peso. Ellas —lo sabemos aún los poetas y algunos filósofos y psicoanalistas— pueden liberar de la oscuridad y del laberinto interior el sentido, pueden poner fin a la soledad, establecer una unión de amor y cambiar el rumbo de una vida. Pueden también hacer lo contrario: humillar, destruir la vida de alguien y desatar una guerra. Las palabras, cosidas al pensamiento y al ser, se desprenden de la persona que las pronuncia para asumir una existencia independiente.

El *Libro de los Proverbios* lo dice con el delicado sabor de la sentencia: "La vida y la muerte está en poder de la lengua, del uso que de ella haga tal será el fruto". Con no menos delicadeza, Platón lo repite en otro contexto y otra cultura: "Entiéndelo bien, mi querido Critón, la incorrección en la lengua no es sólo una falta contra la lengua misma, hace también mal a las almas".

Por desgracia, esta realidad de la lengua que ya no se enseña, ha llegado en México a grados de perversión tales que se ha convertido en una especie de Babel a través de la cual no sólo puede decirse cualquier cosa sin responsabilidad alguna, sino que en el espacio público se ha degradado, como si no sucediera nada, al insulto, a la difamación, a la amenaza y a la banalidad.

El uso irresponsable de la lengua en nuestros políticos y en los medios de comunicación está destruyendo la pequeña franja política que, en medio de la guerra y del Estado fallido en el que nos encontramos, aún nos queda.

Desde que Calderón, y quienes estaban decididos a destruir el ascenso político de López Obrador, tomaron la determinación de difundir por todos los medios a su alcance que era "un peligro para México", la consecuencia fue, primero, la fracturación de la ciudadanía entre los que aceptaron creerlo y los que, con justicia, negándose a creerlo lo defendieron; después, la guerra contra el crimen organizado, el hundimiento del Estado y la violencia en la que estamos inmersos. Unas simples palabras de desprecio y de odio hicieron posible que el desprecio y el odio se instalaran en el país.

Hoy, cuando Felipe Calderón vuelve a decirlo, está empujando lo que queda de la vida política del país al terreno de una violencia sin retorno. Lo mismo puede decirse que hace López Obrador cuando continúa llamando a Calderón "espurio" y "pelele" o cuando el lenguaje del insulto entre diputados, senadores, comunicadores y prelados recorre el espacio público. Decir hoy que López Obrador es "un peligro" para el país y que sus seguidores son una "feligresía del odio"; gritar que Calderón es un "pelele", vociferar "que el Estado laico es una jalada", es darle carta de ciudadanía a la violencia y al caos, es permitir que el lenguaje de la criminalidad y de la negación de lo humano se instale para siempre en la mesa de la política y de la vida pública, es aceptar que sólo podemos dirimir nuestra existencia como ciudadanos a través de esa palabra con la que el español de México define su barbarie: los chingadazos, es destruir en la conciencia de la ciudadanía lo poco que queda de dignidad en las figuras que la representan y cuya presencia debe ser la propuesta, el debate y la controversia, es decir, el diálogo y la presencia de la palabra como contenedora de sentido y de bien, de crítica y de verdad. Insultar, lejos de humanizarnos y de rehacer la realidad, la oscurecen, destruye el sentido, "daña —como señalaba Platón— las almas", y trae, como lo muestran el *Libro de los Proverbios,* y la realidad en la que vivimos, frutos de muerte.

Quienes aún amamos este país, quienes aún tenemos un sentido del peso de las palabras, no podemos permitirlo. No se trata de hablar con un lenguaje *light* ni de utilizar la hipocresía del eufemismo —tan en boga en lo que se ha dado en llamar "lo políticamente correcto" de las democracias—, sino de negarse al insulto para, dados los problemas que nos rodean, entrar en el debate de contenidos, un debate duro, pero inteligente, crítico y a la vez propositivo. Si aceptamos que nuestros políticos continúen utilizando el lenguaje de la violencia y la descalificación y nos contaminamos de él, no contribuiremos en nada a los contenidos de verdad y de sentido que perdimos y que nos tienen en la irritación. En tiempos de violencia no necesitamos palabras nuevas, sino una relación grave y respetuosa con la lengua, es decir, recordar que las palabras pesan y se concretan en lo real, que del uso que de ellas hacemos tal es el fruto, y que únicamente el corazón dicta los verdaderos sentidos con el respeto y la firmeza que el amor produce, esos sentidos que pueden devolverle al país su voz profunda.

17/10/2010

ADMINISTRACIÓN DE LA DESGRACIA

A pesar del caos en que está sumido México —altos índices de criminalidad y desempleo; salarios bajos; inflación; devastación ecológica, cultural y educativa en nombre de intereses económicos, e indefensión ciudadana—, los gobiernos y los partidos carecen de una política clara para ordenar el país. A falta de ella, su tarea se ha reducido a disputarse el poder, las plazas políticas, el erario. Su accionar no se diferencia del de las mafias del crimen organizado, a no ser por su "legalidad" y sus métodos.

Semejantes a esas mafias, los gobiernos y partidos no sólo se pelean entre sí, sino que también lo hacen dentro de sus propias facciones. A diferencia de ellas, no mutilan a otros ni arrojan sus cabezas cercenadas para aterrar a la población y desalentar al contrario. Sus métodos —hay que decirlo en su descargo— son refinados.

Para cortar la cabeza a alguien bastan las relaciones con los grandes capitales, los medios de comunicación, el uso discrecional de las leyes, el rumor, la mentira, la fabricación de una reputación inmoral, la coacción y la construcción del miedo. El fin, sin embargo, es el mismo: destruir a los oponentes, enlodarlos, depurarlos del cuerpo político, desconcertar a la población y obtener el poder para administrar la desgracia. La política se ha ido convirtiendo lentamente en un negocio de altos costos. Esto se debe quizá a que el sentido político del gobierno perdió su objetivo fundamental.

Antiguamente, desprendida del concepto teológico de un Dios creador que gobernaba el mundo para conducirlo a un fin último, la política era la construcción de un gobierno ordenado por las leyes para el bien de los ciudadanos. Sin embargo, desde Hume y Adam Smith, el gobierno, bajo el modelo del libre mercado y su *laisser-faire* —esa doctrina que defiende la completa libertad en la economía dentro de todos los ámbitos de la vida y la mínima intervención de los gobiernos—, rompió con las causas finales y las sustituyó por un orden producido por un juego azaroso en donde lo esencial no es tanto un proyecto político, sino la posibilidad de gestionar el desorden que el azar del libre mercado —ya sea legal o ilegal, como el de la droga— produce, y orientarlo para mantener el poder y sus ganancias.

Aunque el gobierno y los partidos continúan pretendiendo un fin que está en el sentido mismo de la palabra "política" (el servicio al bien común), sus acciones, bajo el juego del libre mercado, producen "efectos colaterales" —ese término militar que Felipe Calderón ha puesto de moda—, efectos imprevistos o previstos en los detalles, pero en todo caso presupuestos. Dichos efectos no sólo son consecuencias de la guerra, sino también políticas públicas que, pretendiendo orientar el caos, siempre afectan de manera violenta a muchos sectores de la ciudadanía para beneficio del gobierno y sus intereses.

De allí las luchas intestinas por el poder. De allí también que la voracidad y la saña con las que se expresa el crimen organizado en nuestro país funcionen como el espejo invertido de la voracidad y la saña con las que el gobierno se expresa y las luchas partidistas se desarrollan. Ambos mundos —el del crimen organizado y el de la política—, en su aparente antagonismo, lo único que hacen es gestionar el caos dentro del caos generado por el juego del mercado, y ganar a costa de la desgracia.

Lo odioso de todo ello es que nuestros políticos, a diferencia de los criminales, se golpean y nos golpean con optimismo; enarbolan la bandera del amor y del servicio a la ciudadanía para evitar servir a las personas de carne y hueso que componen la sociedad; invocan el progreso para justificar los "efectos colaterales" de sus luchas y políticas y esquivar las cuestiones de los salarios, del empleo, la inflación, la inseguridad y la incultura; se yerguen ante los medios de comunicación para denostar y destruir al rival y decir que ellos son los poseedores de la clave que sacará al país del atolladero, siempre y cuando les concedamos administrar nuestras desgracias.

Es así, en nombre de una política que perdió sus objetivos fundamentales, como nuestras clases gobernantes o que aspiran a gobernar han llegado a estar casi convencidas de que la política es eso: un puro negocio de la desgracia, una pura administración del caos nacido de "la mano invisible" que domina la libertad del mercado. Ella, que se sustenta en el sacrificio y el miedo que han infundido en las mayorías, nunca ha comprometido a ninguno de los que viven de ese negocio. Atrincherados en una ficción que confunde la libertad económica y su caos con el ejercicio político, son ellos los que en el fondo no sólo temen un cambio, sino a las verdades del sentido común que hace a los buenos gobiernos y que se basan en el límite al libre mercado y en esas cosas sencillas que están en la base de cualquier ética: la clarividencia, la humildad, la energía, el desinterés y el diálogo.

Éste es el horror, ésta es la perversión de la política que padecemos y que, de no reformarse, nos llevará a una sociedad en donde la administración de la violencia, es decir, de las formas más inusuales y atroces de la desgracia, será la realidad de cada día.

31/10/2010

LA GUERRA SIN ROSTRO

Toda guerra es terrible: muerte, miedo, despojo, odios que se expresan en atrocidades, familias rotas, miseria. Sin embargo, la guerra que desde hace años vive México tiene un sesgo inédito: carece de significado. Hasta hace poco —pienso en la Independencia, en la Revolución o en los movimientos armados de América Latina—, las guerras, con todo y su cauda de desgracias, se movían sobre ideas de justicia y de porvenir. Ideas abstractas, ciertamente, cuyas consecuencias resultaron contrarias, pero que al menos señalaban un horizonte sin el cual los seres humanos estamos privados de sentido. Hoy esas ideas no existen.

La mayor parte de las ideas de Felipe Calderón y su gobierno —no hablemos de las del crimen organizado—, que caminan en el sentido de la privatización, del fortalecimiento y la expansión de los grandes capitales, del dinero y de los privilegios, no son precisamente ideas que tengan que ver con la justicia y el porvenir. Por el contrario, han cobrado costos altísimos en miseria, división de familias y angustia que la guerra ha venido a potenciar.

En este sentido, no sólo vivimos una guerra inimaginable, sino también una sociedad inimaginable en el orden de la justicia y del porvenir. Una guerra cuyos rostros, como el de los torturados, sólo manifiesta las huellas del absurdo, hace que nos sintamos presos en una telaraña. No la podemos entender. No tenemos ninguna certeza de lo que saldrá de allí. Simplemente padecemos con la zozobra de los personajes de Kafka. Da la impresión de que habitamos en un mundo dirigido por fuerzas ciegas y sordas que se niegan a escuchar los gritos de advertencia, los consejos y las súplicas.

A fuerza de una violencia sin sustento, tanto Calderón como el crimen organizado han ido destruyendo algo fundamental para la vida humana: la confianza en que sobre la base de una política o de una guerra hay sentido de justicia y de porvenir. Por el contrario, a lo largo de estos años sólo hemos visto mentir, manipular, envilecer, torturar y matar. Nada ha podido impedirlo. No porque quienes perpetran esta guerra estén persuadidos —como lo estuvieron quienes las hicieron en el pasado— de la fuerza de sus ideas sobre la justicia y el porvenir, sino porque están poseídos por las fuerzas ciegas del mercado, que sólo puede mantenerse mediante un movimiento que se pretende perpetuo. Su dilema, como lo señalaba Jean Robert, es el de un Shakespeare pervertido: "crecer o dejar de ser".

Ese crecimiento, como podemos verlo en las políticas económicas del gobierno y de la clase política, y en la guerra que en nombre de dicho crecimiento se ha desatado, sólo puede realizarse mediante la destrucción continua de dominios de existencia, de territorios y modos de vida; mediante la colonización de culturas, lenguajes y formas de pensar; mediante el despojo y el miedo. Así, en nombre del crecimiento, sea el de la legalidad (el del gobierno y los grandes capitales) o el de la ilegalidad (el del crimen organizado), vivimos una guerra sin significado que nos tiene en el terror y va ahondando la miseria.

En este caos es imposible la persuasión. Los seres humanos de este país hemos sido entregados a la violencia de fuerzas ciegas. Nos ahogamos en medio de gente que sólo cree en el poder del dinero. Y para quienes sólo podemos vivir con el diálogo, la amistad y las relaciones de confianza, la guerra que han desatado y la forma de vida que quieren imponernos son el infierno.

En este sentido, el problema político fundamental de México es saber si es posible seguir habitando un mundo en el que el crimen en nombre del crecimiento —sea legal o ilegal— está legitimado y la vida humana es vista como una realidad fútil —recursos humanos intercambiables, bajas colaterales, vidas prescindibles como las de los animales.

Si creemos todavía en que es posible hacer compatible la justicia, la paz social y el orden con la idea de la producción y el consumo desmedidos, habría que decir que sí, y entonces habrá que resignarse a una guerra cuyos resultados, en el orden del horror, son impredecibles. Si decimos que no, tendremos que aceptar que para detener esta realidad tóxica hay que inventar políticas que disocien la justicia y la paz de la cuestión del crecimiento, de la producción y del consumo desmedidos, y la asocien con la fuerza de las comunidades y sus relaciones de soporte mutuo.

Sólo mediante proyectos que recobren los ámbitos de comunidad, es decir, ámbitos de subsistencia, en donde la primera regla es asegurar los medios de sustento de los más débiles, podrá detenerse el absurdo. Esta lógica, ajena a las abstracciones de justicia y de porvenir de las guerras de antaño, y más ajena aún a las fuerzas ciegas de la guerra que hoy vivimos, hace posible la justicia y el porvenir en sus relaciones de solidaridad y de cooperación. Pero esto no depende ya del gobierno, que se mueve, al igual que el crimen organizado, en la racionalidad irracional de una economía del dinero, de la producción y del consumo sin límites. Depende de la gente y del sentido común, el más escaso —para nuestra desgracia— de los sentidos.

14/11/2010

Capitalismo y crimen

El tema del crimen —que se vincula con el narcotráfico— y la guerra que el Estado desató contra él se ha vuelto un lugar común en nuestras vidas: un espacio —como todo lugar común— que perdió sus contornos, una especie de amiba social que se enquistó en el organismo de la sociedad y que diariamente buscamos delimitar para comprender y atenuar su horror. Muchas cosas importantes se han dicho sobre el fenómeno, pero pocas o casi nada sobre el fondo que lo produce y hace impotente la guerra que quiere erradicarlo.

El crimen, cuya tarea es maximizar recursos —en este caso, ilícitos— para producir dinero, forma parte del mismo sistema que el Estado legitima y protege: el capitalismo.

Lo que solemos entender por economía —la producción de mercancías para obtener riquezas o, en términos de Adam Smith, la búsqueda de la admiración envidiosa de los demás por la acumulación de riquezas y la posesión de mercancías de toda índole— es en realidad una forma degenerada de ella, una forma que sólo se da en el universo capitalista y que Aristóteles, en oposición al verdadero sentido de economía —el cuidado de la casa—, llamó con desprecio crematística, y los medievales, usura.

En todas las sociedades que no son capitalistas —el comunismo, para evitar confusiones, es sólo un capitalismo de Estado, y el socialismo, una versión socializada del mismo modelo—, las producciones, dice Jean Robert, "no están hechas para venderse en los mercados, aunque pueden existir mercados; tampoco están determinadas por el afán de acumular dinero, aunque puede existir alguna forma de dinero". Su universo es la producción de valores de uso que permiten a los seres humanos una vida frugal en donde la penuria no existe.

Sin embargo, desde el momento en que el capitalismo, es decir, la crematística, fundó y concibió todo como búsqueda de riqueza, de producción y de consumo, no sólo destruyó las formas originales de la economía, sino que al instaurar la primera nos obligó a entrar en su lógica. Al transformar el vicio de la envidia en virtud y hacernos creer que a través de ella —puesto que nos obliga a la competencia— podríamos producir riquezas para todos, nos introdujo en una larga y prolongada rivalidad que, en las sucesivas crisis económicas que el mundo vive, ha mostrado su verdadero rostro: la riqueza, en un mundo limitado —un mundo que el verdadero sentido de la palabra economía resume (el cuidado de la casa, su conservación)—, es fruto del despojo y del robo, de la expropiación de lo que antes se producía en común para convertirlo en mercancías, y del sometimiento del hombre y la mujer que laboran en recursos humanos para la producción de "riqueza". O en palabras de los Harvard Business School: hazte rico, ya sea produciendo o especulando.

En este sentido, lo que el crimen realiza no es otra cosa que la dinamización de esa divisa, la expresión exacerbada e ilegal de lo que la economía capitalista exige, la expresión extremosa de la maximización de los recursos para producir dinero. O, ¿qué hace el narcotraficante cuando contrata al campesino y sus tierras para producir estupefacientes, sino lo mismo que hacen las agroindustrias o Casas Geo sobre un territorio que antiguamente servía para la subsistencia? ¿Qué hace el secuestrador, sino maximizar la ganancia que un recurso humano produce en una fábrica y deshacerse de él cuando su productividad no reditúa lo que se esperaba? ¿Qué hacen las mafias criminales cuando ofertan trabajo al ejército de desempleados que el despojo capitalista ha generado, sino lo mismo que hacen las industrias y las instituciones capitalistas: obtener mano de obra barata para trabajos que enajenan la vida?

La lógica del crimen, lo mismo que la guerra que se simula para combatirlo, son inseparables del capitalismo. Gracias a ellos, la industria armamentista aumenta su capacidad productiva; la de la violencia, su oferta de empleo, y la producción de recursos materiales, humanos y mercantiles, su condición de riqueza. La pérdida de lo humano es el desvalor que permite transformar el misterio sagrado de la vida y del mundo en un valor que alimenta el crecimiento crematístico.

Mientras el Estado continúe promoviendo esa forma de lo económico, el crimen jamás será erradicado: será, como ya lo es, un negocio más —de altos costos— en la vorágine del enriquecimiento y el consumo.

Junto a esa crematística que se ha desbordado en los horrores que ocultaba, emerge, sin embargo, el modelo económico de los campesinos y de las comunidades indígenas no contaminados todavía por el capitalismo de las agroindustrias o del narcotráfico. Ese tipo de campesino, que pertenece a las formas de la economía que elogiaba Aristóteles, no genera excedentes mercantiles. No es, como piensan los marxistas, un proletario desposeído, sino miembro de comunidades o pueblos en equilibrio con la naturaleza que sólo producen lo que necesitan y que tiene su rostro urbano en muchas de las economías informales. Esas economías, que Jean Robert llama "expolares" porque están fuera de los modelos convencionales de la crematística del mercado o del Estado, son economías donde deberíamos centrar nuestra atención para pensarlas como alternativas al crimen que está en la lógica profunda del capitalismo.

06/03/2011

Narcotráfico, la barbarie

LA BARBARIE

El término de barbarie fue acuñado por la Grecia y la Roma antiguas. Se refería a los pueblos del norte y del centro de Europa que, a falta de una cultura, vivían del pillaje y del saqueo. Los bárbaros, tan temidos, terminaron por penetrar y destruir el Imperio Romano de Occidente, cuando la propia Roma, a fuerza de hedonismo, de corrupción, de pérdida de sus valores culturales se había debilitado y barbarizado también.

Para los hombres de cultura superior, el acontecimiento fue terrible y doloroso. Desde el fondo de las edades aún nos llegan los angustiosos gritos de san Agustín (cito de memoria): "Si Roma cae se acaba el mundo". No se acabó, sobrevivió gracias a la cristianización que, conjugando en Cristo la esplendente tradición occidental de Grecia y de Roma y la clarividente humildad de la tradición judía dio paso al mundo medieval, a los colegios monásticos, a la universidad, al desarrollo de la escolástica y de la mística, a la aldea medieval y a los ideales caballerescos, custodios del honor, de la pobreza y de la trascendencia.

Oscuro a fuerza de luminosidad, el medioevo rehizo la cultura y la fortaleció. La cristiandad fue la última gran cultura del mundo occidental, una cultura que comenzó a morir con el asesinato del último de sus mejores soldados, una mujer campesina, Juana de Arco, el 30 de mayo de 1431.

La barbarie ya no venía del norte; se había instalado en el centro del mundo que invadió y, como la mala hierba, comenzó a crecer: la sed del oro, el sueño de la dominación, la lenta desincrustación de la economía del ámbito de la cultura y su sobreestimación como valor supremo, se consolidó con el nacimiento del liberalismo económico y la revolución industrial. La barbarie había encontrado su punto de apoyo y se articularía a través de las ideologías históricas: el capitalismo, el marxismo, el fascismo y el neoliberalismo. Ni Hitler, ni Stalin, ni Truman —esos Atilas que produjeron las ciudades modernas—, ni el decadente imperio del *American way of life* que se ha erigido como el punto de referencia absoluto del mundo "civilizado", ni el Banco Mundial —la usura institucionalizada, esa usura que para el medieval constituía un grave pecado (véase el lugar que Dante reserva a los usureros en el Infierno de su *Comedia*)—, rector de los destinos de las naciones, serían posibles sin el desarrollo industrial y la desincrustación de la economía del mundo de la cultura , es decir, sin la institucionalización de la barbarie.

En esta realidad histórica, ¿dónde se encuentra México? ¿Fue siempre —como frecuentemente se le ha calificado— un país bárbaro? Nunca lo he creído. Si bien en México un imperio bárbaro señoreaba a tribus de exquisita cultura y el valor fundamental que movió a la conquista fue la sed del oro, aún la cristiandad no moría y las formas culturales de los indios tenían la solidez de una tradición. Junto a los bárbaros encomenderos y a los indios ladinos, un mundo indígena y mestizo florecía al amparo de la cristiandad y de las culturas autóctonas, un mundo pobre, como el del medioevo, pero sostenido por los valores de una cultura sincrética y sólida. Si uno compara el mundo colonial y la guerra de independencia con los procesos posteriores (el Porfiriato, la Revolución y los gobiernos que emanaron de ellos) se ve hacia adelante un profundo deterioro de los valores y de los códigos de honor (aun el indio Juárez, desdeñoso de su tradición indígena, obnubilado con el "progreso" norteamericano y la productividad protestante, fue honorable en el fusilamiento de Maximiliano, otro hombre de honor).

Sin embargo, yo tengo para mí que el deterioro comenzó con el liberalismo y se consolidó con la hegemonía del liberalismo económico y su fase neoliberal. Desde la guerra de independencia, México no construyó un país basado en sus dos grandes tradiciones: el cristianismo y la pluralidad cultural del mundo indígena, sino a partir de los modelos liberales europeos y norteamericanos. Las refinadas culturas sociales que pusieron en práctica Quiroga, en Michoacán, fray Pedro Lorenzo de la Nada, en Chiapas (obra continuada a contracorriente por Samuel Ruiz) se desdeñaron, y en su lugar impusieron los diseños sociales y económicos importados de una Norteamérica y de una Europa que había aceptado la barbarie del industrialismo y del expansionismo comercial.

Lentamente, México se fue convirtiendo en un mundo en donde el dinero, el desarrollo económico y el poder fueron el fundamento de su realidad: el pillaje y la corrupción contra la honestidad; el desarrollo industrial y su poder contra la cultura y los valores de la vida comunitaria; el acaparamiento indiscriminado de riquezas contra la sencillez de lo humano y sus límites; la prepotencia contra la humildad; la demagogia contra el honor y la palabra empeñada; la competencia contra la solidaridad.

En nombre del nacionalismo, del socialismo, del progreso, formas ideológicas en las que la barbarie del pillaje y del saqueo encontraron su justificación moderna (aún hay vestigios de ello y para muestra basta ver los desfiguros de Rosario Robles), México ha ido destruyendo su cultura y sustituyéndola por el sueño bárbaro de la economía moderna: productividad, dinero, riqueza, trabajo a destajo, diversión imbécil: "vocho, changarro" y antros.

Hoy en día, después de la estrepitosa caída de los gobiernos revolucionarios, la barbarie ha mostrado su rostro más crudo. Bajo la bandera de la democracia y de la moral, nuestros gobernantes no han dejado de parecerse a los bárbaros que derribaron; sólo que ahora, en lugar de ocultarse bajo el rostro ideológico del nacionalismo, exaltan la barbarie abiertamente y nos hacen pasar el mercado, el mundo empresarial y el consumo, como valores absolutos, como la palanca de la cultura moderna.

La barbarie no sólo ha aplastado la cultura (entendida como formas de entender el mundo, de compartir, de convivir, de producir y de crear dentro de límites específicos), sino que se ha erigido como fundamento y fin de la existencia. Para ella, lo humano y lo sagrado no cuentan. Cuentan las abstracciones del dinero, del desarrollo y del consumo. Si para ello hay que gravar con impuestos el alimento, las medicinas (frutos del don de Dios y del trabajo humano), los libros (frutos de la cultura de una nación); si para ello hay que privatizar la universidad (fruto de la generosidad de la cultura de la cristiandad) y, semejante a un tecnológico ponerla al servicio de los intereses económicos de las empresas y de los ministerios; si para ello hay que hacer florecer las industrias y deteriorar el ambiente, no importa.

Para la barbarie es el dinero, la producción y el consumo, lo que erradicará la miseria y los males que nos aquejan. No se ha dado cuenta de que ha sido precisamente ese pensamiento el que (desde que se corrompió la cristiandad y murió el último de sus soldados) la ha producido al devastar los valores culturales que sostienen lo humano y su dignidad.

En realidad, no es el dinero, no es la producción indiscriminada de la tecnología, no es la riqueza ni el consumo los que hacen un mundo humano (fueron esos sueños los que, con otros nombres, barbarizaron Roma, luego a la cristiandad, y las destruyeron), sino la cultura, los espacios conviviales, el reconocimiento de los límites frente a lo sagrado que hay en el mundo, los que nos hacen humanos y trascendentes.

Dónde se encuentran esos valores sino en la tradición que los sueños de la razón económica han ocultado, o ¿acaso no es el zapatismo —traicionado en la Cámara bajo la consigna de que fuera del liberalismo económico no hay salvación—, un recordatorio de esa bondad de la tradición que desdeñamos?

Cada vez que leo el Evangelio me llama la atención, entre muchas cosas, una amarga frase de Cristo (cito de memoria): "¿Habrá fe cuando vuelva?" Viendo la barbarie del mundo que me tocó vivir, yo me pregunto si habrá acaso una pizca de cultura, que algún día fue hija de la fe.

17/06/2001

La economía y el narcotráfico

Vivimos en un mundo económico, es decir, en un mundo en el que la economía se desincrustó de todo el tejido de valores y ámbitos que conforman la vida social y se convirtió en el valor absoluto.

En ese mundo, que mira a la naturaleza como escasa, que concibe a los hombres y a la creación de Dios como recursos, cuyo único sueño —extraño sueño en un mundo limitado— es producir riqueza y consumo, el narcotráfico ha sentado sus reales.

No podría ser de otra forma. Sólo en un mundo en el que el valor fundamental es el económico, cualquier prohibición se vuelve generadora de ganancias.

El asunto, sin embargo, en el caso del narcotráfico, se ha vuelto más complicado que el de otras prohibiciones que se han dado a lo largo de la construcción de la sociedad económica. La razón es simple: conforme la economía ha ido invadiendo y corroyendo todos los ámbitos del tejido social, su condición de ilegalidad comienza a generar negocios tan limpios como improductivos.

Durante los años veinte, cuando la gran prohibición del alcohol en Estados Unidos, la mayor parte de las ganancias que ese fenómeno producía se mantenían en la ilegalidad. Lo que esa ilegalidad generaba de negocios "limpios" e improductivos para combatirla —policías, jueces, cárceles, logística policiaca y de seguridad— era mínimo en relación con lo otro. Imaginemos un iceberg en donde lo que está contenido en su parte oculta es 80%, mientras que lo que hay en su parte visible es 20%.

Sin embargo, en la lógica de lo económico, las instituciones norteamericanas valoraron costos y beneficios y decidieron incorporar la producción de alcohol a la legalidad. Frente a los negocios "limpios" pero improductivos que generaban las mafias y el peligro que hay en todo dinero obtenido ilegalmente (quien lo produce buscará siempre limpiarlo mediante la corrupción), el gobierno decidió incorporar el alcohol a la economía legal. Perdió en el orden de lo que hace a las buenas sociedades: un mundo ético y proporcionado en donde los seres humanos conviven, trabajan autónomamente y se ayudan de manera equitativa. Pero ganó en el orden de su lógica económica: no sólo 80% de las ganancias ilegales se incorporó al capital legal, sino que se limitó la inversión en negocios "limpios" para perseguir a las mafias, se generaron fuentes productivas de trabajo y se controló a los capos.

Hoy en día, en el caso del narcotráfico, el iceberg de los años veinte se ha invertido. Lo que las instituciones norteamericanas lograron evitar en su momento gracias a la legalización de un mundo prohibido, se ha convertido en una espantosa realidad. Actualmente, de los beneficios que produce el narcotráfico, sólo 7% es clandestino, mientras que 93% se reparte en negocios "limpios" e improductivos. A diferencia de los años veinte, a comienzos del siglo XXI la persecución del narcotráfico está generando una inversión desmedida en cárceles, jueces, policías y logística policiaca. Son, ciertamente, negocios "limpios", pero cuya improductividad genera en un mundo económico gastos onerosos que se van haciendo mayores en la medida en que la corrupción obliga a las instituciones a generar una creciente producción de controles administrativos.

La administración de Vicente Fox pretende sanear esa tarea incorporando personas honestas a esos negocios "limpios" generados por el narcotráfico, lo que, por un lado, no baja los costos (a mayor persecución del narco, mayor inversión en cuerpos policiacos e infraestructura anticrimen) y, por el otro, no garantiza la ética. En un mundo en donde el valor absoluto es la ganancia, la ética va perdiendo su sentido, pues en él las múltiples formas que existen para evaluar van siendo sustituidas por el valor numérico. El bien y el mal (lo vemos incluso en la corrupción que existe en las instituciones que no tienen ningún contacto con el crimen organizado) son sólo banalidades para la conciencia económica.

Frente a este hecho yo sólo veo dos posibilidades: volver a incrustar la economía, lo que significa negarse a producir riqueza, poner un coto a la globalización y apoyar el florecimiento de los ámbitos comunitarios, de la proporción y de las producciones locales y autónomas (sólo en un mundo así, en donde la economía deja de ser un valor absoluto y vuelve a formar parte de otros valores que se entretejen en la comunidad, la droga y el narcotráfico morirían de inanición). La otra posibilidad, más acorde con la mentalidad económica, es legalizar la droga. Esto permitiría no sólo incorporar 7% de sus beneficios ilegales a la economía legal, sino que permitiría también usar un alto porcentaje de los recursos que se destinan a su combate (negocios "limpios" e improductivos) al gasto social y a la generación de empleos productivos y de más efectivas campañas contra el consumo de drogas. Tal vez su legalización (junto con un impuesto a las grandes fortunas y un gravamen mayor al alcohol, a los cigarros y a productos suntuarios) permitiría no gravar el impuesto a los alimentos, a los libros y a las medicinas, y salvar lo que aún queda de digno y humano en las sociedades económicas.

El asunto es delicado y sus soluciones duras y estrechas. Lo demás, el exaltado combate antidroga, es sólo un juego que alimenta la improductividad, la corrupción y el establecimiento de la ganancia como único valor.

Lo que la economía llama recursos naturales, y que es la materia prima de donde supuestamente el industrialismo obtiene su riqueza, tiene un límite: no se puede producir más agua de la que existe ni más tierra de la que hay. Cualquier uso que se hace de la naturaleza implica sólo su transformación en otra cosa, lo que crea la ilusión de producir riqueza. La naturaleza es limitada y su utilización indiscriminada genera un empobrecimiento de la vida. La contaminación, la desertificación, las hambrunas y la miseria de muchos seres humanos, no son más que fruto de la explotación de la naturaleza y de la concentración de sus bienes transformados en unos cuantos individuos.

08/04/2001

La droga y la sociedad industrial

La venta y uso de drogas es uno de los muchos flagelos que azotan nuestra época: no sólo devasta poblaciones enteras de consumidores y genera un poder paralelo al del Estado, sino que, además, en una sociedad absolutamente economizada, se vuelve una fuente de ingresos para las mafias, partidos y gobiernos, y de generación de empleos para el Estado que día con día aparenta perseguirlo invirtiendo en más policía, más armamento, más logística. Tal parece que el problema fundamental de esta realidad es la droga misma. Su poder de evasión —la publicidad en su contra *dixit*—, que genera consumidores hartos de una realidad dura, es también la fuerza que genera las mafias que la producen y la distribuyen, y las policías que la combaten. María Sabina —la gran chamán del hongo— dijo con el lenguaje de la sabiduría cuando hordas de civilizados llegaban hasta ella en busca de un "viaje": "Desde que el hombre blanco llegó aquí, el dios ha dejado de habitar el hongo".

¿Pero realmente el problema es la droga? ¿Ella en sí misma es mala?

La droga ha existido en todas las sociedades. Desde la Grecia antigua y los ritos de Eleusis hasta los experimentos con mezcalina del poeta Henri Michaux o con el LSD de Aldous Huxley y Stanislas Groff —el "chamán de la medicina" que la usó con fines terapéuticos en el tratamiento de cancerosos terminales—, la droga, como lo decía Baudelaire, es una manifestación de nuestro amor por el infinito, un poder que permite al hombre entrar en contacto con lo tremendo,

149

con lo sobrenatural. Por ello tenía su lugar en el espacio sagrado. Es lo que afirma la frase de María Sabina. Como el vino en la tradición cristiana, la droga en las tradiciones primitivas, se usaba en momentos determinados y con fines espirituales.

¿Dónde se rompió este tabú? ¿Por qué la droga dejó de habitar un espacio sagrado para convertirse en lo que ahora es? Creo que este asunto tiene que ver con el desarrollo de la sociedad industrial. Así como la droga, que es un poder, estaba acotada en los límites de lo sagrado, las herramientas —que son también un poder— tenían sus límites: más allá de ciertos umbrales, la bondad de las cosas se convertía en infierno o, para usar el lenguaje de los griegos, en Némesis. En la sociedad industrial ese reconocimiento dejó de existir. Al dejar de experimentarse el universo como una realidad que sólo puede vivirse a escala humana, es decir, limitada —más allá de la cual está el mundo de los dioses al que, como lo muestran los ritos, se accede también limitadamente—, y mirarse como una resistencia a vencer y a dominar por el uso de los poderes técnicos en su máxima eficiencia, lo que queda es un mundo que busca el máximo placer contra el mínimo de sufrimiento.

En un mundo así, liberado de cualquier límite, en donde lo que cuenta es la producción indiscriminada de satisfactores y de consumidores, la droga se vuelve también una mercancía más. Arrancada de su ámbito espiritual y abandonada al mundo de la eficiencia, la droga deja de ser una puerta que nos devuelve al centro del universo —punto de intersección de todos los caminos y lugar de comunión—, para volverse un producto más que, en un mundo que sólo cree en la eficiencia productivista, es nocivo y antisocial. Lo que molesta a la sociedad industrial, que ha hecho de la droga —al igual que con todos los ámbitos de la vida humana— una industria más, no es su poder, sino que ese poder, que ya no tiene relación con lo sagrado y que en la ilegalidad produce grandes rendimientos económicos, desvía al hombre de sus actividades productivas. Para el espíritu industrial, que ha hecho de la producción y del consumo sin límites el ámbito de lo religioso —no importa lo embrutecedor y anestésico que esto pueda ser—, la idea de la droga como apertura a la dimensión espiritual es repugnante porque, en un mundo sin sustancia espiritual, saca al hombre del ámbito que se ha sacralizado y, al sustraerlo de él, lo embrutece.

Aunque esto es verdad, la causa no es la droga misma. Si el hombre vive una profunda destrucción de su humanidad, esto no se debe a la droga, sino, al igual que ha sucedido con las herramientas —que ya no producen valores de uso, sino de consumo ilimitado—, a que se redujo a ser un producto más del embrutecimiento social, pero que escapa al ámbito en que el poder anestésico que privilegia el industrialismo es sancionado como bueno. A la gente y a la sociedad no le importan los daños crecientes e irreparables que trae la expansión de la sociedad industrial, siempre y cuando se sancionen como buenos. No le importa, por ejemplo —para hablar de un ámbito que utiliza drogas legalizadas: la medicina—, que la asistencia médica y sus fármacos industriales nos incapaciten para vivir relaciones personales con el dolor, la invalidez, la angustia, la depresión y la muerte. Mientras sus drogas puedan hacernos operar como productores y consumidores, son bien vistas. Le importa, en cambio, que esos productos nos incapaciten para esa vida social. Sin embargo, el alcohol está legalizado. ¿Por qué la droga no podría serlo? Porque al poder del Estado económicamente le conviene más que la gente piense en su poder devastador. Su ilegalidad, su aparente monstruosidad —de la misma índole que todas las monstruosidades industriales— permite mayores dividendos económicos: no paga impuestos, genera más empleos —en policía, armas, servicios médicos y campañas publicitarias contra su uso—; produce, además, temor que justifica más controles del Estado.

¿Se podría pensar entonces en que legalizándola se acabaría con el mal? No. Simplemente, como sucede con las mercancías industriales legales, se le domesticaría. Tampoco, en un mundo donde la verdadera vida humana se ha vuelto un concepto infinitamente elástico, puede operar la reestructuración de lo sagrado como un límite a la droga. Si la droga es terrible, no lo es en sí misma, sino porque la sociedad industrial, que ha pervertido todo, ha pervertido también nuestra visión y nuestra relación armoniosa con los poderes de la vida. Sólo la recuperación de nuestra medida humana podría generar un despertar ético donde la gente querría limitar sus dependencias industriales, entre las cuales se encuentra la droga convertida en mercancía.

09/10/2005

MI GUERRA PERDIDA

Hace más de un cuarto de siglo, en enero de 1982, Ronald Reagan declaró formalmente la "guerra contra las drogas". A lo largo de estos 26 años las autoridades estadunidenses han perseverado en su modelo de combatir a narcotraficantes, vendedores y usuarios, endureciendo las penalidades, llevando a cabo acciones de interdicción y decomiso de droga, e interviniendo "estratégicamente" en otros países. Pero los expertos que han evaluado esta "guerra" coinciden en la ineficacia de las medidas aplicadas y califican todo el proceso como un fracaso. Las declaraciones sobre el avance logrado son un esfuerzo cosmético para maquillar una dura realidad: después de gastar miles de billones de dólares para impedir la entrada de droga, hoy es mucho más accesible obtenerla.

¿Por qué ha fallado la "guerra contra las drogas"? Vista desde una perspectiva histórica, toda la acción operativa y restrictiva (decomisos, interdicciones, prohibiciones y detenciones) no triunfa porque el negocio es buenísimo y la demanda sigue creciendo. El objetivo de lograr un país libre de droga es absolutamente utópico: en todas las épocas y todas las sociedades han existido, y existirán, personas que buscan drogarse. Redimensionar el problema a proporciones manejables conduce a replantearnos la ilegalidad del consumo de ciertas sustancias y a distinguir uso de abuso. El caso del alcohol es ilustrativo: una cosa es su consumo moderado, otra es emborracharse. Lo que produce daños impresionantes es la cantidad que se consume y las circunstancias en que se hace. Así como el hecho de beber alcohol moderadamente no es en sí criminal, de igual manera tampoco lo debería ser drogarse prudentemente. Por eso es un error calificar sin matices el consumo de drogas o verlo como moralmente malo. Y de la misma manera que el intento de prohibir el consumo de alcohol fracasó estrepitosamente, también está fracasando, y fracasará, el intento de prohibir las drogas.

Mi hermano fue adicto a sustancias ilegales desde los 15 años. En la secundaria empezó a consumir LSD y mariguana, y luego siguió con otras "drogas". Nunca se inyectó heroína, porque le daba miedo picarse, pero a veces esnifaba cocaína. Durante más de 30 años tratamos de "salvarlo" y lo internamos en distintos centros de desintoxicación.

Fue imposible que dejara de consumir sustancias ilegales. A lo más, redujo su consumo a la mota y los "papeles". Cuando no lograba comprarlos se ponía muy agresivo. Con un poco de droga regresaba a su condición pacífica y encantadora. Murió hace cuatro años al caerse en su departamento y golpearse la cabeza. Supongo que estaba en un "viaje", y se tropezó. Fue una buena muerte, instantánea, y no la que temíamos que le ocurriera cuando iba a comprar su mota, o sus pastillas, o sus "papeles". En los últimos años, cuando desistimos de internarlo, nuestro miedo era lo que le podía pasar durante la transacción comercial. Eso, y no el efecto de la droga, era lo que más nos asustaba y preocupaba.

Por su adicción me puse a leer sobre el tema, y me enteré de que a principios del siglo xx la cocaína estaba permitida en todos los países, y que se vendía abiertamente en las farmacias. Es hasta la mitad de ese siglo que se empieza a regular su comercio, y luego a prohibirla. Y hoy su criminalización ha creado un mercado negro y desatado el narcotráfico.

Nuestro país se desangra y corrompe con el "narco". Los dirigentes e integrantes de los cárteles han tejido alianzas familiares y económicas que se han traducido, por un lado, en una fuerte corrupción de funcionarios y de ciertos mandos de las fuerzas armadas y de la policía, y por el otro, en una bonanza económica en distintas poblaciones, muchas de ellas olvidadas por el gobierno. Los cárteles van en camino de convertirse en un poder paralelo, además de que el régimen de terror que han implantado se traduce en un saldo creciente de muertos. De una lectura cuidadosa de la historia se desprende que hay que enfrentar el narcotráfico de otra manera: abandonando la perspectiva de una "guerra", obstaculizando cada vez más el lavado de dinero y reglamentando el uso de ciertas sustancias.

En lugar de intentar tapar el sol con un dedo, con la regulación se podrían impulsar tratamientos médicos para los adictos que sí desean desengancharse. A través de la despenalización del uso de la droga se podrían canalizar recursos y energías, por ejemplo, para apoyar la investigación biomédica en el desarrollo de una sustancia química que alivie a los drogadictos de la necesidad de drogarse. También se frenaría la inevitable corrupción dentro de las instituciones dedicadas a luchar contra la droga y las policías podrían dedicar sus esfuerzos a combatir a otros delincuentes. Además se reduciría el problema de las muertes por sobredosis o adulteración, ya que las dosis estarían controladas. Y la legalización también permitiría el uso de drogas en pacientes terminales con dolorosas agonías.

Hablar de "guerra contra la droga" es pura retórica política para intentar calmar la angustia e impotencia que siente la ciudadanía. Podríamos empezar por despenalizar el debate, y hablar públicamente de lo que significaría la regulación del consumo privado. Eso es lo que ya están proponiendo un grupo de políticos e intelectuales.

28/09/2008

LOS MEDIOS O EL HORROR BANALIZADO

En *La tentación de la inocencia*, Pascal Bruckner nos recuerda que la información y la verdad eran generalmente conocidas bajo la forma de revelaciones —es decir, develamientos, investigaciones o denuncias— y que el impacto que nos producían "provenía de la inmensa ignominia repentinamente destapada".

Esta forma del develamiento —que en México nos recuerda escritos y experiencias de Graham Greene, Julio Scherer, Monsiváis, Poniatowska y el subcomandante Marcos— seguirá existiendo porque las tiranías y los poderes mantendrán siempre en secreto sus crímenes. Sin embargo, con el desarrollo de los medios de comunicación y de la libertad de información, advierte Bruckner, se ha establecido "el reino de la sobreexposición, generador a la vez de equivalencia y de costumbre".

En efecto, cuando Calderón desató la guerra contra el crimen organizado, los secuestrados y asesinados, los torturados y descabezados surgían en la pantalla y en los periódicos causando conmociones. La adrenalina nos ponía en estado de vértigo, alteraba nuestra percepción y nos hería e indignaba el ultraje. Desde entonces, bajo el peso de la absurdidad de esa guerra y del requisito mediático de información y originalidad, la vertiginosidad de ese tipo de noticias no ha dejado de sucederse, pero a ella se suma la vertiginosidad de otras que disipan el espanto.

No bien miramos el horror del día cuando al punto aparecen otras tomas que lo velan: los cuerpos de los estudiantes asesinados en Ciudad Juárez desaparecen inmediatamente bajo un río de noticias, de anuncios y de programas insulsos. Aún no hemos acabado de digerir esas tragedias cuando otros horrores, con sus dosis de comerciales y programas insustanciales, sustituyen a los anteriores. A los estudiantes de Ciudad Juárez suceden los del Tec de Monterrey; a los descuartizados de tal estado, el asalto a la guarida de Beltrán Leyva; a éste, la bala en el cráneo de Cabañas; a ésta, el *reality show* de la familia Gebara Farah, y a ésta los colgados y baleados de Morelos… "Servidas en rachas desvinculadas entre sí —explica Bruckner—, crueldades y futilezas se suceden formando una guirnalda barroca que las nivela y las anula". Frente a la vejez y el olvido del episodio de ayer, la novedad horrible y sin esfuerzo del de hoy.

La consecuencia es la banalización del espanto. Si hace años bastaba un *spot* televisivo para sensibilizar nuestra conciencia y movilizarnos, hoy la saturación del horror y del divertimiento la estancan. De ese modo saturados, los seres humanos nos volvemos *voyeuristas*, espectadores de pornografía con derecho a mirar todo y a regodearnos —como en el caso de la niña Paulette— en la indiscreción del objetivo. Multiplicadas hasta lo insoportable, tomas, fotografías y reportajes de asesinatos, torturas, muertes y catástrofes, acompañadas de publicidad, *shows* y comedias, generan un saldo que, al final de la jornada, es la apatía, la monótona inalterabilidad del infierno.

La exhibición del horror, junto a la exhibición de la diversión, lejos de conmocionar, favorecen la parálisis. No la del miedo, sino la del aplastamiento. ¿Cómo asumir todas esas tragedias y responder a ellas en medio de una orgía de esparcimiento y consumo? Todas esas víctimas de una época enferma que, al parejo del jolgorio mediático, irrumpen en nuestras vidas, "nos sobrepasan —vuelvo a Bruckner— con su profusión y su diversidad [y nos gritan en la] lengua […] de la conciencia un ultimátum terrible: 'ocúpense de nosotros'". Su efecto, sin embargo, frente a la desproporción de la tarea, es, como digo, el aplastamiento. Más allá de la vergüenza, de los restos de indignación que nos quedan —y que surgen intermitentes entre la escena horrible y el anuncio del coche, de la tarjeta de crédito, de la crema antiarrugas—, no sabemos qué hacer frente a esos dramas cuya desproporción supera nuestra capacidad de respuesta.

Pareciera que los medios de comunicación, por una paradoja perversa de la libertad, lejos de denunciar lo terrible de un gobierno que no sabe poner orden en su casa y pretende controlarnos con el miedo y el estado de excepción, se sumaran a él en su sobreexposición del mal y de la diversión. La presencia inmediata de cada individuo en las desgracias de nuestro entorno y en las festividades del mercado conduce directamente a la inercia y a la aceptación bovina de la policía y del ejército en las calles. Lejos de movilizarnos, los medios logran lo que el gobierno y el crimen desean: abatirnos en un estado de catástrofe permanente y en la aceptación de que el mal sólo se combate con otro mal: el incremento de los cuerpos de seguridad.

¿Tendrían que callarse? Más bien tendrían el deber de canalizar la indignación, de abrir la puerta angosta de la resistencia. El derecho a la información tiene que ir acompañado del deber de rechazar el terror, la guerra y el miedo como métodos de gobierno y de vida civil. Pero habría que preguntarse: ¿Hay todavía en el grueso de los medios de comunicación una ambición civilizadora, o lo único que les interesa es preservarse, como nuestros gobiernos, mediante la sobreexplotación del horror y de la diversión?

18/04/2010

Cuernavaca, rehén o laboratorio

Desde el golpe mediático que la marina hizo el 16 de diciembre de 2009 con el operativo que eliminó a Beltrán Leyva en Cuernavaca, el estado de Morelos ha seguido el mismo patrón de otras entidades: asesinatos, descuartizamientos, balaceras y muertes de inocentes. Cuatro meses después de aquel operativo, el jueves 14 de abril, algo inédito surgió: por las redes de internet comenzó a circular un supuesto narcomensaje dirigido a la ciudadanía de Morelos. Lo reproduzco en lo sustancial tal y como llegó a mi correo:

"ciudadania de morelos [...] el cartel de pacifico sur es una organizacion dedicada unicamente al comercio de drogas, nosotros nunca hariamos daños a la familias morelenses [...] la autorizacion ha llegado por parte del 'jefe' las ordenes son claras eliminar a todos los miembros que trabajen para 'edgar valdez villareal'(la barbie) que nos traiciono y se metio con el pueblo y a todos aquellos que tengan nexos con el tenemos la orden […] de matar, descuartizar, decapitar uno por uno […] les recomendamos que no salgan en la noche a antros, bares etc ya que los podemos confundir y van a valer madres […] esto va a durar poco por el 'jefe de jefes' la tranquilidad regresara así como siempre lo quizo el. att: 'resistencia' cps".

Entre el 15 y el 16 de abril continuaron llegando narcomensajes que, con algunas variantes, precisaban una fecha. Reproduzco lo sustancial del que recibí el 16 de abril por la mañana:

"pasen la voz a toda la ciudadanía de morelos una vez informada de nuestros movimientos se les avisa que el día viernes 16 de abril se dará el toque de queda, esto significa que a partir de las 20:00 hrs se les recomienda no salir por que estaremos en operativo […]. att: 'resistencia' cps."

En la tarde de ese día la psicosis era total. Las propias autoridades de las dependencias del estado dieron la orden de cerrar establecimientos a las 18:30 horas. A las 20:30 sólo unos cuantos autos y personas circulábamos: los cafés, los bares, los restaurantes, los comercios estaban cerrados, y la mayoría de los ciudadanos se recluyeron en sus casas.

Dos hechos alarman: 1) el grado de terror que la guerra desencadenada por Calderón ha instalado en la ciudadanía; 2) el silencio por parte de los gobiernos estatal y federal frente a la psicosis desatada. El primero es evidente: tres años de una violencia que crece y se desborda por toda la República no pueden más que instalar el miedo y la impotencia en el corazón. El segundo es ambiguo y, por lo mismo, generador del miedo psicótico que se vivió: ¿por qué Marco Antonio Adame, el gobernador de Morelos, desde el momento en que la psicosis comenzó a cundir no hizo una rueda de prensa y encadenó a las radiodifusoras para enviar un mensaje a la ciudadanía y conjurar el terror? ¿Por qué permitió que las propias instancias del gobierno cerraran? ¿Por qué ni la Cámara ni los presidentes municipales ni los partidos hicieron algo al respecto?

Puede haber dos explicaciones: o bien, tenemos una clase política imbécil, rehén del crimen organizado y ajena a los ciudadanos, o el gobierno federal está utilizando a Morelos y los supuestos narcomensajes para medir la posibilidad de instalar realmente un estado de excepción en el país.

Ambas cosas son terribles. Muestran el grado de corrosión al que ha llegado la vida política y el grado de miedo que la guerra de Calderón ha logrado instalar en el corazón de los ciudadanos. Pero sea un terror o el otro, la verdad es atroz: a fuerza de miedo, de mensajes anónimos y de silencio de las autoridades, el narcotráfico y el poder político lograron que una ciudadanía suspendiera, por sí misma y durante una noche, sus garantías constitucionales. De allí al hecho jurídico hay sólo un paso.

¿Cuernavaca es el laboratorio que permitirá al gobierno dar ese paso? No lo sabemos, pero la sospecha está allí. El gobierno de Calderón no ha dejado de proceder con una mentalidad totalitaria. En nombre de la salud y del bienestar, es decir, en nombre del sueño neoliberal, desató un terror que ha llamado "guerra contra el crimen organizado" y, bajo esa pantalla, contra las disidencias políticas. Se ha sentido y se siente, inspirado por una moral abstracta, el guardián de los mexicanos. La gente que sufre por su terror no lo conmueve —"los muertos civiles son los menos", dijo hace poco—, porque su saber, como el de todos los totalitarios, es abstracto. "Ustedes, ciudadanos —parece decirnos junto con Adame y los poderes políticos de Morelos—, no nos conmueven. Amamos demasiado el poder y nuestros sueños, como los narcos su negocio, para ser sensibles a sus sufrimientos y a sus demandas verdaderamente políticas. Es más, contamos con el terror que les hemos creado para desplegar al ejército y, de ser necesario, en nombre del bienestar que les prometemos, para suspender sus garantías —parecen quererlo cuando corren a casa al llamado anticonstitucional de 'un toque de queda' decretado por los criminales que perseguimos—. El amor por el bien que queremos darles nos autoriza a introyectarles el miedo para que clamen por la dureza. Nuestro compromiso con lo que ustedes necesitan nos preserva de la coartada del vínculo social".

Tomar partido de una vez por todas y en todas las circunstancias a favor de un bien social abstracto es, como lo está haciendo el gobierno, asumir la vía totalitaria. "El campo de Abel —escribía Finkielkraut— puede ser tan criminal como la violencia de Caín". La prueba más clara es la psicosis que se vivió en Morelos con la complacencia y el silencio de las autoridades y el consiguiente despliegue del ejército en el estado. No podemos aceptarlo; no es posible aceptar más que el gobierno, de la mano del crimen organizado, se haya convertido en una máquina de desesperar a los ciudadanos para, bajo el pretexto de servirlos, obligarlos un día a abdicar de sus derechos.

02/05/2010

ESTAMOS HASTA LA MADRE...
(Carta abierta a los políticos y a los criminales)

El brutal asesinato de mi hijo Juan Francisco, de Julio César Romero Jaime, de Luis Antonio Romero Jaime y de Gabriel Anejo Escalera, se suma a los de tantos otros muchachos y muchachas que han sido igualmente asesinados a lo largo y ancho del país a causa no sólo de la guerra desatada por el gobierno de Calderón contra el crimen organizado, sino del pudrimiento del corazón que se ha apoderado de la mal llamada clase política y de la clase criminal, que ha roto sus códigos de honor.

No quiero, en esta carta, hablarles de las virtudes de mi hijo, que eran inmensas, ni de las de los otros muchachos que vi florecer a su lado, estudiando, jugando, amando, creciendo, para servir, como tantos otros muchachos, a este país que ustedes han desgarrado. Hablar de ello no serviría más que para conmover lo que ya de por sí conmueve el corazón de la ciudadanía hasta la indignación. No quiero tampoco hablar del dolor de mi familia y de la familia de cada uno de los muchachos destruidos. Para ese dolor no hay palabras —sólo la poesía puede acercarse un poco a él, y ustedes no saben de poesía—. Lo que hoy quiero decirles desde esas vidas mutiladas, desde ese dolor que carece de nombre porque es fruto de lo que no pertenece a la naturaleza —la muerte de un hijo es siempre antinatural y por ello carece de nombre: entonces no se es huérfano ni viudo, se es simple y dolorosamente nada—, desde esas vidas mutiladas, repito, desde ese sufrimiento, desde la indignación que esas muertes han provocado, es simplemente que estamos hasta la madre.

Estamos hasta la madre de ustedes, políticos —y cuando digo políticos no me refiero a ninguno en particular, sino a una buena parte de ustedes, incluyendo a quienes componen los partidos—, porque en

159

sus luchas por el poder han desgarrado el tejido de la nación, porque en medio de esta guerra mal planteada, mal hecha, mal dirigida, de esta guerra que ha puesto al país en estado de emergencia, han sido incapaces —a causa de sus mezquindades, de sus pugnas, de su miserable grilla, de su lucha por el poder— de crear los consensos que la nación necesita para encontrar la unidad sin la cual este país no tendrá salida; estamos hasta la madre, porque la corrupción de las instituciones judiciales genera la complicidad con el crimen y la impunidad para cometerlo; porque, en medio de esa corrupción que muestra el fracaso del Estado, cada ciudadano de este país ha sido reducido a lo que el filósofo Giorgio Agamben llamó, con palabra griega, *zoe*: la vida no protegida, la vida de un animal, de un ser que puede ser violentado, secuestrado, vejado y asesinado impunemente; estamos hasta la madre porque sólo tienen imaginación para la violencia, para las armas, para el insulto y, con ello, un profundo desprecio por la educación, la cultura y las oportunidades de trabajo honrado y bueno, que es lo que hace a las buenas naciones; estamos hasta la madre porque esa corta imaginación está permitiendo que nuestros muchachos, nuestros hijos, no sólo sean asesinados sino, después, criminalizados, vueltos falsamente culpables para satisfacer el ánimo de esa imaginación; estamos hasta la madre porque otra parte de nuestros muchachos, a causa de la ausencia de un buen plan de gobierno, no tienen oportunidades para educarse, para encontrar un trabajo digno y, arrojados a las periferias, son posibles reclutas para el crimen organizado y la violencia; estamos hasta la madre porque a causa de todo ello la ciudadanía ha perdido confianza en sus gobernantes, en sus policías, en su ejército, y tiene miedo y dolor; estamos hasta la madre porque lo único que les importa, además de un poder impotente que sólo sirve para administrar la desgracia, es el dinero, el fomento de la competencia, de su pinche "competitividad" y del consumo desmesurado, que son otros nombres de la violencia. De ustedes, criminales, estamos hasta la madre, de su violencia, de su pérdida de honorabilidad, de su crueldad, de su sinsentido. Antiguamente ustedes tenían códigos de honor. No eran tan crueles en sus ajustes de cuentas y no tocaban ni a los ciudadanos ni a sus familias. Ahora ya no distinguen. Su violencia ya no puede ser nombrada porque ni siquiera, como el dolor y el sufrimiento que provocan, tiene un nombre y un sentido. Han perdido incluso la dignidad para matar. Se han vuelto cobardes como los miserables *Sonderkommandos* nazis que asesinaban sin ningún sentido de lo humano a niños, muchachos, muchachas, mujeres, hombres y ancianos, es decir, inocentes. Estamos hasta la madre porque su violencia se ha vuelto infrahumana, no animal —los animales no hacen lo que ustedes hacen—, sino subhumana, demoniaca, imbécil. Estamos hasta la madre porque en su afán de poder y de enriquecimiento humillan a nuestros hijos y los destrozan y producen miedo y espanto. Ustedes, "señores" políticos, y ustedes, "señores" criminales —lo entrecomillo porque ese epíteto se otorga sólo a la gente honorable—, están con sus omisiones, sus pleitos y sus actos envileciendo a la nación. La muerte de mi hijo Juan Francisco ha levantado la solidaridad y el grito de indignación —que mi familia y yo agradecemos desde el fondo de nuestros corazones— de la ciudadanía y de los medios. Esa indignación vuelve de nuevo a poner ante nuestros oídos esa acertadísima frase que Martí dirigió a los gobernantes: "Si no pueden, renuncien". Al volverla a poner ante nuestros oídos —después de los miles de cadáveres anónimos y no anónimos que llevamos a nuestras espaldas, es decir, de tantos inocentes asesinados y envilecidos—, esa frase debe ir acompañada de grandes movilizaciones ciudadanas que los obliguen, en estos momentos de emergencia nacional, a unirse para crear una agenda que unifique a la nación y cree un estado de gobernabilidad real. Las redes ciudadanas de Morelos están convocando a una marcha nacional el miércoles 6 de abril que saldrá a las 5:00 PM del monumento de la Paloma de la Paz para llegar hasta el Palacio de Gobierno, exigiendo justicia y paz. Si los ciudadanos no nos unimos a ella y la reproducimos constantemente en todas las ciudades, en todos los municipios o delegaciones del país, si no somos capaces de eso para obligarlos a ustedes, "señores" políticos, a gobernar con justicia y dignidad, y a ustedes, "señores" criminales, a retornar a sus códigos de honor y a limitar su salvajismo, la espiral de violencia que han generando nos llevará a un camino de horror sin retorno. Si ustedes, "señores" políticos, no gobiernan bien y no toman en serio que vivimos un estado de emergencia nacional que requiere su unidad, y ustedes, "señores" criminales, no limitan sus acciones, terminarán por triunfar y tener el poder, pero gobernarán o reinarán sobre un montón de osarios y de seres amedrentados y destruidos en su alma. Un sueño que ninguno de nosotros les envidia. No hay vida, escribía Albert Camus, sin persuasión y sin paz, y la historia del México de hoy sólo conoce la intimidación, el sufrimiento, la desconfianza y el temor de que un día otro hijo o hija de alguna otra familia sea envilecido y masacrado, sólo conoce que lo que ustedes nos piden es que la muerte, como ya está sucediendo hoy, se convierta en un asunto de estadística y de administración al que todos debemos acostumbrarnos. Porque no queremos eso, el próximo miércoles saldremos a la calle; porque no queremos un muchacho más, un hijo nuestro, asesinado, las redes ciudadanas de Morelos están convocando a una unidad nacional ciudadana que debemos mantener viva para romper el miedo y el aislamiento que la incapacidad de ustedes, "señores" políticos, y la crueldad de ustedes, "señores" criminales, nos quieren meter en el cuerpo y en el alma. Recuerdo, en este sentido, unos versos de Bertolt Brecht cuando el horror del nazismo, es decir, el horror de la instalación del crimen en la vida cotidiana de una nación, se anunciaba: "Un día vinieron por los negros y no dije nada; otro día vinieron por los judíos y no dije nada; un día llegaron por mí (o por un hijo mío) y no tuve nada qué decir". Hoy, después de tantos crímenes soportados, cuando el cuerpo destrozado de mi hijo y de sus amigos ha hecho movilizarse de nuevo a la ciudadanía y a los medios, debemos hablar con nuestros cuerpos, con nuestro caminar, con nuestro grito de indignación para que los versos de Brecht no se hagan una realidad en nuestro país. Además opino que hay que devolverle la dignidad a esta nación.

03/04/2011

Nuevo pacto o fractura nacional

Tal vez la era se convierta por completo en un tiempo de penuria. Pero tal vez no, todavía no, aún no, aun a pesar de la inconmensurable necesidad, a pesar de todos los sufrimientos, a pesar de un dolor sin nombre, a pesar de la ausencia de paz en creciente progreso, a pesar de la creciente confusión.
Heidegger

[Nuestro] peso es [nuestro] amor; a donde quiera que se [nos] lleve,
es él quien nos lleva. [Ese] don que proviene de [nosotros]
nos inflama y nos eleva: [nosotros] ardemos y vamos.
San Agustín

Hemos llegado a pie, como lo hicieron los antiguos mexicanos, hasta este sitio en donde ellos por vez primera contemplaron el lago, el águila, la serpiente, el nopal y la piedra, ese emblema que fundó a la nación y que ha acompañado a los pueblos de México a lo largo de los siglos. Hemos llegado hasta esta esquina donde alguna vez habitó Tenochtitlan —a esta esquina donde el Estado y la iglesia se asientan sobre los basamentos de un pasado rico en enseñanzas y donde los caminos se encuentran y se bifurcan—; hemos llegado aquí para volver a hacer visibles las raíces de nuestra nación, para que su desnudez, que acompaña la desnudez de la palabra, que es el silencio, y la dolorosa desnudez de nuestros muertos, nos ayuden a alumbrar el camino.

Si hemos caminado y hemos llegado así, en silencio, es porque nuestro dolor es tan grande y tan profundo, y el horror del que proviene tan inmenso, que ya no tienen palabras con qué decirse. Es también porque a través de ese silencio nos decimos, y les decimos a quienes tienen la responsabilidad de la seguridad de este país, que no queremos un muerto más a causa de esta confusión creciente que sólo busca asfixiarnos, como asfixiaron el aliento y la vida de mi hijo Juan Francisco, de Luis Antonio, de Julio César, de Gabo, de María del Socorro, del comandante Jaime y de tantos miles de hombres, mujeres, niños y ancianos asesinados con un desprecio y una vileza que pertenecen a mundos que no son ni serán nunca los nuestros; estamos aquí para decirnos y decirles que este dolor del alma en los cuerpos no lo convertiremos en odio ni en más violencia, sino en una palanca que nos ayude a restaurar el amor, la paz, la justicia, la dignidad y la balbuciente democracia que estamos perdiendo; para decirnos y decirles que aún creemos que es posible que la nación vuelva a renacer y a salir de sus ruinas, para mostrarles a los señores de la muerte que estamos de pie y que no cejaremos de defender la vida de todos los hijos y las hijas de este país, que aún creemos que es posible rescatar y reconstruir el tejido social de nuestros pueblos, barrios y ciudades.

Si no hacemos esto solamente podremos heredar a nuestros muchachos, a nuestras muchachas y a nuestros niños una casa llena de desamparo, de temor, de indolencia, de cinismo, de brutalidad y engaño, donde reinan los señores de la muerte, de la ambición, del poder desmedido y de la complacencia y la complicidad con el crimen.

Todos los días escuchamos historias terribles que nos hieren y nos hacen preguntarnos: ¿cuándo y en dónde perdimos nuestra dignidad? Los claroscuros se entremezclan a lo largo del tiempo para advertirnos que esta casa donde habita el horror no es la de nuestros padres, pero sí lo es; no es el México de nuestros maestros, pero sí lo es; no es el de aquellos que ofrecieron lo mejor de sus vidas para construir un país más justo y democrático, pero sí lo es; esta casa donde habita el horror no es el México de Salvador Nava, de Heberto Castillo, de Manuel Clouthier, de los hombres y mujeres de las montañas del sur —de esos pueblos mayas que engarzan su palabra a la nación— y de tantos otros que nos han recordado la dignidad, pero sí lo es; no es el de los hombres y mujeres que cada amanecer se levantan para ir a trabajar y con honestidad sostenerse y sostener a sus familias, pero sí lo es; no es el de los poetas, de los músicos, de los pintores, de los bailarines, de todos los artistas que nos revelan el corazón del ser humano y nos conmueven y nos unen, pero sí lo es. Nuestro México, nuestra casa, está rodeada de grandezas, pero también de grietas y de abismos que al expandirse por descuido, complacencia y complicidad nos han conducido a esta espantosa desolación.

Son esas grietas, esas heridas abiertas, y no las grandezas de nuestra casa, las que también nos han obligado a caminar hasta aquí, entrelazando nuestro silencio con nuestros dolores, para decirles directamente a la cara que tienen que aprender a mirar y a escuchar, que deben nombrar a todos nuestros muertos —a esos que la maldad del crimen ha asesinado de tres maneras: privándolos de la vida, criminalizándolos y enterrándolos en las fosas comunes de un silencio ominoso que no es el nuestro—; para decirles que con nuestra presencia estamos nombrando esta infame realidad que ustedes, la clase política, los llamados poderes fácticos y sus siniestros monopolios, las jerarquías de los poderes económicos y religiosos, los gobiernos y las fuerzas policiacas han negado y quieren continuar negando. Una realidad que los criminales, en su demencia, buscan imponernos aliados con las omisiones de los que detentan alguna forma de poder.

Queremos afirmar aquí que no aceptaremos más una elección si antes los partidos políticos no limpian sus filas de esos que, enmascarados en la legalidad, están coludidos con el crimen y tienen al Estado maniatado y cooptado al usar los instrumentos de éste para erosionar las mismas esperanzas de cambio de los ciudadanos. O, ¿dónde estaban los partidos, los alcaldes, los gobernadores, las autoridades federales, el ejército, la armada, las iglesias, los congresos, los empresarios; dónde estábamos todos cuando los caminos y carreteras que llevan a Tamaulipas se convirtieron en trampas mortales para hombres y mujeres indefensos, para nuestros hermanos migrantes de Centroamérica? ¿Por qué nuestras autoridades y los partidos han aceptado que en Morelos y en muchos estados de la República gobernadores señalados públicamente como cómplices del crimen organizado permanezcan impunes y continúen en las filas de los partidos y a veces en puestos de gobierno? ¿Por qué se permitió que diputados del Congreso de la Unión se organizaran para ocultar a un prófugo de la justicia, acusado de tener vínculos con el crimen organizado y lo introdujeron al recinto que debería ser el más honorable de la patria porque en él reside la representación plural del pueblo y terminaran dándole fuero y después aceptando su realidad criminal en dos vergonzosos sainetes? ¿Por qué se permitió al presidente de la República y por qué decidió éste lanzar al ejército a las calles en una guerra absurda que nos ha costado 40 mil víctimas y millones de mexicanos abandonados al miedo y a la incertidumbre? ¿Por qué se trató de hacer pasar, a espaldas de la ciudadanía, una ley de seguridad que exige hoy, más que nunca una amplia reflexión, discusión y consenso ciudadano? La Ley de Seguridad Nacional no puede reducirse a un asunto militar. Asumida así es y será siempre un absurdo. La ciudadanía no tiene por qué seguir pagando el costo de la inercia e inoperancia del Congreso y sus tiempos convertido en chantaje administrativo y banal cálculo político. ¿Por qué los partidos enajenan su visión, impiden la reforma política y bloquean los instrumentos legales que permitan a la ciudadanía una representación digna y eficiente que controle todo tipo de abusos? ¿Por qué en ella no se ha incluido la revocación del mandato ni el plebiscito?

Estos casos —hay cientos de la misma o de mayor gravedad— ponen en evidencia que los partidos políticos, el PAN, el PRI, el PRD, el PT, Convergencia, Nueva Alianza, el Panal, el Verde, se han convertido en una partidocracia de cuyas filas emanan los dirigentes de la nación. En todos ellos hay vínculos con el crimen y sus mafias a lo largo y ancho de la nación. Sin una limpieza honorable de sus filas y un compromiso total con la ética política, los ciudadanos tendremos que preguntarnos en las próximas elecciones por qué cártel y por qué poder fáctico tendremos que votar. ¿No se dan cuenta de que con ello están horadando y humillando lo más sagrado de nuestras instituciones republicanas, que están destruyendo la voluntad popular que mal que bien los llevó a donde hoy se encuentran?

Los partidos políticos debilitan nuestras instituciones republicanas, las vuelven vulnerables ante el crimen organizado y sumisas ante los grandes monopolios; hacen de la impunidad un *modus vivendi* y convierten a la ciudadanía en rehén de la violencia imperante.

Ante el avance del hampa vinculada con el narcotráfico, el Poder Ejecutivo asume, junto con la mayoría de la mal llamada clase política, que hay sólo dos formas de enfrentar esa amenaza: administrándola ilegalmente como solía hacerse y se hace en muchos lugares o haciéndole la guerra con el ejército en las calles como sucede hoy. Se ignora que la droga es un fenómeno histórico que, descontextualizado del mundo religioso al que servía, y sometido ahora al mercado y sus consumos, debió y debe ser tratado como un problema de sociología urbana y de salud pública, y no como un asunto criminal que debe enfrentarse con la violencia. Con ello se suma más sufrimiento a una sociedad donde se exalta el éxito, el dinero y el poder como premisas absolutas que deben conquistarse por cualquier medio y a cualquier precio.

Este clima ha sido tierra fértil para el crimen que se ha convertido en cobros de piso, secuestros, robos, tráfico de personas y en complejas empresas para delinquir y apropiarse del absurdo modelo económico de tener siempre más a costa de todos.

A esto, ya de por sí terrible, se agrega la política norteamericana. Su mercado millonario del consumo de la droga, sus bancos y empresas que lavan dinero, con la complicidad de los nuestros, y su industria armamentista —más letal, por contundente y expansiva, que las drogas—, cuyas armas llegan a nuestras tierras, no sólo fortalecen el crecimiento de los grupos criminales, sino que también los proveen de una capacidad inmensa de muerte. Los Estados Unidos han diseñado una política de seguridad cuya lógica responde fundamentalmente a sus intereses globales donde México ha quedado atrapado.

¿Cómo reestructurar esta realidad que nos ha puesto en un estado de emergencia nacional? Es un desafío más que complejo. Pero México no puede seguir simplificándolo y menos permitir que esto ahonde más sus divisiones internas y nos fracture hasta hacer casi inaudibles el latido de nuestros corazones que es el latido de la nación. Por eso les decimos que es urgente que los ciudadanos, los gobiernos de los tres órdenes, los partidos políticos, los campesinos, los obreros, los indios, los académicos, los intelectuales, los artistas, las iglesias, los empresarios, las organizaciones civiles, hagamos un pacto, es decir, un compromiso fundamental de paz con justicia y dignidad, que le permita a la nación rehacer su suelo, un pacto en el que reconozcamos y asumamos nuestras diversas responsabilidades, un pacto que le permita a nuestros muchachos, a nuestras muchachas y a nuestros niños recuperar su presente y su futuro, para que dejen de ser las víctimas de esta guerra o el ejército de reserva de la delincuencia.

Por ello, es necesario que todos los gobernantes y las fuerzas políticas de este país se den cuenta de que están perdiendo la representación de la nación que emana del pueblo, es decir, de los ciudadanos como los que hoy estamos reunidos en el Zócalo de la Ciudad de México y en otras ciudades del país.

Si no lo hacen, y se empeñan en su ceguera, no sólo las instituciones quedarán vacías de sentido y de dignidad, sino que las elecciones de 2012 serán las de la ignominia, una ignominia que hará más profundas las fosas en donde, como en Tamaulipas y Durango, están enterrando la vida del país.

Estamos, pues, ante una encrucijada sin salidas fáciles, porque el suelo en el que una nación florece y el tejido en el que su alma se expresa están deshechos. Por ello, el pacto al que convocamos después de recoger muchas propuestas de la sociedad civil, y que en unos momentos leerá Olga Reyes, que ha sufrido el asesinato de seis familiares, es un pacto que contiene seis puntos fundamentales que permitirán a la sociedad civil hacer un seguimiento puntual de su cumplimiento y, en el caso de traicionarse, penalizar a quienes sean responsables de esas traiciones; un pacto que se firmará en el centro de Ciudad Juárez —el rostro más visible de la destrucción nacional— de cara a los nombres de nuestros muertos y lleno de un profundo sentido de lo que una paz digna significa.

Antes de darlo a conocer, hagamos un silencio más de cinco minutos en memoria de nuestros muertos, de la sociedad cercada por la delincuencia y un Estado omiso, y como una señal de la unidad y de la dignidad de nuestros corazones que llama a todos a refundar la nación. Hagámoslo así porque el silencio es el lugar en donde se recoge y brota la palabra verdadera, es la hondura profunda del sentido, es lo que nos hermana en medio de nuestros dolores, es esa tierra interior y común que nadie tiene en propiedad y de la que, si sabemos escuchar, puede nacer la palabra que nos permita decir otra vez con dignidad y una paz justa el nombre de nuestra casa: México.

08/05/2011

EL CONSUELO Y LA JUSTICIA

Cuarenta mil muertos, diez mil desaparecidos —tratados como cifras, como abstracciones estadísticas—, miles de familias rotas y despreciadas por la impunidad del sistema de justicia, y millones de seres humanos desprotegidos, abandonados a la violencia de un crimen organizado que crece a la sombra de un Estado que, en su podredumbre, no ha sabido cumplir con su vocación primera, dar seguridad a sus ciudadanos, era el saldo que hasta el 27 de marzo vivíamos los seres humanos de esta nación. A partir de esa fecha algo cambió. Los asesinados de ese día tenían nombre, un nombre que gritaba, desde el dolor de sus amigos y de sus padres, un "Estamos hasta la madre" de los criminales y de los políticos, un reclamo que repentinamente no sólo comenzó a nombrar a sus muertos, sino a exigir una justicia de la que todos los mexicanos hemos estado privados durante los últimos cuatro años.

Si de alguna manera puedo definir lo que desde entonces han sido la marcha del 6 de abril en Cuernavaca y la que el 5 de mayo salió de esa misma ciudad para llegar el 8 del mismo mes al Zócalo de la Ciudad de México, es a través de dos palabras que los criminales y la "clase" política han extraviado en su inhumanidad: el dolor y el consuelo. Fue el dolor que, convertido en dignidad, inició esta forma de nombrar lo innombrable. Fue esa dignidad, la que a lo largo de las marchas fue sumando dolores, rompiendo el miedo y generando el consuelo. El dolor, me decía mi padre —a diferencia de la alegría que reúne—, une, y esa unión se llama consuelo.

La palabra es hermosa. Consolar es estar con la soledad del otro. Ir a su encuentro para abrazarla y acogerla. Para decirle —como coreaban muchísimos cuando llegamos a la Ciudad de México—: "No estás solo". "No estamos solos". "Tu dolor es el nuestro".

Lo que el 27 de marzo fue una tragedia personal —tan personal como la de 40 mil muertos y familias hundidas en la soledad— se fue convirtiendo en una muchedumbre de soledades que se unía para compartir su dolor con el de otros, y en su abrazo, en su caminar juntos, se consolaban. Las 300 personas que el 5 de mayo salimos de Cuernavaca arropadas por la bandera de México se fueron al paso de los días convirtiendo en miles. Las soledades llegaban de todas partes. Desde los pueblos y las ciudades más remotas, desde los dolores más atroces y las injusticias más viles llegaban padres, madres, hijos, hijas mutilados con los nombres y las fotografías de sus muertos, y sus lágrimas; llegaban también padres, madres, hijos, hijas que, por gracia, no conocen en carne propia ese dolor, pero a quienes la compasión unía y une en un nosotros; llegaban para abrazar nuestro dolor y nosotros el suyo, para encontrar el amor y la paz que nos arrancaron, para consolarse y consolarnos con una caricia, un llanto, un plato de comida, una botella de agua y hacer de nuevo la primera de las justicias, que es reconocernos como seres humanos y caminar juntos. Con ese caminar, les estábamos diciendo y continuamos diciéndoles a los criminales que, a pesar del terror que quieren imponernos y del sufrimiento que crean, no les tememos, que nuestro consuelo y nuestra dignidad son más fuertes que ellos y que con nuestro andar recuperamos nuestras carreteras, nuestras calles, nuestro territorio. Con ese caminar y nuestro arribo al Zócalo de la Ciudad de México les estábamos diciendo, y continuamos diciéndoles también a los poderes del Estado y a los partidos políticos, que están podridos, que si el crimen está campeando en nuestro país como lo hace es porque el Estado está cooptado por criminales y sólo sirve a intereses ajenos a la ciudadanía, que por ello esta guerra estúpida se va perdiendo y los muertos y el horror los estamos poniendo los ciudadanos. Les estamos diciendo que juntos o sin ellos vamos a refundar esta nación para que la dignidad que hemos mostrado permanezca viva y se haga una ley de seguridad nacional que no sólo piense en la violencia sino en el tejido social que la incompetencia del Estado ha desgarrado.

Nosotros, los hombres y mujeres de a pie, los que sostenemos todos los días a esta nación desgarrada, que llevamos a cuestas el dolor de miles de muertos y de injusticias atroces, hemos hecho con nuestras marchas la primera de las justicias negadas: la del consuelo, que es del orden del amor. Con ese consuelo llegamos y articulamos una movilización que demanda al Estado y a los partidos políticos la segunda justicia que nos deben, la legal. Un consuelo en la impunidad es un consuelo mutilado, y el Estado nos debe esa justicia. No sólo tiene que nombrar a nuestros muertos —darles rostro y presencia; si eran inocentes, indemnizar a las familias; si eran criminales, saber de dónde venían, qué sucede en el tejido social de sus lugares que los convirtió en criminales, y trabajar por rehacerlo—, sino también atrapar a los asesinos, estén en donde estén (en la ilegalidad o en la legalidad), y aplicarles la ley. Nuestros muertos, por voz de los vivos, que se consuelan, hablan y piden justicia. Una justicia que, junto con la recomposición de las instituciones, nadie debe regatearles, a no ser que el Estado acepte ser lo que hasta ahora ha sido, un Estado criminal.

22/05/2011

LA PLACA DE MARISELA Y LA DESOBEDIENCIA CIVIL

A quienes fuimos y vivimos el consuelo

A lo largo de la Caravana del Consuelo por la Paz y la Justicia, muchos dolores —signos ominosos de la inseguridad, la injusticia y la impunidad que reina en nuestra clase política— se fueron sumando al consuelo. Esos dolores hicieron que en Chihuahua colocáramos, en un acto de desobediencia civil y como lo hicimos en Cuernavaca con nuestros muertos, una placa en las baldosas del Palacio de Gobierno con el nombre de Marisela Escobedo, la luchadora por los derechos humanos que fue asesinada a las puertas del mismo palacio, después de que el victimario de su hija fuera liberado. La placa, a la que deben sumarse los nombres de los cientos de asesinados en esa entidad, es un recordatorio a las autoridades de que la muerte de Marisela es su responsabilidad, y que le deben a ella, a su hija y a cientos de víctimas y de familias destruidas la justicia que merecen. Es también un recordatorio a los ciudadanos de que eso no debe suceder ya en nuestro país. El enojo del gobierno de Chihuahua por ese acto ha sido tan grande como su ignorancia política y su cinismo. Un día después de nuestra partida rumbo al epicentro del dolor, Ciudad Juárez, la secretaria general de Gobierno, Graciela Ortiz, declaró: "Cuando un ciudadano le exige al gobierno que cumpla con la ley, debe poner el ejemplo [...] existe toda una normatividad que prohíbe la instalación (*sic*) o destrucción de un edificio público [...]. El Palacio de Gobierno es un edificio público, pero tiene regulaciones, no se respetaron [...] incluso se destruyó un mosaico que tiene muchos años [...] la expresión [de Javier Sicilia de que si el gobernador retira la placa es un criminal] me parece que no corresponde a una realidad, ya que si algo ha habido a las auténticas causas sociales, ha sido respeto [...]" (*El Diario*, 11 de junio de 2011).

Ciertamente rompimos el "mosaico" de la entrada y pegamos con cemento y tornillos la placa en memoria de Marisela; ciertamente también violamos las regulaciones de ese edificio público (y si el gobernador quiere encarcelarnos estamos dispuestos, nosotros no creemos en el cinismo). Lo que, sin embargo, olvida la secretaria es que no habríamos violentado esa ley si el propio gobierno hubiera, como es su responsabilidad primera, cuidado la integridad de Marisela y de su hija Rubí, y si después de los amargos sucesos, frutos de su irresponsabilidad, hubiera hecho ya la justicia que la muerte de esa madre y de esa hija reclaman a través nuestro. La secretaria de Gobierno —preocupada más por el "mosaico" de la entrada del inmueble, propiedad del Estado, es decir, de los ciudadanos, que por el feminicidio de esas dos mujeres y la impunidad del crimen— olvida también que en la escalinata de ese mismo lugar hay una placa de cantera que rememora el atentado al gobernador Patricio Martínez. ¿Allí —porque se trataba de un gobernador y de un hombre— no se violó la normatividad? Con esa actitud de desprecio por los ciudadanos y la justicia que legítimamente reclamamos, la funcionaria da una señal de lo que tanto criticamos: las autoridades no sólo continúan creyendo que su tarea es defender a las instituciones y no a la ciudadanía, sino también que las instituciones y el gobierno son lo mismo, y que éste tiene privilegios —en este caso, negarse a aceptar su responsabilidad en los crímenes de Marisela y de Rubí— que deben proteger por encima de los ciudadanos. Con ello, la secretaria de Gobierno no sólo muestra su ignorancia política, sino su insensibilidad y su desprecio frente al dolor que padece la gente de su entidad. Su actitud es tan criminal como lo sería el acto de quitar la placa que los ciudadanos decidimos colocar en el centro mismo del crimen. Si el gobernador del estado la quita, mostrará su complicidad con el crimen; si no hace justicia a Marisela y a los cientos de crímenes que permanecen dormidos en la procuraduría, lo mostrará también, y nosotros iremos otra vez a Chihuahua a colocarla de nuevo hasta que entiendan, hasta que cambien su conducta, hasta que se haga justicia y cumplan con su deber.

Con la placa de Marisela, que se agrega a las placas que en Cuernavaca hemos ido colocando también en el Palacio de Gobierno, los ciudadanos hemos iniciado el memorial del dolor, el memorial de nuestros muertos que claman justicia y que gritan desde el silencio que debemos conquistar la paz para que este horror no vuelva a sucedernos nunca. Sus nombres, que revelan la inhumanidad en la que los criminales y la incapacidad de los gobiernos nos han sumido, son un recordatorio de esa justicia que les deben y nos deben, y de la paz que les arrancaron y nos arrancaron. Los ciudadanos, que cargamos con miles de dolores, desobedeceremos en la medida en que el gobierno no cumpla con su deber. Si los gobiernos no fundan un orden basado en la seguridad, la justicia y la paz, los ciudadanos no cooperaremos con ellos para recordarles su deber. Si eso implica la cárcel, iremos a ella, pero no traicionaremos la justicia y la dignidad que reclamamos y nos corresponden por el simple y único hecho de existir.

19/06/2011

DIÁLOGO Y NO VIOLENCIA

El país está roto. La violencia que nos azota tiene su réplica en las disputas políticas, en las descalificaciones ideológicas, en el desprecio y la sospecha. Para algunos —en este país de dolor y de una corrupción de la palabra tan profunda como la de las instituciones— dialogar es claudicar; hablarse duro y claro, sin que eso termine con la humillación del adversario, sino en un abrazo, es fracasar. No fue otra cosa lo que algunos leyeron bajo la lógica mediática. Una fotografía, entre miles que se tomaron en el Alcázar del Castillo de Chapultepec y entre las miles de imágenes de la narrativa que Argos llevó a las pantallas: la de un abrazo entre Calderón y yo, magnificada por los medios, terminó por imponerse, en algunas lecturas sesgadas, a los símbolos, a los contenidos profundos, a los logros y a los avances de este primer diálogo entre el Movimiento por la Paz con Justicia y Dignidad y el Poder Ejecutivo.

Los que están atrapados en discursos ideológicos del pasado y pretenden que en un primer diálogo se resuelva la inmensa problemática del país; los que creen que se gana cuando uno se levanta de la mesa haciendo alarde de que le "rompió la madre" al otro, o que se pierde cuando se estrechan las manos y se promete avanzar en acuerdos, terminaron por sucumbir a la narrativa mediática. Lo lamento. Los nuevos lenguajes desconciertan. Frente a ellos —como sucedió cuando Boscán introdujo el endecasílabo en la poesía española— hay una tendencia a atrincherarse en los clichés consabidos: la sospecha del fracaso y de la claudicación. Sin embargo, desde el 28 de marzo en que el Movimiento por la Paz con Justicia y Dignidad se puso en camino comenzó a cambiar el lenguaje de la guerra y del dolor.

Al increpar la violencia que nos ha arrebatado a nuestros seres queridos; al visibilizar a las víctimas criminalizadas y sumidas en la impunidad; al nombrar a nuestros muertos; al mostrar el estado de inhumanidad en el que el país está hundido; al atravesar medio país para abrazarnos, darnos consuelo y señalar las responsabilidades del Estado frente a nuestro dolor; al ir sentando de cara a la nación a todas las autoridades para que entiendan la deuda contraída con nosotros y hagan justicia a la víctimas, dialoguemos y busquemos juntos una refundación del país; al ir renunciando a la violencia en nombre de la dignidad y la firmeza de la no violencia, no hemos tenido otra cosa que ofrecer a nuestros adversarios que lo mismo que hemos ofrecido a todos: el amor y sus armas más puras, la resistencia y el sacrificio.

Gracias a esa ofrenda que, a pesar de las diferencias, ha ido uniendo a las víctimas y a una buena parte de la nación, esperamos cambiar el corazón y la conciencia de quienes dirigen este país y de quienes aún viven ideológicamente y leen todo desde la lógica del fracaso y de la claudicación. Nosotros no confundimos los equívocos de nuestros adversarios con su persona, y por eso no odiamos, no desdeñamos, y podemos, después de hablar con fuerza y con exigencia, estrecharle la mano y abrazarlo. Contra lo inmoral, contra la cerrazón, nosotros recurriremos siempre a armas morales y espirituales, al diálogo abierto y franco y a la desobediencia civil si traicionan los acuerdos.

No deseamos embotar la violencia en la que vive el país utilizando tajos más cortantes. Todos debemos, como lo enseñó Gandhi, "quedar sujetos por la fuerza del amor" y la justicia digna. Al principio, como ha sucedido con quienes critican o buscan manipular el diálogo, el lenguaje los desconcertará; "pero después, tendrán que admitir que esta resistencia espiritual es [a la larga] invencible". Al no sentirse humillado ni acorralado, Calderón pudo sacar algo de lo más noble que hay en su corazón: reconocer que tiene una deuda con las víctimas y prometer dar pasos con los ciudadanos para iniciar la justicia que su guerra nos arrebató, es un buen principio: se hará una Ley para las Víctimas; se pondrá en marcha el Fondo —que no se ha usado— para las Víctimas; en tres meses nos volveremos a reunir de cara a la nación y llevaremos expertos para mostrarle a Calderón que hay estrategias de seguridad verdaderamente ciudadana para que al fin cambie su estrategia. ¿Es poco?

Mientras en el diálogo sacaba lo mejor de mí mismo, la firmeza en el amor, no dejé de pensar —para no perderme, para no sucumbir a esa parte mía que en ciertas circunstancias me hace desdeñar y estallar en lenguajes hirientes— en el vínculo que estableció Gandhi con el general Smud, quien había decretado en Sudáfrica la ley marcial contra los indios y había encarcelado varias veces a Gandhi. Smud, después de las últimas movilizaciones, lo llamó. Las conversaciones entre ellos se convirtieron en negociaciones, hasta que el gobierno abolió la ley marcial.

Antes de volver a India, Gandhi envió a Smud un símbolo, un abrazo: unas sandalias de cuero que había fabricado durante una estancia en prisión. "Hombres como Gandhi —escribió muchos años después Smud; hombres y mujeres, agregaría yo, como los que conforman este Movimiento— nos redimen de una sensación de vulgaridad e inutilidad y, al no ser demasiado cautelosos para hacer el bien, son una inspiración para nosotros. Fue mi destino ser el antagonista de un hombre hacia quien, aun en aquel tiempo, tenía el mayor respeto [...]. Él nunca olvidó [lo humano], jamás perdió el equilibrio ni sucumbió al odio y conservó su humor en las situaciones más penosas: [...] su actitud y su espíritu [...] contrastaron señaladamente con la violencia brutal".

06/07/2011

La iglesia, esa puta casta

CURAS POLÍTICOS

A raíz de las declaraciones que monseñor Luis Morales Reyes hizo (*Proceso* 1083) sobre la posibilidad de que se reforme la Ley de Asociaciones Religiosas y Culto Público para que los ministros religiosos puedan acceder a puestos públicos o políticos, se desató una fuerte polémica. Las posiciones al respecto han sido, sin embargo, contradictorias. Mientras el nuncio apostólico Justo Mullor declaró, con justa razón, que los ministros que estén interesados en participar en puestos políticos "deberán renunciar a su vocación religiosa, tal y como lo establece el derecho canónico" (*Reforma*, 6 de agosto) y monseñor Luis Reynoso, obispo de Cuernavaca y asesor de la Conferencia del Episcopado Mexicano lo secundó (*Proceso* 1084), monseñor Rafael Gallardo, obispo de Tampico, asumió, en el mismo número de *Proceso*, la posición contraria. Por su parte, Arturo Farela Gutiérrez, presidente de la Confraternidad Nacional de Iglesias Cristianas Evangélicas, aunque con un gesto revanchista (no entiendo por qué los católicos y los evangélicos, si somos cristianos y amamos la paz de Cristo, debemos estar peleando constantemente) se sumó a la reforma de la mencionada ley y anunció la formación de un partido político evangélico, Frente de la Reforma Nacional, manejada por laicos evangélicos (*Proceso* 1084).

El problema no deja de ser preocupante (ya lo dice el dicho, "cuando el río suena..."), sobre todo porque la injerencia de las iglesias dentro de los ámbitos de las instituciones políticas ha sido desastrosa. La iglesia en el poder, lo sabemos desde Constantino, ha sido una desgracia; los partidos políticos confesionales, una plaga. Las democracias cristianas no han funcionado y sus postulados políticos, lejos de ser una expresión del Evangelio, han sido expresión de la mojigatería y el integrismo. Sabemos de las atrocidades de muchos jerarcas durante el franquismo; hemos sido víctimas de las mocherías panistas en algunos estados de la República, y el fundamentalismo islámico es un buen espejo de lo que puede ser la religión mezclada con el poder político. Cuando la religión se vuelve ideología el Espíritu que vivifica al mundo se marchita.

¿Quiere decir esto entonces que las iglesias no deben participar en política y, en consecuencia, reducirse, como lo han querido los liberales jacobinos, al ámbito de los templos y de la vida privada? Por supuesto que no. El asunto, sin embargo, hay que enfocarlo bien. No desde lo que dice el derecho canónico o de lo que pueden opinar los religiosos como ciudadanos, sino desde Cristo. Si la iglesia, hablando desde el orden de la catolicidad, es el cuerpo místico de Cristo, entonces debe imitarlo.

Cristo, como el hombre Jesús (me limitaré aquí a su puro aspecto político), vivió como un ciudadano de Israel y como ciudadano vivió atravesado por un sinnúmero de problemas políticos. Entre ellos, la ocupación de su patria por parte del Imperio Romano. Fue también, después de tres años de vida pública, acusado de sedicioso político, juzgado por el Sanedrín y ejecutado con anuencia del poder político de Roma. Sin embargo, Jesús no perteneció a ningún partido político: no fue un saduceo (partido liberal y conservador en el poder); tampoco un fariseo (partido moderado y antirromano); tampoco un zelota (partido rebelde y violento que se oponía al colaboracionismo saduceo); ni siquiera fue un esenio o piadoso, cuya posición era la del radicalismo apolítico. No fundó tampoco un partido político distinto. Fue, por el contrario, un ciudadano que proclamó la renuncia al poder, la moderación, la pobreza, el amor, la misericordia y la paz, en suma, la liberación diabólica de violencia y contraviolencia, de culpas y retribución. No fue un revolucionario político, sino un rebelde no violento. Discutió con todos. Defendió su verdad sin violencia. Provocó mediante gestos y milagros, y cuestionó desde su posición, ajena a cualquier partidismo, todo el sistema político y religioso de su tiempo. Su causa era muy clara: la causa de Dios, es decir, la causa de cada hombre en particular.

Esta posición hizo que su actitud adquiriera una dimensión política. Pues desde el momento en que tomó partido por el hombre se opuso, por definición, a todo aquello que le antepone una teoría, una definición, una ideología y, por lo tanto, entró en conflicto con cualquier partido o poder que privilegiara sus respectivas concepciones políticas e ideológicas sobre la realidad concreta, profunda y evidente de un hombre.

Para Jesús, por lo tanto, no hay partido, sistema o filosofía que pueda dar cuenta de una sociedad más justa. Lo único que crea la justicia y el orden es el amor. Ésa es su gran aportación. Por ello, en el Evangelio no hay nada específico que pueda enseñarnos a preparar la mejor ciudad terrena, no hay tampoco una aportación para resolver una situación política concreta. Lo único que hay es una condena brutal y perentoria a todo aquello que significa posesión, acumulación, poder, apartamiento de la confianza en la misericordia de Dios. De su visión de la economía del reino, de su insistencia en el despojamiento, en la pobreza, en el abandono en Dios, se pueden desprender formas sociales más justas, pero nunca modelos absolutos.

Desde este punto de vista la posición de la iglesia, en tanto cuerpo místico de Cristo y pueblo de Dios es, en el orden político, la de iluminar las relaciones políticas anteponiendo a cualquier causa el bien de la persona humana. Se trata de un compromiso con la causa de Cristo, que es la de Dios. Es decir, la del hombre, y esa causa no puede estar regulada por compromisos externos y de partido. Por ello, la iglesia no puede ser políticamente neutra, pero tampoco puede ser partidaria. Desde el momento en que asumió la defensa del Evangelio asumió también el compromiso de criticar a la comunidad política, cuyo sentido y significado original es la búsqueda del bien común que no puede separarse del bien de la persona humana.

Una verdadera actitud evangélica de la iglesia es la que han asumido monseñor Samuel Ruiz y los sacerdotes de su diócesis en favor de la dignidad y de los derechos indígenas; la de los jesuitas en ese mismo estado (sus posiciones evangélicas les han costado a veces encarcelamientos, a veces desapariciones de sus miembros, como el condenable secuestro del padre Wilfredo Guinea que las autoridades políticas no han esclarecido); la del padre Alberto Athié, quien trabaja arduamente para restablecer el diálogo en Chiapas y la que recientemente asumió monseñor Rafael Bello Ruiz, arzobispo de Acapulco, quien ha condenado abiertamente el modelo neoliberal de nuestro actual régimen y exigió un "cambio de rumbo en el proyecto económico actual" (*Reforma*, 11 de agosto).

Lo que la iglesia no puede traicionar es el amor al hombre, y ese amor es incompatible con cualquier cargo político. Su fuerza está ahí. Ese amor por el hombre es un límite a todo proceso totalizador y una búsqueda, a toda costa, de extender la dignidad humana a todos. En este sentido, la iglesia en su profunda autenticidad, es decir, en Cristo, no puede atarse a ningún sistema de ideas partidista e histórico. La reivindicación de Cristo es el amor hacia cada hombre, la de la historia, que se encarna en ideologías y partidos, es la de la totalidad apoyada no en los hombres concretos de hoy, sino en principios abstractos, llámense humanidad, nación o progreso. En esto deberían pensar también los evangélicos.

No se puede ser cristiano (y ahí está Cristo para confirmarlo) impunemente. La fidelidad a Cristo, que es la fidelidad al hombre, implica a veces ser perseguido y tener que volver incluso un día, si el amor y la fidelidad al hombre así lo exigen, a las catacumbas.

25/08/1997

Iglesia y escándalo

Desde el todavía no esclarecido asesinato de monseñor Posadas, pasando por el extraño encuentro del anterior nuncio apostólico, Prigione, con los Arellano Félix, el asunto Schulenburg y el del padre Maciel, hasta los más recientes: la declaración del canónigo de la Basílica de Guadalupe, Raúl Soto Vázquez sobre "las limosnas y obras sociales que hicieron a la iglesia narcotraficantes como Caro Quintero y Amado Carrillo" (*La Jornada*, 23 de septiembre), y el desencuentro que, a raíz de esas declaraciones, tuvo el arzobispo Norberto Ribera con la prensa, la iglesia mexicana ha estado envuelta por el escándalo.

En el fondo, como católico, el problema no me preocupa: mi iglesia, madre y maestra, está compuesta de pecadores. Una iglesia para santos me es ajena. Sería una contradicción ¿Quién de nosotros podría tener un lugar en ella? Los mismos santos de nuestra tradición eran pecadores que se sanaron en sus brazos. Lo que, sin embargo, me preocupa es la manera en que nuestros jerarcas abordan o viven el escándalo.

El concepto de escándalo que, como bien lo ha discutido la teóloga Patricia Gutiérrez-Otero (*Ixtus* No. 22), se origina en el Antiguo Testamento, tiene dos sentidos, uno positivo: cuando Dios entrega al hombre algo cuya inmensidad lo escandaliza y cuyo verdadero significado sólo puede comprenderse mediante la fe. El escándalo del misterio de la Encarnación y de la Cruz, es de esos. El padre Donald Hessler (un hombre santo) decía con un gran sentido del humor: "A Cristo le gustaba andar espantando". Basta ver su vida, su prédica, su muerte y su resurrección para saberlo. El otro es negativo: aquello que induce o es ocasión de pecado, el mayor de los cuales es el que atenta contra la fe de otros.

Los escándalos que he mencionado arriba pertenecen a esta última realidad. Cuando un miembro del clero al que, por muchos motivos, la gente considera muy próximo a Dios y casi santo, comete un acto pecaminoso que se hace público o bien, como en el caso más reciente, hace declaraciones en un púlpito de relaciones con hombres que son hijos de lo que acertadamente se ha llamado "la cultura de la muerte", escandaliza la fe de los débiles. ¿Cómo abordar este problema?

Mucho se ha discutido el hecho de que la prensa se alimenta del sensacionalismo, que en nombre de él descontextualiza declaraciones (una de sus víctimas durante las elecciones presidenciales pasadas fue Cuauhtémoc Cárdenas, siempre nos lo presentaron como estúpido; otra, en las recientes por la gubernatura del DF, fue Carlos Castillo Peraza, siempre lo hicieron pasar como intransigente y majadero, nunca nos dejaron ver al filósofo y al hombre reflexivo). Es verdad. Pero la pregunta subsiste: ¿por qué la iglesia contribuye a ello y lo permite? Lo patético de todos estos asuntos relacionados con el escándalo no es precisamente que en el seno de la iglesia los haya y que estos salgan a la luz pública (la iglesia, como he dicho, está formada por pecadores) sino que sus jerarcas no sean claros y precisos en sus declaraciones, que, por lo mismo, entren en el juego sensacionalista de la prensa y terminen por lastimar la fe de muchos.

Yo sé que el depósito de la fe, es decir, lo que la revelación dice a todos los hombres, lo guardan, lo transmiten y lo interpretan en toda su pureza los sucesores de los apóstoles en su tarea doctrinal; sé también que a los obispos, en tanto que la iglesia es pueblo de Dios, les corresponde dirigirla, gobernarla y resolver los problemas que se suscitan en su seno y, por lo tanto, acepto y defiendo, contra los católicos contaminados de sociologismo, que la iglesia no es una democracia en la que los problemas que se viven en ella se arreglen mediante el voto. Pero, si como Patricia Gutiérrez-Otero lo ha dicho, y yo lo creo, una de las preeminencias de la comunidad de Cristo es el amor y la verdad ("La verdad los hará libres"); si el mandamiento supremo de Cristo a sus discípulos es el amor, exijo, en nombre de esa fidelidad a lo que mi iglesia es y con el fin de que este pueblo de Dios, al que pertenezco, crezca y se fortalezca en el seno de su madre, que mis obispos tengan una comunicación transparente y real con todos nosotros, que no jueguen con la prensa a los dimes y diretes, que, frente a la evidencia, no intenten ocultar o acallar.

En una época en la que inevitablemente todo se vuelve del dominio público es necesario que el amor de unos por otros pase por el ámbito de una comunicación verídica. Como lo dice Patricia Gutiérrez-Otero, nunca hemos esperando "omnisciencia de los obispos en lo que no es propiamente doctrina de fe, pero sí diálogo abierto y búsqueda común de la verdad". No podemos ocultar nuestras miserias. Es estúpido y contrario a la claridad. A la luz de la verdad todo se aclara, se perdona y se sana. Al abrigo del ocultamiento, de las declaraciones timoratas, de los gestos hipócritas, sobre asuntos turbios que se han hecho públicos, florecen la sospecha, la duda y el escándalo que dañan la fe.

A la duda sólo la supera la fe, pero una fe ayudada por la verdad. El mayor escándalo de nuestra iglesia (bendito escándalo) es su debilidad, los hijos pecadores que la componemos. No puede ser de otra forma: nuestro Señor, que se hizo débil por amor a nuestra condición de pecadores, fue crucificado. Esa encarnación, el abajamiento de Dios al dolor del hombre pecador, y la cruz son el mayor y más fabuloso escándalo. En realidad, los católicos no le tememos a los yerros de nuestra iglesia. Para nosotros es santa, porque siempre es perdonada en el amor de Cristo. A pesar de sus escándalos, su Señor es siempre más grande y la perdona, la lava y la hace una esposa magnífica. La grandeza de la iglesia está en su fuerza y su debilidad.

Yo sé que nuestros obispos lo saben (es una realidad fundamental de la teología moral). Por ello no entiendo que no hablen claro y jueguen el juego que la prensa quiere que jueguen. Los obispos deben ventilar los escándalos de los miembros de la iglesia a la luz de la verdad y esa luz sólo puede darse a través de hombres que sepan hablar ante la prensa sin temor (fue gracias a las declaraciones del padre Athié, sacerdote santo y filósofo eminente, que el problema de las declaraciones del padre Raúl Soto Vázquez pudo disiparse), de comunicados, de desplegados, de cartas pastorales, de una confianza en el amor de Cristo y de sus fieles y de una reprimenda, en el caso de que algunos de sus miembros hayan caído en actos graves, severa y paternal, incluso, si rebasa el ámbito de lo eclesial, de un proceso judicial.

Los obispos deben recordar que, como lo dijo MacLuhan, "el medio es el mensaje". Si no usan bien el medio (como sucedió a monseñor Norberto Rivera durante la boda de Lucerito, en donde su hermosa homilía sobre el sacramento matrimonial se perdió en el fasto y la frivolidad) el mensaje se distorsiona y se hace escándalo en el sentido negativo.

Creo que en la actualidad la credibilidad de la iglesia debe radicar en una sana comunicación que, sin temor a la realidad, pero bajo la confianza de nuestro acogimiento en la caridad de Cristo, hable a la luz de la verdad. Ése, y no el de empeñarse en mostrarse sin mancha, es uno de los mayores testimonios que puede dar la iglesia hoy. De ello depende que los escándalos de sus debilidades se transformen, no en sospecha, sino en escándalos que fortalezcan nuestra fe.

06/10/1997

La jerarquía en Chiapas

Pese a las constantes denuncias de monseñor Norberto Rivera contra el proyecto neoliberal del gobierno de la República, pese al pleito cerrado de monseñor Juan Sandoval Íñiguez contra la promoción y el uso del condón, pese a que hacia afuera la jerarquía de la iglesia católica mantiene un rostro unificado de apoyo a la actividad de monseñor Samuel Ruiz en Chiapas, internamente las posiciones de estos obispos —a los que habría que agregar los nombres de Onésimo Zepeda, de triste memoria entre la feligresía de Cuernavaca por su prepotencia y sus manipulaciones, y de Luis Reynoso— en lo referente a don Samuel y a la lucha de las autonomías indígenas, han estado en íntima relación con el gobierno.

La ancestral política centralista del gobierno de México en contra de las demandas regionales, de las autonomías, de la pluralidad cultural como fundamento de nuestra nación, tiene su correlato en las pretensiones hegemónicas de estos obispos que, ignorando las mejores reformas del Vaticano II y de la nueva evangelización —de las que Samuel Ruiz y su teología india son uno de los mayores ejemplos—, quieren mantener a toda costa el mito de que la catolicidad y la nación se mantienen unificadas desde arriba, desde el centro, desde el sitio en donde se encuentran el presidente de la República y el arzobispo primado de México. Para ellos, ser católico es pensar, actuar y vestir como lo indica el centro.

Esta actitud, ya vieja en la historia de mi iglesia, lejos de mantener la unidad ha logrado crear muchas rupturas. La negativa de cierta jerarquía a dialogar, su gusto por la imposición y la sordera, ayudó, para hablar de los desgarramientos más tristes y dolorosos, al cisma de Occidente y permitió que Lutero se fuera y se radicalizara.

Muchas son las causas de esta actitud. Nombraré, sin embargo, sólo una: ellos creen, como lo ha creído el liberalismo —y como por mucho tiempo lo creyó la iglesia con su fórmula: "Una sola nación, una sola iglesia, una sola lengua"—, que unidad significa uniformidad. Nada, sin embargo, más lejos del espíritu cristiano que habla de la unidad en la diversidad.

Ciertamente, la iglesia en su sustancia es unidad, porque es uno solo el misterio, el del amor de Cristo, que nos une a todos en un mismo padre. Pero también, porque el Verbo se encarnó en la historia y dentro de una cultura específica que hablaba hebreo, es diversa en su unidad. Se puede ser indígena, hablar tzotzil, vivir de diferente manera que los occidentales, y ser un profundo católico y un mexicano. Para ser cristianos no necesitamos ser judíos del año uno y vestir como nazarenos, necesitamos vivir en el año de Cristo que puede y debe tener muchos rostros culturales; para ser mexicanos no debemos vivir todos bajo el imperio de las leyes del mercado, vestir de traje, habitar en urbes y trabajar en fábricas, sino vivir en una pluralidad solidaria, protegidos por el Estado.

Esta jerarquía olvida que la Virgen de Guadalupe, que fundó y mantiene unida a nuestra nación, es un evangelio indio que al dignificar al indígena y expresarle el mensaje cristiano en sus símbolos y categorías, nos habla, ya desde el siglo XVI, de que la unidad sólo es posible si es plural. Olvida también las palabras del papa cuando afirmó, cito de memoria, que "la soberanía de un pueblo no radica en su fuerza ni en sus instituciones, sino en su cultura". La cultura de México es una pluralidad de culturas y sólo a través de ellas podremos construir nuestra verdadera unidad.

Para don Samuel, los indígenas, la diócesis de San Cristóbal y muchísimos católicos —ése es el desafío que lanzan tanto a esa jerarquía como al gobierno centralista—, México sólo será México y un verdadero país católico cuando aprendamos a respetar nuestra diversidad cultural y aprendamos que la paz y la justicia pasan por el diálogo y la reforma de un Estado que, al igual que estos grupos de la jerarquía, han querido imponer un sólo modelo de vivir y de pensarse como mexicanos y católicos.

Vivimos un tiempo en que las pretensiones de uniformidad, nacidas de una equivocada forma de pensar la unidad humana, nos están destruyendo como especie y hundiéndonos en la vacuidad de un mundo virtual, de una economía de escasez y de un neodarwinismo económico y social. La diócesis de San Cristóbal y la lucha indígena por sus autonomías y sus culturas nos obligan a ver esta evidencia y a buscar vivir de otra manera. Lo que nos están diciendo es que si realmente queremos salvar la unidad del país, tanto en lo político como en lo religioso, es necesario dejar de pensar que la unidad sólo se conquista con la uniformidad y el aplastamiento de las diferencias, pensamiento que nos ha venido corroyendo desde el siglo XVI y que formó parte de esa evangelización de México que hoy nos avergüenza, sino a través de la diversidad. Es ella únicamente la que puede unificarnos.

Si estos grupos de la jerarquía católica quieren, en nombre del amor de Cristo, verdaderamente colaborar en salvar la unidad del país, deben hacer un profundo examen de conciencia, destruir sus viejos prejuicios imperiales, fortalecer sus cuadros de apoyo al trabajo de don Samuel y ayudar al gobierno a caminar en el sentido de la inclusión y de las autonomías. Si no lo hacen, muchas víctimas, muchas rupturas, mucho dolor y amargura tendrán que cargar —como ya lo hacen con las víctimas de Acteal y de El Bosque— sobre sus conciencias.

10/08/1998

CHIAPAS, EL ESTADO Y LA IGLESIA

Para fray Julián Cruzalta, admirable cristiano

Delante de las políticas económicas de la globalización que, pese a su inoperancia y a su evidente exaltación de la injusticia, parecen continuar su aplastante marcha, Chiapas sigue siendo un parteaguas y un desafío incómodo. Delante de él hay dos posiciones: para la primera, en la que se inscriben los desarrollistas, los tecnócratas y todos aquellos que, herederos del positivismo y del colonialismo, piensan en categorías unívocas, Chiapas es un anacronismo, una tara en la marcha de México hacia el progreso y la uniformización, un enfermo al que hay que sanar mediante la aplicación de políticas desarrollistas. Para la segunda, en la que se inscriben la diócesis de San Cristóbal, los que pensamos de manera plural, los que nos negamos a la uniformización, los que buscamos un límite a la avalancha del mercado y de la carrera tecnológica, y pensamos que la unidad y lo humano se dan dentro de la diferencia, Chiapas es un agente de transformación nacional, una revelación de nuestra condición plural que nos permite contemplar lo que desde el colonialismo, las ideologías de la Ilustración y el mito del desarrollo de mediados de siglo se ha ocultado: México no es ese singular ficticio con el que construimos nuestras actas constitucionales, sino un plural real, hecho de mil rostros, de mil formas de producir y de pensar la economía, un plural que pide que repensemos a la nación y reformulemos el concepto de Estado.

Los desarrollistas y los tecnócratas no quieren aceptarlo. Les da miedo. Tampoco la oposición —que se inscribe, mal que bien, dentro de esos conceptos unívocos— quiere afrontar el problema. Prefieren que Chiapas, y con él el país, muera de inanición, oculto bajo el triunfo pírrico del gobernador Albores, de la polvareda del Fobaproa y de la indignación por el fallo de la Suprema Corte de Justicia a favor de los banqueros.

Todos estamos indignados contra la política económica del régimen, pero muy pocos quieren mirar la raíz del problema que está contenida en el desafío que sigue lanzando Chiapas: repensar el Estado a través de las autonomías y de la pluralidad de formas culturales de producir y de hacer economía, es decir, a través de lo que ha sido siempre México.

Esta asfixia, este estado de sitio en el que se encuentran Chiapas y la nación entera se agrava por las recientes posiciones del nuncio Mullor con respecto a monseñor Lona.

Aunque los medios han dejado de lado el seguimiento de esa noticia, el problema es preocupante. El hecho de que el nuncio haya pedido la renuncia del obispo de Tehuantepec manifiesta que dentro de la iglesia existen corrientes favorables al proyecto tecnocrático y globalizador, corrientes muy poderosas que, al igual que los tecnócratas y desarrollistas, ven el trabajo de las diócesis de San Cristóbal y de Lona, en Tehuantepec, como una enfermedad que, en este caso, daña el concepto centralista y univocista de lo que ellos consideran contradictoriamente lo católico.

El asunto es tan viejo como la época colonial e ilustra muy bien el problema en el que estamos inmersos tanto a nivel político como religioso.

Durante el siglo XVI, con la primera oleada de dominicos llegados a Chiapas —que entonces pertenecía a Guatemala—, entre los que se encontraban fray Bartolomé de las Casas, fray Pedro Lorenzo de la Nada y varios discípulos de aquel espléndido filósofo que fue fray Francisco de Vitoria, se intentó una evangelización ajena a la imposición y a la espada. Siguiendo el concepto, contenido en los escritos de los Padres de la Iglesia, de "las semillas del Verbo" (es decir, de que el cristianismo está sembrado en todos los pueblos), decidieron evangelizar a través de las propias culturas indígenas (la Virgen de Guadalupe es en este sentido una joya que expresa ese concepto evangelizador, es un evangelio indio).

Mientras Bartolomé de las Casas logró del rey unas leyes que declaraban a la Selva Lacandona como dominio dominico, por el que no podían transitar ejércitos ni establecerse dominios, Pedro Lorenzo de la Nada (que aún recuerdan las comunidades indígenas) logró crear reducciones indígenas, muy parecidas a las que desarrollaron los jesuitas en Paraguay y que la película *La misión* reprodujo admirablemente. Así, fray Pedro Lorenzo de la Nada y muchos de la primera oleada de dominicos lograron, amparados por las leyes del rey, gestar un profundo y fructífero diálogo cristiano indígena que hizo posible el nacimiento de Ocosingo, de Palenque y de muchas de las poblaciones que ahora están en conflicto con el gobierno.

Por desgracia, con la muerte de Bartolomé de las Casas y de Pedro Lorenzo de la Nada —quien murió, no en el convento, sino con los indios—, varios dominicos (que entendían la catolicidad como un imperio con categorías occidentales y veían el trabajo de aquellos discípulos de Francisco de Vitoria como un trabajo herético) lograron que el rey aboliera las leyes logradas por Bartolomé de las Casas. Luego formaron dos ejércitos y, entrando a fuego y espada, demolieron el trabajo de aquellos hombres. Chiapas se fue convirtiendo lentamente en lo que ahora es: un mundo indígena aplastado por una oligarquía finquera y un gobierno que quiere reducirlo ya no al colonialismo español, sino al colonialismo del industrialismo tecnológico y de la globalización.

Lo que don Samuel y monseñor Lona, acusados injustamente de teólogos de la liberación, han hecho, es retomar este diálogo interrumpido hace 500 años y redescubrir para este siglo las "semillas del Verbo". Sus trabajos en las diócesis de San Cristóbal y de Tehuantepec no han sido más que la reactualización de una realidad y una verdad que la visión univocista de toda colonización oculta.

Sin embargo, el Estado y algunos grupos eclesiales que se denominan "Nueva Cristiandad" ven esto, al igual que los dominicos colonialistas del siglo XVI, como una enfermedad, como una chancro, como una herejía que hay que extirpar, como un mal que va contra el progreso y contra lo católico.

Si en el siglo XVI, a causa de la mentalidad de la época que no veía los equívocos y los desastres del colonialismo, esto no era tan grave, hoy, en que gracias a la perspectiva histórica y a la miseria que nos rodea podemos verlo, la gravedad puede concluir en un desastre.

Ni el movimiento zapatista ni don Samuel ni monseñor Lona quieren desgajar a la nación ni a la iglesia. Por el contrario, si algo han buscado es darles un carácter universal a través de un diálogo que nos incluya a todos. Sólo en la pluralidad se puede pensar la unidad, dignificar al hombre y sus culturas y poner un coto al colonialismo que hoy se llaman industrialismo y globalización, esa ceguera que se empeña en creer que la verdad no es una en los diversos, sino unívoca en lo uniforme.

Cuando el rey de España firmó aquellas leyes que había redactado fray Bartolomé de las Casas para la Lacandona no estaba fracturando al imperio español, le estaba dando un sentido al hombre, a la misión de la iglesia, y un nombre a lo que debe ser el Estado: un gran árbol bajo cuya sombra podamos vivir y crecer. Esas leyes nos interpelan hoy a todos.

Si México quiere recobrar su dignidad y su identidad, deben crearse una Constitución y una iglesia plurales. Para ello es necesario no reprimir, sino dialogar y meditar en todo lo que el proceso chiapaneco significa para nosotros y para el mundo.

19/10/1998

La iglesia mexicana y la simonía

Juan Pablo II llegó a México y lanzó su mensaje, sustentado en las conclusiones del Sínodo de las Américas. Mensaje dirigido contra la brutalización de las economías de mercado y en favor de la imagen de Dios en el hombre. Los discursos de Juan Pablo II tendrán, para desgracia de millones de mexicanos, que remontar la estúpida campaña de medios que la jerarquía católica mexicana y los empresarios diseñaron para preparar su llegada.

¿Podrá su mensaje hacerse escuchar por encima de esa brutalización y de esta barbarie mercadotécnica? Es difícil. "El medio —dice la máxima de McLuhan— es el mensaje", y la jerarquía católica eligió no sólo uno equivocado y bastardo para hablar de las cosas de Dios, sino que con ello realizó una alianza contraria al sentir del Evangelio y del mensaje papal: "No se puede servir a Dios y al dinero", no se tiran margaritas a los cerdos. La consecuencia será la sospecha: mientras Juan Pablo II ha hablado de la dignidad del hombre y ha atacado a las economías de mercado como contrarias a esa dignidad promulgada por el Evangelio, mientras ha promovido la búsqueda de una economía que evite las muertes por aborto y hambre, y ha reclamado justicia para quienes han sido reducidos a la miseria, un enorme aparato publicitario, asociado con empresas contrarias a lo humano —comida chatarra, expansión comercial, destrucción de las economías vernáculas y de las herramientas simples, manipulación de las conciencias, exaltación de la competencia y de un asistencialismo vergonzoso, creación de trabajos enajenantes—, han sido sus patrocinadoras. Con ello, el mensaje de Juan Pablo II, como los discursos de nuestros políticos, se ha ido vaciando de contenido y su imagen y mensaje se han deteriorado frente a quienes tienen una fe débil.

Lejos de evangelizar, la campaña montada por la jerarquía católica y los empresarios provoca escándalo y sospecha frente a una de las figuras y a uno de los mensajes más importantes de este fin de milenio.

Como católico, no puedo dejar de sentir una profunda indignación. Juan Pablo II y la Virgen de Guadalupe (que ha sido otra de las presencias comercializadas durante la visita papal), no son Michael Jordan ni la princesa Diana, no son Pelé ni Marilyn Monroe, no son un producto comercial que puede ser vendido, como se vende una prostituta o una estrella de cine y del deporte al mejor postor. Son el vicario de Cristo en la tierra y la madre del Salvador. Ellos no necesitan publicidad. Su sola presencia es suficiente para convocar multitudes y para paralizar un país.

¿Por qué entonces la jerarquía católica mexicana permitió esta basura comercial que denigra el mensaje papal y humilla a la catolicidad? Me pregunto si son ciegos u hombres de mala fe que han perdido de vista el escándalo del Evangelio: un Dios que se encarna, se hace pobre y muere en una Cruz para salvarnos del hombre, y lo han cambiado por la puerilidad del mercado y de la publicidad más vil. Una religión y un mensaje evangélico que se anuncian así dejan de ser religión y Evangelio, para reducirse a la inanidad del mundo que tanto despreció Jesús. Imaginemos simplemente a los apóstoles colgando la efigie de nuestro Señor entre las águilas imperiales de Roma o haciendo alianzas con Caifás y el Sanedrín, porque así convenía a los intereses de su mensaje. Si esto hubiese sucedido, si la iglesia de Cristo no hubiese sido desde entonces la portadora de la pobreza evangélica, a estas horas no tendríamos ni Evangelio ni redención ni amor, sino una alianza innatural y contraria al Evangelio.

En febrero de 1997, monseñor Rivera, durante la misa que celebró para casar a los señores Mijares y Lucero, y con el fin de dar un mensaje multitudinario sobre el valor del matrimonio, utilizó, en menor grado, un medio semejante al que ahora se desplegó para preparar el mensaje papal. Las consecuencias fueron desastrosas. Las firmas comerciales que patrocinaron el evento terminaron por desfigurar el mensaje del cardenal. Nadie recuerda sus palabras. Recuerdan el traje de Lucero, si la estrella tenía maquillajes de más, si asistió fulanito o dejó de asistir menganito.

Ahora, gran parte del aparato jerárquico se lanzó a una alianza y a una campaña más terrible, y los católicos hemos tenido que soportar ver no sólo la imagen papal tratada como un producto que sirve a los peores intereses comerciales sino, lo que es peor, a nuestra Virgen incluida como estampa en las bolsas de una marca comercial que vende papas fritas, ensuciada de grasa, luego tirada y pisoteada entre escupitajos y vasos de cerveza en los eventos de masas.

Todo esto que hemos estado viviendo tiene un gran parecido con el pecado de la simonía, uno de los más graves, al grado de que Dante reservó a los simoniacos el octavo círculo del Infierno, uno arriba del de los traidores, en donde Judas y Bruto son devorados por el demonio.

La simonía es, a grandes líneas, el comercio ilícito de las cosas espirituales. Los canonistas la definen diciendo que es la voluntad deliberada de vender o comprar, por un bien temporal, un bien espiritual o algo estrechamente unido a éste, por ejemplo, la gracia, los sacramentos, la colación de beneficios, etcétera. La iglesia ha considerado siempre la simonía como un sacrilegio grave.

Se me podrá objetar que aquí no están de por medio ni la gracia ni los sacramentos. Es verdad, pero están las imágenes más veneradas de la catolicidad: el vicario de Cristo, su imagen en la tierra, y la estampa, no pintada, sino aparecida milagrosamente (es la fe guadalupana) de la Virgen. Si éstas no son cosas espirituales, entonces no sé qué puedan ser.

Esta forma moderna del comercio de cosas espirituales, que recuerda, en más de un sentido, la simonía medieval, introduce en el mundo católico una categoría de escándalo que es contraria al Evangelio. El escándalo en el Antiguo y Nuevo Testamento surge cuando Dios entrega al hombre algo cuya inmensidad lo escandaliza: Moisés en el monte Sinaí y las Tablas de la Ley, la encarnación, la muerte y resurrección de Cristo, y el amor, que borra el pasado y cuyo verdadero significado sólo puede comprenderse mediante la fe y la razón. El otro, el que ha desplegado nuestra jerarquía y nuestros empresarios al rebajar las cosas espirituales y comerciar con ellas, es el escándalo que induce o es ocasión de pecado, el mayor de los cuales es el que atenta contra la fe de los otros. Cuando el misterio se rebaja a formas que recuerdan a la simonía, la verdad se esconde y las tinieblas prevalecen.

Contra estos equívocos, y como una actitud evangélica que nuestra jerarquía y nuestros empresarios deben aprender, se levanta la actitud del cardenal Lustiger, obispo de París, con motivo de la visita que hizo Juan Pablo II a Francia.

Según me cuenta Jean Meyer, la Volkswagen, aprovechando la visita del papa, desplegó una fuerte campaña comercial utilizando obras maestras de la fe. En sus anuncios aparecía *La Última Cena*, de Leonardo, y *La Ascensión*, de Grunewald. A continuación se presentaba un título que decía "¡Ya viene!", y detrás de él el auto de la compañía que se publicitaba. Lustiger demandó a la Volkswagen. La Volkswagen pidió disculpas, anunció, con las pérdidas económicas que eso implica, que retiraría su campaña e indemnizaría a la iglesia. Lustiger respondió que no era un asunto de dinero, sino de respeto a la fe y a la dignidad del misterio cristiano y del papa, y que bastaba que la Volkswagen cancelara su campaña para que él retirara la demanda.

A eso yo lo llamo dignidad y grandeza espiritual.

Nuestra jerarquía y nuestros empresarios, a diferencia de la iglesia de Francia y de sus empresarios, equivocaron el camino. Por lo tanto, es bueno y necesario, como Juan Pablo II lo ha hecho en preparación del Jubileo del año 2000 al pedir perdón por todas las atrocidades que ha cometido nuestra iglesia, que pidan perdón a la catolicidad que su campaña ha humillado y traten de resarcir el mensaje papal, que su equívoco accionar ha diluido.

Yo creo que nuestra jerarquía ganaría mucho con dejar en paz esas formas comerciales de la modernidad que la seducen extraviándola. Debe crear las suyas propias, acordes con la trascendencia y la marea de fuego del Espíritu de la que es depositaria, y negarse a la simonía. La jerarquía no puede defender el mensaje del papa y al mismo tiempo hacer alianzas con quienes manipulan al pueblo en nombre de sus intereses particulares. Si no lo hace, sus escándalos terminarán por dañar más la imagen de nuestra iglesia y del hombre que dice defender, que todos sus detractores juntos, y entonces, despojada de la rebelión, de la indignación y de la lucha contra un mundo injusto, que le ha pertenecido desde que Cristo vino al mundo hará, a la larga, que la catolicidad, para nuestra desgracia y del mundo, disminuya en nuestra nación.

25/01/1999

Desafío moderno, desafío de la Iglesia

El papa se ha ido, pero ha dejado su exhortación apostólica *Eclesial in América* (Iglesia en América), basada en las conclusiones del Sínodo de las Américas. Paralelamente, el 2 de febrero concluyó en Davos, Suiza, la reunión del Foro Económico Mundial bajo el lema "Globalidad responsable: manejando el impacto de la globalización".

Si asocio estos dos acontecimientos es porque uno y otro tienen relaciones profundas con el destino del mundo. En su exhortación apostólica, que contiene las posturas que debe asumir la iglesia ante los incuestionables problemas de la modernidad —aborto, moralidad sexual, derechos indígenas, derechos humanos, armamentismo, narcotráfico, deuda externa, etcétera—, Juan Pablo II habló de lo que para mí es la base fundamental de las otras problemáticas: el neoliberalismo.

"Cada vez más —dijo—, en muchos países impera un sistema conocido como 'neoliberalismo', sistema que haciendo referencia a una concepción economicista del hombre, considera las ganancias y las leyes del mercado como parámetros absolutos en detrimento de la dignidad y del respeto de las personas y de los pueblos. Dicho sistema se ha convertido, a veces, en justificación ideológica de algunas actitudes y modos de obrar en el campo social y político, que causan la marginación de los más débiles" (*Proceso*, 1161).

Es interesante confrontar esta reflexión del papa con las conclusiones de Davos, donde más de mil directivos de las grandes y poderosas compañías del mundo y cerca de 300 dirigentes políticos y de organizaciones financieras internacionales se reunieron para aceptar el agotamiento del modelo neoliberal y proponer, dentro del marco de la globalización, la necesidad de replantear "el desarrollo internacional de estructuras con la capacidad de responder de manera efectiva a los retos de nuestra nueva condición global". Para ello, dijeron, es necesario que gobiernos, empresarios e individuos sean capaces de trabajar coordinadamente "con las nuevas reglas y responsabilidades que implica la globalización [...], haciéndolo de este modo estaremos en la posibilidad de manejar exitosamente los procesos y cosechar colectivamente los beneficios de la globalidad" (*Siempre!* 2381).

¿Hay alguna relación entre las propuestas del papa y las conclusiones de Davos? No lo creo. Si el papa tiene razón al afirmar los estragos del modelo económico que se desarrolló al término de la Guerra Fría, se equivoca al encasillarlo en el modelo neoliberal. La prueba más clara son las conclusiones de Davos. Los empresarios y los dirigentes políticos y de organizaciones financieras reunidos en Suiza, con toda la buena voluntad plantearon el agotamiento del modelo neoliberal, pero sus propuestas, basadas en la macroeconomía y en la industrialización, hijas no del neoliberalismo, sino de los conceptos económicos del liberalismo, seguirán las mismas rutas que conducen precisamente a los estragos señalados por las conclusiones del Sínodo de las Américas.

No es el neoliberalismo, sino su base liberal la que, al reducir al hombre y al mundo a un mero sistema economicista, ha frustrado a la comunidad, a sus estructuras culturales y productivas —en donde los hombres encuentran su sentido, su dignidad humana y la solidaridad— y se han convertido en una cifra, en un mero animal productivo y de consumo dispuesto a prostituirse bajo los flujos y el precio que impone ese nuevo Leviatán que se llama mercado, industrialización, competitividad, desarrollo y productividad.

Sólo bajo el peso de esa imposición es posible comprender que los problemas esgrimidos por el papa —aborto, desintegración familiar, violación de los derechos, marginación, narcotráfico— y que se presentan como reto para la nueva evangelización, son sólo consecuencias de una estructura económica que ha desarticulado la ética. Dichos males no son más que el síntoma, la punta del iceberg de una realidad que al fracturar las culturas y sus formas productivas ha desquiciado esos valores. Creer, como lo creen muchos grupos de la iglesia, que es evangelizando al hombre moderno como podremos recuperar el espacio ético, es creer que un cáncer se cura con una aspirina. No es posible exigir a hombres y mujeres que no aborten, que no se divorcien, que no cometan adulterio, que no exploten, que no marginen, cuando para sobrevivir deben insertarse en las estructuras de un mundo que, fundado en la producción industrial, en la competitividad, en la mercadotecnia y en la ganancia, no les proporciona el menor soporte para vivir éticamente.

Lo que esos grupos le están pidiendo a un hombre en condiciones deshumanizadas, es una actitud más heroica, sobrehumana. Un mundo que no puede proporcionar a los hombres una esperanza humana y una vida ética, es un mundo demoniaco, en el que los derechos fundamentales de la persona humana, que están inscritos en su misma naturaleza y son queridos por Dios, están oscurecidos, aplastados, borrados.

Para que la nueva evangelización funcione, es necesario no dirigirse al síntoma, sino a la transformación de las estructuras que producen la enfermedad.

Frecuentemente en estas páginas he tratado de llamar la atención sobre el equívoco en el que se fundan las economías liberales. Quisiera ahora ahondar un poco más en él. Gandhi, haciendo una hermosa analogía, escribía: la mayor equivocación de los hombres "es la de creer que no hay ninguna relación entre los medios y los fines. Esa equivocación ha hecho cometer innumerables crímenes. Es como si pretendieran que de una mala hierba puede brotar una rosa [los medios son como la semilla y el fin como el árbol]. Entre el fin y el medio hay una relación tan ineludible como entre el árbol y la semilla". Nietzsche lo dijo de otra forma: "Un objetivo que necesita medios injustos no es un objetivo justo".

La base de las economías liberales, cuyas expresiones más recientes son el neoliberalismo, la industrialización descomunal y la uniformización de todo bajo las leyes de la globalización —estas dos últimas defendidas en Davos—, al basarse en el mito de la producción de riqueza, ajena a la sustancia de lo que Wendel Berry ha llamado con acierto la Gran Economía —es decir, aquella en la que se insertan todas las formas de economía, sean humanas, animales o vegetales—, cuya base no es la riqueza, sino el límite y el equilibrio, han producido un mal fruto: un "orden" que va contra el progreso moral de las personas, de las comunidades, de las naciones y de la ecología, y ha producido formas sociales —las que ha señalado el papa— inmorales y, por consiguiente, pecaminosas.

La manía de querer fabricar todo en serie, bajo leyes globales, es la causa de la crisis de miseria por la que atraviesa el mundo, pues esa producción, como ya lo profetizaba Gandhi, comienza a concentrarse en ciertos puntos del globo y no alcanza para todos. Por el contrario, si cada región produce lo que necesita, con herramientas simples, y recupera sus valores y sus tradiciones, el problema de la producción, de su distribución y del trabajo se verá lentamente arreglado. Bajo ese régimen, la especulación, el desplazamiento de mano de obra y la desestructuración de los valores éticos se hacen más difíciles.

La economía industrial, fuente de la globalización, puede, como lo ha hecho, definir la potencialidad de cualquier producción, pero en sus consecuencias debe aceptar que su resultado es la miserabilización y la escasez como condición ineluctable: la minería, por ejemplo, explota un fondo limitado hasta su agotamiento y aparta a la tierra de su fertilidad natural y al hombre de la actividad humana; en la agricultura explota la capa fértil, destruye las formas de producción vernáculas y locales y produce miseria; en la fabricación de pan, le quita su nutrimiento y lo eleva a un valor monetario alto. "Nuestro pan —decía Guy Davenport— es más obsceno que nuestro cine".

El uso industrial implica el agotamiento de todo, de naturaleza, de hombres y de valores. Por ello, la economía industrial y la globalización que la acompaña viven de prisa, una prisa que aumenta constantemente, prisa —es la enseñanza de Davos y de las economías de nuestro actual gobierno— por estar a la vanguardia de las nuevas tecnologías, por invadir todo y cuyo motivo no es, en el fondo, "la libre empresa", como nos quieren hacer creer los empresarios y los apólogos de la economía moderna, sino la desesperación que acompaña a la avidez, a la glotonería y al despojo.

Una de las palabras favoritas de la economía moderna y del industrialismo es el control; "quiere mantener bajo control", "controlar la inflación y la erosión", "controlar el mercado para expandirlo", "controlar el crecimiento", "controlar —dijeron en Davos— los flujos de capitales y alcanzar la hipercompetitividad empresarial en la globalización", etcétera.

Pero los resultados están a la vista. La economía industrial ha hecho del control una empresa permanente e ineficaz, creadora de miseria y de escasez.

El problema es que no se trata de controlar, sino de limitar. Si no limitamos el industrialismo y fortalecemos las formas de producción de las localidades y de los barrios, de las pequeñas y de las microempresas, si no fortalecemos nuevamente las autonomías y el uso de herramientas simples, no puede haber ningún verdadero control y, en consecuencia, ninguna verdadera reestructuración de los valores éticos por los que pugna la nueva evangelización. Pues, ¿cuál puede ser el control de uno mismo en una economía que fomenta y premia el egoísmo ilimitado?

No estoy en contra de la industrialización y la globalización, sino a favor de su limitación. El proceso de expansión del industrialismo y de las economías de mercado sólo ayuda a unos cuantos hombres en detrimento de millones y del ambiente. Los seres humanos necesitamos no sólo un salario justo, sino un trabajo honrado y cotidiano que no sea un oficio de esclavos.

El monopolio industrial en detrimento de las herramientas de producción simples, herramientas autónomas, ha creado un desequilibrio fatal en la estructura de base de la vida comunitaria y de sus valores. "Como las herramientas —escribe Ingmar Granstdet, uno de los más sólidos críticos de la modernidad y cuya obra *L'impasse industrielle* debería traducir y publicar el FCE— no son sólo medios técnicos para transformar la materia [como lo piensan nuestros economistas], sino instrumentos por los cuales pasan, se anudan y se juegan las relaciones [y los valores] entre las personas [el proceso industrial y] tecnológico [indiscriminado crea] un desequilibrio de las interdependencias de la humanidad [...]. Privada de la flexibilidad de las relaciones productivas que las personas podían establecer y modificar al gusto de las circunstancias, aquí y ahora, con su próximo entorno, y controlando personalmente los detalles de lo que hacían, en tanto las herramientas autónomas [simples] abundan, la humanidad asiste como espectador desorientado y angustiado al desarreglo de las interdependencias de trabajo terriblemente complicadas que las pretensiones [de la industrialización y de la globalización] han programado, y con ello asiste a la destrucción de los valores éticos".

De la eliminación de las autonomías y de las formas de producción simples locales y comunitarias no sólo resulta la impotencia personal que cada uno de nosotros experimenta cada día, sino también, y paradójicamente, la impotencia colectiva dentro de un sistema que se ha vuelto extraordinariamente frágil por su hipercomplicación. Esta perturbación nubla la sustancia de nuestra humanidad.

Vivimos lo que los presocráticos llamaron *hybris*, el pecado de sobrepasar los límites que nos fija Dios, la soberbia del mundo judeocristiano.

Si la iglesia, entendida como pueblo de Dios, y los poderosos que cada año se reúnen en Davos, no están dispuestos a transformar estas estructuras, limitar la producción industrial y recuperar a la comunidad y sus formas culturales de producción con herramientas simples, entonces las conclusiones del Sínodo de las Américas, la exhortación del papa y la nueva evangelización serán sólo una utopía y los hombres tendremos entonces que enfrentarnos a Némesis, que Heráclito definió con un terrible y hermoso aforismo: "Los hombres no sobrepasarán sus límites, si no, las reinas que guardan la justicia sabrán castigarlo".

8/02/1999

La iglesia y Chiapas: el peligro de la iniquidad

En una obra espléndida, *Mysterium inquitatis*, el italiano Sergio Quinzio analiza, junto al misterio de la resurrección de la carne, otro, no menos inquietante, pero poco analizado en el mundo contemporáneo: el de la iniquidad, es decir, el de la maldad o el de la gran injusticia que suele aparecer en el seno de la iglesia y que, según la segunda carta de Pablo a los tesalonicenses, surgirá de la apostasía.

Mucho se ha hablado dentro de la iglesia de este término que suele definirse como la negación de la fe en Jesucristo y de los dogmas que a la luz de la revelación preserva su magisterio. Contra ella, la iglesia ha levantado arduas persecuciones. Sin embargo, y sin menoscabo de esta definición, Quinzio toca un asunto de sutileza teológica que merece ser comentado en relación con los tiempos que vivimos, en particular, con la remoción de Raúl Vera de la diócesis de San Cristóbal y con la incertidumbre que ha creado en el pueblo católico el próximo nombramiento del obispo que sucederá a Samuel Ruiz.

El tema es delicado y no pretendo resolverlo en unas cuantas líneas, cuanto señalar algunos puntos que quisiera reflexionar junto con mi iglesia.

Siguiendo la carta citada de san Pablo, Quinzio sitúa la gran apostasía hacia el final de los tiempos. Dicha apostasía no será, como ha sido frecuente, una negación directa de los dogmas de la fe, sino una contaminación de la iglesia con los valores del mundo, una simulación del Evangelio a través de la aceptación de aquello que privilegia el mundo: el progreso indiscriminado, la globalización, la ruptura con la proporción.

Aunque la iglesia, a lo largo de su historia ha sido muy sensible a esta sutileza de la apostasía y ha tratado de precaverse de ella, sobre todo a través de sus papas antimodernos —Pío IX, por ejemplo, en el *Sillabo*, 1864, compendia los principales errores de nuestro tiempo: el naturalismo, el racionalismo, el liberalismo, el socialismo y remata condenando la afirmación de que el papa romano podría llegar a una conciliación con el progreso moderno; el polémico Pío XII, en 1939, en su carta *Summa pontificatus*, declara contra el industrialismo y el armamentismo que preparan los desastres de lo que será la Segunda Guerra Mundial: "Han caído las orgullosas ilusiones de un progreso indefinido"—, en los últimos tiempos, dejando de lado el valiente diálogo que desde el Vaticano II la iglesia intentó con el mundo moderno para rescatar lo bueno que hay en él, ha comenzado a dejarse interpelar por las peores seducciones de la modernidad hasta el grado de empezar a confundir la historia de la salvación con la historia de las conquistas del mundo.

El pontificado de Juan Pablo II ha sido, en muchos sentidos, una negación y una apertura a ese mundo que la iglesia ha rechazado; por un lado, una negación de la condena de Pío IX de que algún día el pontífice romano llegaría a una conciliación con el progreso moderno y, por otro, un retroceso en relación con el Vaticano II. Caminando sobre el filo de la navaja, el pontificado de Juan Pablo II ha rechazado, paradójicamente, los relativismos del mundo moderno, pero ha retomado los medios tecnológicos que no sólo han generado esos relativismos, sino las ideas de progreso y de felicidad intraterrena tan contrarios al Evangelio, sin criticarlos fundamentalmente. Amante de las giras, de los medios de comunicación, de los patrocinadores industriales, parte del pontificado de Juan Pablo II ha extraviado la noción del pecado de la iniquidad como un pacto con el mundo y lo ha reducido a la culpa y a la responsabilidad moral e individual. En México esa posición ha sido clara: en nombre de intereses mundanos, cierta parte de la jerarquía católica condena el uso de anticonceptivos, sospecha de los grupos que han tomado el camino de la opción preferencial por los pobres, pero ha visto con buenos ojos que el Evangelio se use con técnicas de mercadotecnia para beneficio de los intereses económicos de las grandes empresas: recuérdese el casamiento de Lucerito en la Catedral; la visita de Juan Pablo II a México y la propaganda de las papas Sabritas; ha aceptado que Onésimo Cepeda, obispo de Ecatepec, exprese su euforia por el triunfo de Labastida como candidato a la Presidencia de la República, que Ernesto Zedillo haya acusado, sin ninguna protesta fuerte del episcopado, a los prelados chiapanecos de ser partidarios de una teología de la violencia y de impulsar una pastoral de la hipocresía, y que Luis Reynoso, obispo de Cuernavaca, dé indulgencias a Salinas de Gortari.

Ahora, esa parte de la jerarquía ve con beneplácito la remoción de Raúl Vera de la diócesis de San Cristóbal, remoción definida por Angelo Sodano, secretario de Estado del Vaticano quien, como lo señaló Bernardo Barranco (*La Jornada*, 11 de enero) se ha distinguido en un lapso de doce meses por haber cometido varios errores internacionales, entre ellos el apoyo a su amigo personal Augusto Pinochet y la laxitud en la dramática guerra de Bosnia, y sancionada por Lucas Moreira Neves, prefecto de la Sagrada Congregación de los Obispos, responsable de remociones que han beneficiado a los grupos del Opus Dei que tratan de conciliar a Dios con el dinero.

Sin darse cabal cuenta de que, como lo dice la sentencia latina, *Corruptio optimi quae est pessima* (La corrupción de lo mejor es lo peor) o, para decirlo en palabras crudas, sin darse cabal cuenta de que la salida del obispo dominico y de Samuel Ruiz, testigos del Evangelio y de su paz, de aquel sitio de conflicto puede causar una polarización que termine con el estallido de la guerra, el arrasamiento de las culturas indígenas y el fortalecimiento de grupos con intereses económicos contrarios al Evangelio, jerarcas protagónicos, que han perdido el sentido de la proporción, están dispuestos a ser elegidos para suceder la difícil tarea que a Samuel Ruiz y a Raúl Vera les ha costado años de esfuerzo y de luz interior. La moneda está en el aire. ¿De qué lado caerá?

Hay una esperanza de que ese nombramiento caiga sobre un prelado sabio y evangélico; hay también un temor de que caiga en la persona de un sacerdote indigno. La iglesia, como he dicho muchas veces, es el cuerpo místico de Cristo, iluminado por el Espíritu Santo. Pero también, y por lo mismo, es el reducto favorito para la acción del diablo. Satanás es el imitador invertido de Jesucristo y, como ha sido frecuente, sabe imitar, para beneficio de la iniquidad, las mociones del Espíritu. Nuestra iglesia hoy en día ha escuchado a veces al Espíritu Santo (las Encíclicas de Juan Pablo II así lo muestran); a veces también ha escuchado la iniquidad del diablo (las actitudes que ha asumido con respecto al mundo y de las cuales he citado algunos ejemplos así lo dejan ver) ¿A quién escuchará esta vez? ¿Sabrá discernir? Es nuestra esperanza, porque se nos ha prometido que "las puertas del infierno no prevalecerán contra ella", y porque sabemos que la iglesia de Cristo, que es su cuerpo, debe seguir la suerte del que es su cabeza; debe seguirlo en la muerte y, como él, ser crucificado en el mundo para resucitar como su Señor y entrar en la gloria del padre.

17/01/2000

EL DESAFÍO DE LA IGLESIA

Por fin, en medio de un México roto y desfigurado, después de consultas, encuentros, versiones y enmiendas, la iglesia a través de sus obispos se pronunció con su carta pastoral *Del encuentro con Jesucristo a la solidaridad con todos*. Hay que felicitarse por ello. Hacía mucho que la iglesia mexicana no nos daba a sus fieles una visión tan clara sobre México, sobre sus preocupaciones pastorales y sobre los retos que tiene para la nueva evangelización en los inicios del tercer milenio. En ella no ha dejado un solo resquicio sin mapear: reconstruye la fundación nacional a partir del acontecimiento guadalupano; muestra la pluralidad que es México y la manera en que el cristianismo, inculturizado en esa pluralidad, ha contribuido a la unidad nacional; analiza los errores en que ha incurrido la iglesia en ese proceso y se planta con sus retos de cara a la problemática moderna: la necesidad de colocar sobre la economía del mercado el desarrollo integral de la persona humana, de asumir la opción preferencial por los pobres, de crear una educación basada en valores y de vivir un proceso democrático que nos permita la alternancia en el poder.

En síntesis, *Del encuentro con Jesucristo a la solidaridad con todos* es un documento que a la luz de la fe en Cristo hace un llamado a la construcción de "un nuevo proyecto de nación" a partir del reencuentro con los límites y la proporcionalidad. Esto hace al documento complejo y, por lo mismo, como lo afirmó Pablo Latapí Sarre (*Proceso* 1222), permite "muchas lecturas posibles". Yo intentaré, en el breve espacio que permite un artículo, la mía.

Pese a algunas objeciones de orden de perspectiva (el propio Latapí en el artículo citado hizo las concernientes a la educación y a la cultura) es difícil que nadie esté de acuerdo con el sentido ético que funda al documento y que hace posible las partes medulares del texto: su crítica al neoliberalismo y el reto de construir un país en el orden de lo humano revelado por el Evangelio. ¿Quién no quiere un país en donde reine la solidaridad, en donde el Estado sirva a la nación, en donde la pluralidad que nos configura tenga su sentido y su lugar en medio del todo, en donde los hombres vivamos volcados sobre la caridad y el bien del otro?

El problema no está ahí. El Evangelio y la doctrina social que la iglesia sabiamente ha logrado desarrollar a partir de él, es un hermoso horizonte sobre el que ningún hombre de buena voluntad pueda objetar algo. El problema, y ése es el reto con el que se enfrenta en la actualidad el mensaje evangélico, es que sus recomendaciones chocan contra la realidad de un sistema en el que todos los cristianos y la iglesia misma estamos metidos. La ética y los valores sólo tienen sentido si la estructura social, con todo y sus imperfecciones, vive con esos valores.

Por desgracia, nuestra sociedad, sometida por los "valores" modernos ha dejado de ser cristiana, vive un ateísmo estructural que se articula en las formas de vida que hemos creado y en donde el mercado y el consumo se han vuelto los rectores de nuestras vidas. Alguna vez dije que nuestra sociedad se parece a un Ferrari que ha entrado en una autopista de alta velocidad que no tiene salidas y cuyo único destino es estrellarse. En una sociedad como ésta, los valores cristianos que *Del encuentro con Cristo a la solidaridad con todos* manifiesta de una forma impecable, sólo parecen una hermosa águila que revolotea sobre una presa que nunca podrá alcanzar.

Pienso en un ejemplo: don Lorenzo Servitje y su tarea como empresario. Nadie podrá objetar que don Lorenzo es el empresario que mejor ha articulado la doctrina social de la iglesia en su tarea empresarial. Ninguno de los obreros de este país tiene el bienestar y las prestaciones que tienen los obreros de Bimbo; don Lorenzo, además, ha hecho a través del IMDOSOC lo que ningún sector de la iglesia laical ha hecho por la difusión de la doctrina social de la iglesia. Las empresas de don Lorenzo son el paradigma de lo que debería ser un empresario católico, y yo, en mi vida, tengo que agradecerle lo mucho que sus instituciones y empresas me han enseñado. Sin embargo, la obra de don Lorenzo vive inmersa en las estructuras del mundo y para existir juega con la lógica que el mercado impone. Las empresas de don Lorenzo son expansionistas, conquistan mercados, quiebran empresas y las incorporan a ellas, penetran con sus productos en las localidades más remotas del país y destruyen formas vernáculas de producción de pan. Don Lorenzo sirve aquí, pero destruye allá. ¿Lo quiere? No. Pero la lógica del mercado se lo impone. Si quiere subsistir como empresario tiene que pagar su cuota al sistema.

Algo semejante sucede dentro de muchas de las universidades católicas o de inspiración cristiana. En muchas de ellas la doctrina social es fundamento de su enseñanza. Pero son escuelas para ricos que preparan en la *praxis* a sus alumnos en el espíritu competitivo e individualista que privilegia el sistema. Si enseñan los valores cristianos, los contradicen desde el momento en que el alumno es construido en carreras en las que la lógica no la determina el valor cristiano sino el pragmatismo del mercado y la amoralidad de su sistema. Serán hombres que vivirán una especie de esquizofrenia social.

Algo peor sucede en algunos espacios de la propia institución eclesial en donde algunos obispos exaltan, por un lado, la doctrina social de la iglesia y, por el otro, pactan con el sistema y sus poderes.

Basten estos ejemplos para medir la problemática.

No quiero, sin embargo, decir con esto que *Del encuentro con Cristo a la solidaridad con todos* no tenga sentido. El documento, como he dicho, es un análisis impecable de lo que el Evangelio ha hecho en la construcción de esta nación y de lo que exige en el reino del hombre. Es gracias a este tipo de cartas pastorales que los cristianos somos llamados y podemos salvar lo que es posible salvar de este mundo roto y retrasar su hecatombe. Lo que quiero decir es que el asunto es complicadísimo y que no se va a resolver con un llamado a recuperar los valores cristianos en el centro de la familia y de la sociedad que la lógica del sistema se está encargando en destruir. El asunto, vuelvo a repetir, es que no existen las estructuras sociales que puedan sostener esos valores. Lo que ahora le pide el mundo a la iglesia no es una recomendación moral que se estrellará con unas estructuras que hacen imposible cualquier moral. No se reforma al diablo. Le pide una teología de la economía que cambie las estructuras sociales. ¿Cuáles son los límites del mercado que destruye, uniformiza e impide la pluralidad y las diferencias? ¿Cómo se construyen estructuras económicas que recuperen la proporcionalidad y que hagan posible un mundo armónico? ¿Cuál es la forma en que las universidades deben preparar a sus alumnos para transformar el sistema, no para alimentar su estructura? ¿Cómo se genera una cultura de la pobreza, única que puede permitir la existencia de la pluralidad en el todo y la fuerza de la solidaridad?

Las preguntas no sólo son medulares, ahora en que el mercado señorea el mundo e impone su lógica contra toda la ética y todo el Evangelio, sino que obligarían a la iglesia a hablar más alto, a revisar lo que las enseñanzas de Gandhi en materia de economía le legaron al mundo y lo que al respecto ha dicho y continúa diciendo en este orden uno de los nuestros, quiero decir, un hombre que se formó en el seno de la iglesia y que continúa en ella: Iván Illich; implicaría dar líneas directrices que no convendrían a todos. ¿Pero, existe otra posibilidad? El Evangelio y la doctrina económica y social que él ilumina son escándalo desde que el Verbo se encarnó y murió en la cruz. El Señor, y eso lo expresa muy bien el fondo de la carta pastoral que ahora requiere de una audacia mayor, ha vivido y vive entre nosotros como un pobre y nos pide ser pobres como él, como el mundo y la economía que su Padre creó, con el fin de ser recibido y honrado por los pobres y de reencontrar así lo único que conoció y fue su alegría sobre las polvosas calles de Galilea: la hospitalidad y la solidaridad de los pobres, su simple acogimiento. Una teología de la economía implicaría eso; es el reto que, después de la carta pastoral que nos han entregado los obispos y que nos recuerda la exigencia y la dimensión de lo cristiano, se nos lanza a la cara a todos los miembros de la iglesia, pues el Evangelio es incompatible con las estructuras del mundo.

10/04/2000

FELIPE ARIZMENDI Y EL SOPLO DEL ESPÍRITU

Para Samuel Ruiz, en agradecimiento por recordarnos el camino.

Pese a los esfuerzos del Club de Roma y del gobierno de México por limpiar la diócesis de San Cristóbal de las Casas de sus testigos evangélicos (Samuel Ruiz y Raúl Vera), el Espíritu Santo que, para escándalo de los racionalismos modernos, sigue soplando en la iglesia, logró inspirar la última labor de Justo Mullor en México, a la Comisión Episcopal Mexicana y al papa para poner en la sede de San Cristóbal a otro hombre evangélico: Felipe Arizmendi.

De entre los obispos incómodos, Arizmendi parecía ser el menos incómodo; conocedor de la zona y del conflicto chiapaneco, Arizmendi, durante su estancia como obispo de Tapachula (zona donde los grupos indígenas son pocos) guardó frente a los ataques a Samuel Ruiz y Raúl Vera una prudente distancia. Equilibrado, los defendió cuando fue necesario, guardó silencio cuando las circunstancias lo impusieron e hizo críticas cuando lo creyó prudente.

Sin embargo, desde el 2 de mayo, cuando tomó posesión de su cargo en la diócesis de San Cristóbal de las Casas, vimos emerger a un Felipe Arizmendi, no distinto, pero sí absolutamente evangélico. Su prudencia política se transformó en un desafío cristiano y en una continuación del camino que Samuel Ruiz le ha recordado a la iglesia mexicana.

Arizmendi, por lo que se puede leer en su mensaje pastoral, no ha llegado, como lo esperaban el gobierno y los obispos que han decidido pactar con él, a legitimar las acciones de Gobernación y del gobierno de Albores Guillén; no llegó tampoco a desmantelar el lento y admirable trabajo que la feligresía de San Cristóbal, acompañada por su ahora obispo emérito, Samuel Ruiz, han realizado. Llegó, por el contrario, a vivir y a practicar el Evangelio, y eso quiere decir que llegó a vivir la causa de Dios, que es la causa del hombre y a continuar la tarea emprendida por Samuel Ruiz y apoyada por Raúl Vera; llegó a tratar de hacer posible que en ese sitio atravesado por una guerra sorda, por los desplazados, por las enemistades y las traiciones del gobierno de México, se pueda vivir la paz de Cristo.

Esa paz, como lo ha mostrado don Samuel y cada hombre y mujer que han decidido darle todo al Evangelio, es escandalosa e incómoda porque denuncia los atropellos, se niega a las injusticias, a las bajezas, a las armas y a los intereses que no son los que le competen al hombre en su libertad de hijo de Dios. Arizmendi lo dijo con estas palabras en su mensaje pastoral de toma de posesión de la diócesis: "La iglesia los ama sinceramente; no los abandona ni los traiciona. ¡No teman! Mi compromiso es estar con ustedes y continuar apoyando su promoción y su liberación evangélica, para que sean sujetos de su historia y de la evangelización. Queremos seguir luchando siempre con medios pacíficos para que se reconozcan sus justos derechos [...]".

Este Arizmendi, que ha hablado claro, me recuerda al viejito Roncalli, que al sentarse en la silla papal y convertirse en Juan XXIII abrió las ventanas de la iglesia para que el Espíritu Santo insuflara con más fuerza; me recuerda a Samuel Ruiz que, transformado por el soplo del Espíritu, tomó el camino de los pobres y decidió mirar con sus ojos, sentir con su corazón y caminar con sus pasos; me recuerda a un Raúl Vera que, sentado como coadjutor en la diócesis de San Cristóbal de las Casas, se dejó interpelar por el dolor y el amor del pueblo chiapaneco. Me recuerda también que la iglesia no son sólo sus prelados, sino el pueblo de Dios que al acoger a su nuevo pastor y haber transitado por los arduos caminos del Evangelio lo obliga a caminar al lado de ellos y de sus largas luchas.

Arizmendi ha llegado a Chiapas y, junto con su pueblo, ha hablado alto. La tarea que él y la iglesia tienen por delante no es fácil. Para mantener la dignidad de ese pueblo y del Evangelio tendrán, como lo hizo en su momento Samuel Ruiz, que enfrentar la enfermedad de nuestro tiempo: la pérdida de la medida del hombre; los intereses económicos que, a través de la intimidación, del vacuo sueño de la modernidad, quieren reducirle a un engranaje económico sometido a los poderes del mercado y de las trasnacionales, destruyendo sus tradiciones y sus bienes más inalienables; tendrán que enfrentar y denunciar las estrategias paramilitares que están creando no sólo la desunión en las comunidades, sino también, lo más horrible, los desplazados cuya miserabilización es el testimonio más claro y brutal de lo que busca hacer el oscuro sueño del mercado con el hombre y sus culturas; tendrán también que enfrentar el odio y el desprestigio de quienes no buscan la medida del hombre, sino los intereses del mundo.

En este sentido, el desafío que Arizmendi y la iglesia tienen en Chiapas muestra que el drama de la iglesia y del Evangelio se juega entre los pastores y su pueblo, esos dos polos igualmente poderosos, igualmente importantes de la sacralidad objetiva (los pastores que tienen la consagración, los poderes del magisterio y los sacramentos) y de la sacralidad subjetiva (el pueblo de Dios y su camino hacia la santidad) que se apoyan siempre uno en el otro. A través de esta dialéctica, que se da en el interior de la iglesia, la iglesia misma deja entrar el soplo del Espíritu, sobrepasa la pura esfera de la objetividad, es decir, su relación puramente funcional, y provoca la libertad cristiana que es un acontecimiento inmenso, una suerte de explosión que siempre incomoda a los intereses del mundo.

Arizmendi y el pueblo chiapaneco han decidido continuar transitando por ese camino. Lo que resta saber es si la iglesia de México en su conjunto lo tomará junto con ellos. No lo sabemos. Los intereses políticos y económicos de ciertos obispos, de ciertas congregaciones y de ciertos laicos mundanos siempre entorpecen esta labor. Pero, a pesar de ellos, el Espíritu Santo no cesa de soplar. Si Felipe Arizmendi, como lo mostró en su mensaje pastoral el 2 de mayo, es fiel a ese soplo que lo puso al frente de la diócesis de San Cristóbal, y el pueblo chiapaneco se mantiene fiel a ese soplo y al camino que abrieron junto con Samuel Ruiz; si lo mejor de la iglesia de México los sostiene contra los poderes y los intereses que hoy se están jugando en esa región, entonces, todos juntos, podremos afirmar con toda verdad lo que Felipe Arizmendi proclamó: "¡No teman!"

08/05/2000

La iglesia y la posmodernidad

Frente a la posmodernidad, es decir, frente a un mundo fracturado por los relativismos, la iglesia está desconcertada. No encuentra la manera de defender los valores que han conformado la grandeza y la dignidad del mundo cristiano y se desespera. Ajena a una pedagogía para enfrentar las estructuras de pecado en que vivimos, responde con el anatema y, en algunos sectores de la jerarquía, con la búsqueda de acuerdos cupulares que le permitan un acceso a los medios de comunicación y una injerencia en la educación.

El asunto es grave, sobre todo porque detrás de este desconcierto se siente no sólo una desconfianza en la libertad de los hijos de Dios y en la acción del Espíritu, sino también una incapacidad para articular su vocación primera, que es el acogimiento y el amor.

Si me refiero a esto es porque recientemente, junto a la actitud sin matices que ha asumido la iglesia ante el uso de los anticonceptivos, a los vergonzosos intentos de acuerdos cupulares que antes de las elecciones el Club de Roma intentó realizar con el PRI y Gobernación (recordemos los desfiguros de Onésimo Cepeda: adhesión desvergonzada al candidato Francisco Labastida e intentos de manipulación del voto en Ecatepec), el periódico *Reforma* (9 y 10 de julio) divulgó una noticia desconcertante: la reiteración del Vaticano de que las personas divorciadas, vueltas a casar y que tienen relaciones sexuales con su nueva pareja, no pueden participar del sacramento de la comunión.

La noticia es desconcertante no por lo que contiene de verdad en relación con la doctrina de la iglesia (la sanción de excomunión del sacramento de la eucaristía para los divorciados en la iglesia católica es ancestral y está perfectamente documentada en el catecismo de la misma, 1644 a 1650), sino por lo que muestra de falta de tacto para defender la santidad del vínculo matrimonial: ante la crisis del matrimonio en el mundo posmoderno, la iglesia responde con el anatema sin matices; nada dice de las posibilidades de declaración de nulidad que tiene la propia iglesia, nada dice de una pedagogía para reconstruir el matrimonio en el seno de una sociedad desgarrada. Por el contrario, con su anatema lanza a los hombres y mujeres que han sucumbido al poder de las estructuras de pecado y no encuentran en ellas un punto de consuelo a la desesperación o, en el caso de quienes han perdido el sentido profundo del sacramento matrimonial, al cinismo o a la claudicación.

Con esto no pongo en duda el valor fundamental del vínculo matrimonial ni las sanciones que la iglesia prescribe cuando se rompe, cuanto la forma en que se expresa. ¿Cómo es posible hacer valer un universo espiritual y ético, cuando las estructuras que le dan sentido y lo sostienen, es decir, cuando el común de la sociedad ha perdido esos valores? O, en otros términos, ¿cómo es posible defender el vínculo matrimonial y su indisolubilidad y fidelidad de donación recíproca definitiva, en un mundo cuyas estructuras son la reestimulación erótica a través de los medios, la exaltación del hedonismo sin límites, el consumo indiscriminado, la relativización de los valores; cuando las formas económicas que privilegian el mercado sobre el valor humano destruyen el bien común y arrojan a las familias a su desintegración? Pensemos en los indocumentados que dejan familias y se ven constreñidos a reemplazar el amor de pareja en otras tierras para sentirse un poco amados; en las mujeres que quedan con el peso de su miseria y buscan un poco de afecto; pensemos en las cientos de parejas que, hijas de la desintegración del sentido, no pueden construir una unidad, un mismo corazón y una misma alma y que se ven en la necesidad de separarse y construir otra familia. En otro tiempo, cuando existieron la comunidad cristiana y la cristiandad, el anatema de la disolubilidad matrimonial funcionaba. Había un común, es decir, un mundo en el que los valores matrimoniales eran práctica de todos y permitían su sostenimiento. Hoy en día ya no existen la comunidad cristiana ni la cristiandad, sino un mundo fracturado en una pluralidad de sentidos. Frente a él el anatema es un gesto absurdo.

¿Qué decir entonces, que habría que rebajar el valor del vínculo matrimonial a la puerilidad de las exigencias posmodernas? No, sino dirigir la lucha no contra el síntoma: la destrucción del matrimonio, sino contra aquello que lo genera: las estructuras de pecado. No se resuelve nada anatemizando a aquellos que, débiles, no han podido con las estructuras de pecado que nos rodean y sucumben. "Las estructuras de pecado —lo dijo Juan Pablo II en *Sollicitudo Rei Socialis*— condicionan las conductas de los hombres". Se resuelve en cambio con el acogimiento, el don y la búsqueda por reconstruir una estructura social en la que los sentidos profundos de la vida puedan vivirse plenamente.

En un mundo fracturado, los ideales cristianos son un horizonte del reino, un punto de llegada, no de partida, una realidad que debe construirse y no un absoluto que puede encarnarse mediante un anatema. Frente a ello, la iglesia debe recapitular y buscar las formas de esa reconstrucción. El propio Juan Pablo II, en la exhortación apostólica *Familiaris Consortio* habló de la ley de la gradualidad por la que el hombre y la mujer, a través de su libertad, de sus historias concretas, gradualmente van tratando de encarnar el horizonte de la plenitud a la que son llamados, y exhorta: "Pertenece a la pedagogía de la iglesia hacer de tal suerte que, ante todo, los cónyuges reconozcan claramente la doctrina *Humanae vitae* como norma para el ejercicio de la sexualidad y se vinculen sinceramente para establecer las condiciones necesarias para su observancia". Este llamado se dirige a buscar una pedagogía acorde con estos tiempos, en los que las viejas fórmulas del castigo y del anatema sólo hablan de la imbecilidad totalitaria. Construir esa pedagogía es la tarea de la iglesia. Es un reto difícil, pero no menos difícil que vivir la fe en estos tiempos. Si la iglesia quiere cumplir con su misión salvífica debe abocarse a ello y no a escudarse en la estupidez del anatema que, lejos de manifestar su deber primordial: el perdón fraterno, el acogimiento y la dirección paciente y paterna que permita a la ley cumplirse, sume a los hombres en la desesperación y la desesperanza. En un mundo roto, en un mundo en donde muchos hombres están exentos de la esperanza humana, reducidos a los poderes del siglo, el deber fundamental de la iglesia es proporcionarles la esperanza teologal que se basa en el amor de Cristo que entregó su cuerpo y su sangre por todos y cada uno de los hombres, sin exclusión de nadie, y ayudar a construir un mundo cuyas estructuras permitan al amor encarnarse. Condenarlos es caer en el saduceísmo que anteponía el primado de la ley al del amor y que tanto despreció Cristo, es olvidar esas dos hermosas enseñanzas de Chesterton: "La iglesia es un hospital de pecadores" y "El cristianismo es ir de la mano de alguien a algún sitio".

17/07/2000

FE Y RELIGIÓN

La llegada al gobierno de la República de hombres declarados católicos se ha visto con suspicacia. Ciertas acciones de algunos de ellos (el alarde guadalupano de Vicente Fox el día de su toma de posesión como presidente de México, las bendiciones de Carlos Abascal, el intento de penalizar las causales de aborto en Guanajuato) se miran con temor: ahora que han llegado al poder los católicos, ¿no serán una amenaza al Estado laico y a las libertades individuales? ¿No fungirán como peones de algunos obispos nostálgicos?

El temor no es gratuito, sobre todo en un país en donde el integrismo católico y el jacobinismo liberal han jugado un papel atroz.

Yo, como católico, participo de ese temor. Si no me gustan los integrismos, porque en su desmesura quieren hacer entrar por la fuerza lo real en la estrechez de sus conceptos (y ya vimos las atrocidades que el jacobinismo liberal hizo en este país o lo que los integrismos católicos hicieron en la España de Franco o en el Chile de Pinochet), tampoco me gustan los gestos ambiguos que pueden, en un momento dado, pasarse al bando de los integrismos. Cuando Vicente Fox o Carlos Abascal, el día domingo o quizá cada mañana de la semana, antes de realizar sus actividades, asisten a la iglesia y participan del misterio eucarístico, actúan como cristianos, como miembros del cuerpo místico de Cristo, y se ocupan de la vida litúrgica y sacramental. Es el ámbito propio de la iglesia, el ámbito espiritual que los debe vivificar para accionar en el orden de lo temporal no como cristianos, sino en tanto que cristianos. Hasta ahí no hay conflicto ni ambigüedad, pues, como lo ha señalado Humberto Schwarzbeck (*La misión temporal del cristiano*), "el plano de lo espiritual y el plano de lo temporal son claramente distintos, sin estar separados".

Sin embargo, cuando Fox el día de su toma de posesión fue a la Basílica de Guadalupe, haciendo un alarde de catolicidad y un despliegue de medios, y cuando Carlos Abascal lanza bendiciones en actos públicos e invoca el nombre de Dios a diestra y siniestra, introducen una carga de ambigüedad. El primero usa la religión como un acto populista (Fox olvida que cuando se es un personaje público y se entra al templo se tiene que asumir el papel del publicano, no del fariseo). El segundo usa la religión como un absoluto; olvida que el mundo en el que vive ha dejado de ser una cristiandad y que invocar a Dios en él no introduce su misterio vivificante, sino la ideología católica del propio Abascal. Lejos de actuar en tanto católicos en el mundo, actúan como católicos.

Estas ambigüedades los vuelven sospechosos, pues si en el primer caso actúan como hombres de fe, en el segundo parecen actuar como hombres de religión.

Un hombre de religión es aquel para quien el cristianismo es un conjunto sistemático de proposiciones concretas sobre la forma en que el reino de Dios debe hacerse en la tierra. Toman las inmensas revelaciones del Evangelio, las reducen a un sistema y las vuelven una ideología y un programa político. En nombre de ese programa (como sucede con toda ideología que quiere proponerse como absoluta interpretadora de lo real) pueden permitirse una intromisión brutal en la vida política. Su peligro, en un mundo globalizado, es, como lo quieren ciertos grupos de los Legionarios de Cristo o del Opus Dei, hacer empatar el Evangelio con las proposiciones de la economía neoliberal: el mundo de Dios es el mundo del bienestar económico.

Por el contrario, un hombre de fe es aquel que, como lo ha explicitado la encíclica *Gaudium et spes*, cumple con sus deberes temporales guiado por el Evangelio, porque estas obligaciones son una dimensión de los deberes con el prójimo y para con Dios. Desde ahí, y por lo mismo, el hombre de fe sabe, sin dejar de afirmar su condición, que el cristianismo no es un conjunto sistemático de proposiciones concretas ni una ideología, sino una realidad vivificante que no está atada a sistema político alguno, y que es signo y salvaguarda del carácter trascendente de la persona humana y, por lo tanto, crítica de todo aquello que la aliene, incluyendo las ideologías cristianas.

Para el hombre de fe, a diferencia de lo que cree el hombre de religión, el reino de Dios no puede construirse bajo el peso de una utopía teocrática. Sabe que el mundo de lo temporal es —vuelvo a Humberto Schwarzbeck— "esencialmente ambiguo, porque es a la vez el reino del hombre, de Dios y del diablo. En un mundo abierto a la gracia, pero también al mal y a la acción humana, el cristiano se ve obligado a trabajar por el advenimiento del reino, sabiendo que no llegará totalmente, sino hasta el fin del tiempo. Cualquier solución que no acepte esta ambigüedad esencial niega la gracia o al hombre, y condena al creyente al fanatismo". Sabe también que preparar el reino no implica extender el dominio de la fe cristiana al mundo, sino hacer que el mundo se vuelva más humano. Enclavado en lo absoluto, el hombre de fe no canoniza ningún régimen. Su objetivo es la causa del hombre, no de una ideología que sustituye al hombre por una abstracción.

En este sentido, un hombre de fe, al actuar como cristiano en el interior de la iglesia y en tanto cristiano en el mundo, al mismo tiempo que supera la artificial división liberal que reduce la religión al ámbito de lo privado, supera también la tentación integrista que hay en los hombres de religión que intentan reducir el Evangelio a la estrechez de sus propias convicciones temporales y a alardes de piedad. Sin dejar de estar iluminado por el Evangelio, el hombre de fe respeta la conciencia de los otros y, defendiendo la dignidad del hombre, sus deberes para con la comunidad humana a la que pertenece y sus derechos dentro de ella, no busca amparar con leyes asuntos relacionados con la doctrina cristiana, salvaguardando así a la iglesia y al Estado. Su deber no es evangelizar al mundo ni hacer alarde de su vida religiosa, sino hacerlo más humano en su diversidad.

Al actuar así, en tanto cristiano y no como cristiano, el hombre de fe —vuelvo a Schwarzbeck— "actúa comprometido con los asuntos de la vida terrestre de la humanidad, y aunque Dios sea el fin último de su actividad, su objeto determinante está en los bienes que no son la vida eterna, sino que se relacionan en forma general con las cosas del tiempo. De esta manera, en su actividad temporal [el hombre de fe] actúa como miembro de la ciudad terrenal sin comprometer a la iglesia, sólo a sí mismo, pero comprometiéndose enteramente [...] como cristiano que está en el mundo y trabaja en el mundo sin ser del mundo".

Pensar en esto es incitar a la reflexión a quienes hablan a la ligera de la religión o hacen un alarde irresponsable de su fe en la vida política, y a evitar las ambigüedades. El cristiano es amor y fecundidad o sólo será un hombre al servicio de una ideología tan nefasta como cualquier ideología totalitaria. Darle todo a Dios implica darle todo a lo humano para que Dios y el Evangelio no tengan nada de qué avergonzarse.

31/12/2000

EL OSCURO CRISTIANISMO DEL GOBIERNO DE FOX

Si algo comienza a caracterizar al gobierno de Fox, es una oscura mezcla de cristianismo y de neoliberalismo o, en otras palabras, una expresión degradada de lo cristiano. Fox, como alguna vez lo soñaron ciertas formas del protestantismo que adquirieron su rostro más terrible en lo que ahora se ha convertido en Estados Unidos, está intentando una conciliación innatural: la de servir a Dios y al dinero.

Por una astuta perversión de las verdades sustanciales del cristianismo, que se iniciaron con la crítica del mundo medieval y culminaron con el establecimiento del liberalismo, el espíritu burgués y, más tarde, con ese hijo renegado del liberalismo: el marxismo, el gobierno de Fox está tratando de repartir el alma de los mexicanos entre dos obediencias absolutas: Dios para la salvación y el cielo y Mammón para las cosas sociales y de la tierra.

El problema, en este sentido, no es su fe sino lo que está haciendo con ella.

El Evangelio, punto fundamental de la fe cristiana, es de una radicalidad abrumadora. Basado en el amor que, como misterio, se articula en la encarnación del Verbo (la *kenosis* o renuncia de Dios a sus privilegios divinos), la crucifixión (la humillación, a causa del pecado de los hombres, de la humanidad del Verbo encarnado) y la resurrección (la restitución de la humanidad divina del hombre en el Verbo resucitado), y que, como mandato, se expresa en el servicio al prójimo y en el desprendimiento de los bienes materiales, ha sido siempre un escándalo. Sobre ese horizonte se han edificado las más bellas utopías que conoce el cristianismo americano (pienso en las reducciones jesuíticas de Paraguay que terminaron devastadas por los intereses de los bandeirantes y del absolutismo del siglo XVIII, en las comunidades de Vasco de Quiroga en Michoacán, en las de fray Pedro Lorenzo de la Nada, en la humillada Chiapas, y en las que, siguiendo su ejemplo, realizó Samuel Ruiz en el mismo sitio).

Por desgracia, la tendencia de la mayoría cristiana, escandalizada por esa exigencia, ha querido suavizar el Evangelio haciéndolo coincidir con los intereses del mundo.

En la actualidad, el imperio de la burguesía, la seducción del industrialismo, de la axiomática del desarrollo, impuesta por el Banco Mundial y el Fondo Monetario Internacional han hecho que algunos cristianos, en los que están incluidos el gobierno de Fox y una buena parte de los panistas, pongan el Evangelio a su servicio. Semejante a la humanidad del *Apocalipsis* de San Juan seducida por los "milagros" de la bestia que se hace pasar por Cristo, el gobierno de Fox ha decidido adorar los valores del neoliberalismo haciendo que el Evangelio sirva a sus fines. Ha reducido la marea de fuego de la Buena Nueva a una ética de la decencia y de la invocación del nombre de Dios, y en el orden de la vida social ha erigido las exigencias del Banco Mundial y el mito del desarrollo de los economistas de moda y de las grandes industrias en cruz y altar en el que los mexicanos, reducidos a una decencia "cristiana", debemos inmolarnos.

Con esta mentalidad, hija de una buena voluntad burguesa y "cristiana", el gobierno de Fox apuesta por el Plan Puebla-Panamá, por el sometimiento de la pluralidad cultural de nuestro país a la salvación de las transnacionales y del "changarro, el vocho y la tele", y por el sacrificio de las clases medias y de los pobres que han podido acceder a la esclavitud del mercado de trabajo en la cruz del IVA para proteger los grandes capitales, resguardar los millonarios fraudes del Fobaproa, servir a las exigencias del Banco Mundial y preparar el terreno a las grandes industrias. Exalta la moralina e, ignorando la gran aportación que el cristianismo ha hecho a la cultura al salvar el pensamiento del mundo antiguo y fundar Europa sobre lo mejor de la cultura de Oriente y Occidente, decide destruir la cultura del país aumentando el IVA a libros y exigiéndole a la institución editorial más importante de América Latina (el Fondo de Cultura Económica) volverse una empresa con logros económicos. Su cristianismo barbarizado olvida que la cultura es un don del pueblo a sí mismo y que ese don es ajeno al mercado (¿Quién, sino una empresa subsidiada por su pueblo puede publicar la poesía, la filosofía, la economía y la sociología que por motivos económicos no pueden publicar las empresas editoriales, y entregarle a su pueblo lo mejor de sus pensadores y de los pensadores universales para su florecimiento espiritual?)

El gobierno de Fox reduce también la caridad, que es don de sí, a la dádiva, y la libertad de los hijos de Dios al corsé de una moralidad que, con las recientes actitudes del Carlos Abascal que vetó la obra de Carlos Fuentes en la escuela de su hija, recuerda la horrorosa frase del falangista español: "¡Muera la inteligencia!"

Cuando las conciencias burguesas han logrado acomodar el Evangelio a los fines del dinero, los pasajes más duros y ásperos de la palabra de Cristo quedan expurgados de sus conciencias o, a lo sumo, suavizados y referidos a otras cosas que no comprometen sus existencias reducidas al bovino sueño de un bienestar material. ¿Quiénes, entre los cristianos del gobierno foxista y de los amigos de Fox, recuerdan estas duras palabras y pueden llevarlas al terreno en el que están actuando: "¡Ay de vosotros, fariseos, que pagáis el diezmo de las mentas y de la ruda, y de todas las legumbres y descuidáis la justicia y el amor de Dios! [...] ¡Ay también de vosotros doctores de la ley que echáis pesadas cargas sobre los hombros y vosotros ni con uno de vuestros dedos los tocáis! [...] (Lc. 42 y 46).

Si un pecado comienza a caracterizar el gobierno de Fox no es sólo el entregar todo a la bestia del industrialismo y del mercado, sino el de reducir la marea del fuego del Evangelio al mito del confort burgués traído por los nuevos evangelistas del liberalismo económico, hacerles creer a los posmodernos del siglo que cristianismo es sinónimo de complicidad con los poderes del mundo y de imbecilidad, y olvidar que lo que enseña el Evangelio casi en cada página es la pobreza de espíritu, esa pobreza que honra a los pobres y pone un coto a la riqueza que los oprime.

Cuando los cristianos olvidan que Cristo se ha hecho pobre en espíritu, sin fuerza y sin defensa contra Dios y los hombres, y no toman el camino de su dignificación, es señal de que el mundo corre a su ruina y necesita ser vivificado por aquello que corrompimos.

22/04/2001

EL LLAMADO DEL PAPA AL GOBIERNO DE VICENTE FOX

A la memoria de don Juan José Hinojosa, admirable cristiano

Justo en el momento en que se vende Banamex (produciendo grandes ganancias a sus antiguos dueños y endosándole al pueblo la deuda que contrajeron el sexenio pasado); justo en el momento en que el Banco Mundial respalda la política hacendaria de Vicente Fox y en que el propio Vicente Fox presenta su Programa Nacional de Desarrollo —completamente dependiente de las directrices establecidas por el Banco Mundial y, en consecuencia, estrechamente ligadas con el liberalismo salvaje de la globalización— y un poco después de que el Congreso traicionó los Acuerdos de San Andrés, las palabras que el 21 de mayo pronunció el papa al darle la bienvenida a Fernando Estrada Sámano como embajador de México ante el Vaticano, llegan como un desafío a un gobierno que se dice de inspiración cristiana.

Reproduzco dos fragmentos de esa bienvenida: 1) "Desde el punto de vista del desarrollo integral, hasta ahora la economía globalizada ha beneficiado sobre todo a algunas personas y grupos muy particulares. En cambio, han surgido nuevas formas de empobrecimiento, de marginación y hasta de exclusión de grandes grupos sociales, especialmente de campesinos e indígenas. Por esto se ha de procurar que las instituciones políticas y culturales se pongan de verdad al servicio del hombre, sin distinción de razas ni clases sociales [...]. Es importante que la sociedad mexicana tome conciencia de ello y con actitud verdaderamente solidaria, esté dispuesta a afrontar los necesarios sacrificios que, en ningún caso, deben agravar las condiciones de pobreza de las clases más humildes. Para ello es indispensable mejorar progresivamente las condiciones de vida de los más pobres, tratando de garantizar medidas justas para todos, incluso a nivel fiscal".

2) "[...] es ineludible llevar a cabo una purificación de la memoria y hacer una valoración de la identidad mestiza, a partir de dos culturas que se fundieron, y que tienen una enorme potencialidad de futuro si está reconciliada consigo misma [...]. Para ello hay que ir madurando, sin ningún tipo de demora, en el aprecio a la dignidad de lo indígena. En el conjunto de la pluralidad y de la plurietnicidad de México se encuentra esta raíz que influye en la religiosidad y en la identidad nacional [...]".

¿Cómo entender lo que dice el papa en el tono afable e indirecto de las bienvenidas?

Aunque Fernando Sámano (no se puede esperar otra cosa de un político que representa los intereses de un gobierno) afirma que el discurso de Juan Pablo II es "una expresión de coincidencias, de objetivos, de propósitos, de principios" (*Reforma*, 22 de mayo de 2001) con la política de Vicente Fox, en realidad es una llamada sutil de atención.

El discurso pronunciado en esa ocasión por el papa no tiene el tono de la adhesión, como la que recientemente manifestó el Banco Mundial al referirse a la reforma hacendaria propuesta por el Ejecutivo de México, sino el de la advertencia. Frente al nuevo embajador de México y en clara alusión a la política del gobierno mexicano, Juan Pablo II no asiente: aconseja, señala, busca prevenir. De otra forma no me explico que se haya referido al asunto fiscal propuesto por Fox o a la ley indígena aprobada por la Cámara con las palabras de "es indispensable" y de "es ineludible llevar a cabo".

El papa no ve con buenos ojos la política que se está implantando en México. Detrás de la afabilidad de su tono y de la alusión y el señalamiento indirecto, está diciendo a Fox y a su gobierno que su cristianismo no es serio, que es una pantalla que encubre los intereses de un totalitarismo empresarial y bancario. "Quiero recordar —dice el papa citando la encíclica *Centesimus Annus*, después de aludir al proceso de maduración política que está viviendo México y de señalar la necesidad de fortalecer las instituciones democráticas en el reconocimiento de los derechos humanos y 'en los valores culturales'— que una democracia sin valores se convierte con facilidad en un totalitarismo visible o encubierto, como demuestra la historia".

¿Por qué recordar esto, por qué señalar aquello?

El gobierno de Fox está jugando un juego peligroso que no sólo corre el riesgo de desvirtuar la marea de fuego del cristianismo, sino lo peor, de utilizar sus valores para encubrir intereses espurios. El uso que está haciendo del cristianismo es el mismo que llevó en su momento a Marx a afirmar que "la religión es el opio del pueblo" y el mismo que llevó a Nietzsche a demostrar que detrás de todo el discurso cristiano de su época se ocultaba en realidad un nihilismo atroz: el puro alivio de las conciencias vacías de la burguesía. Con su lenguaje dicharachero, lleno de los lugares comunes de un cristianismo moralizante, con sus maneras afables y su discurso gerencial, Fox aparenta ejercer una política no ideológica, sino ética.

Sin embargo, detrás de ella se oculta el rostro encubierto de un totalitarismo liberal, tanto más peligroso cuanto que parece carecer de ideología. A diferencia del marxismo, del fascismo o del nacionalismo revolucionario de los gobiernos priistas, que fueron francos y brutales en la defensa de sus ideologías, el gobierno de Fox aparenta no tener más rostro que el de los valores cristianos del servicio al bien común y a los más pobres. A fuerza de propaganda sentimental, del uso de los medios, del maquillaje al impacto en la economía doméstica que producirá el aumento del IVA en alimentos, medicinas, libros y colegiaturas, el gobierno de Fox está dando todo a las grandes empresas trasnacionales y al mercado global.

Semejante a las ideologías históricas, que sacrificaron al hombre concreto en nombre de las abstracciones de "la sociedad sin clases" o de "la pureza de la raza", el gobierno de Fox, como en su momento lo hicieron los gobiernos de Salinas de Gortari y de Ernesto Zedillo, está dispuesto a sacrificar a los hombres, a las mujeres y a los niños de aquí y de ahora, en nombre de un bienestar económico futuro dictado por las reglas del Banco Mundial y los buenos oficios de los grandes empresarios. La diferencia es que su propaganda no tiene la majestuosidad aterradora del nazismo ni el populismo obrero del estalinismo, sino el del rostro afable del comercial televisivo y de la moralina cristiana. Detrás de su política no hay campos de concentración, ni gulags; no hay ss ni policías secretos, sino la domesticación bovina de las conciencias al mandato de la economía y el trabajo psicológico de los mercadólogos. En su discurso, los valores carecen de carne, son mera retórica para hacernos pasar el liberalismo salvaje de la globalización como una realidad cristiana; su defensa del mundo indígena es falaz. En su noción "cristiana" y liberal —en donde como una actualización moderna de la iglesia imperial se puede escuchar este eslogan: "fuera del liberalismo no hay salvación"—, los indios terminarán asimilados por las bondades del industrialismo moderno y rescatados de su barbarie cultural. Para el gobierno de Fox cristianismo, dinero, producción industrial y mercado parecen ser lo mismo. Su justicia, como toda justicia que se ha puesto en manos de los poderosos del mundo, está basada en la experiencia espantosa de la resistencia del débil, de su capacidad de sufrimiento, de humillación y de desgracia; la "justicia" mantenida al grado exacto de tensión para que den vueltas los engranajes de la inmensa máquina de fabricar ricos, sin que la cadena estalle.

Con esto no quiero decir que el gobierno de Vicente Fox tenga intenciones perversas, digo simplemente que la buena voluntad de su política y de sus discursos encubre esto que he tratado de desmontar y frente a lo cual el papa, con un tono demasiado afable para mi gusto, dio sus advertencias.

Si realmente el gobierno de Fox quiere imprimirle a su política un sesgo verdaderamente cristiano, aceptar el formidable reto de la democracia y tomar en cuenta las recomendaciones papales debe, primero, repensar lo que su política encubre de totalitarismo y de anticristianismo; después, imprimir a su gobierno una forma de institucionalización que permita que la democracia sea más que un ejercicio libre del voto, un verdadero gobierno del pueblo. ¿Cómo hacerlo?

El filósofo Claude Bruaire ha demostrado en su libro *La raison politique* (sublime defensa de lo político sobre lo económico en vistas de la ética y de la espiritualidad) que para dar cabida a "lo razonable", que es con lo que lo político cumple en la sociedad moderna, la institucionalización de un régimen de separación de los poderes sólo puede hacerlo si tiene los componentes del todo político en una relación silogística que permita cumplir con el "momento" racional de la universalidad [el Estado], con el momento racional de la particularidad [la nación] y con el momento racional de la singularidad ([las comunidades y las personas)], lo que significa que la política tiene como objeto proteger a las personas y sus mundos, y darle su justo sitio a la economía en relación con la ética, pues "una economía —escribe Gandhi— que hiere el bienestar moral de un hombre o de una nación [y la economía del mercado que privilegia la producción de las grandes empresas, de las transnacionales, de la publicidad sin matices y del consumo irracionales como valores supremos es de ese orden] es una economía inmoral, pecaminosa. La verdadera economía nunca hace la guerra a la más alta norma moral y, por su parte, toda verdadera ética que se precie de serlo debe dar inicio a una buena economía. Por otro lado, servir a los que están cerca de uno, introduciendo el justo tipo de desarrollo industrioso que nutre a una comunidad en lugar de reventarla, es una alta forma de la no violencia [léase de la caridad], consistente con la naturaleza de la Verdad".

03/06/2001

LÓPEZ DÓRIGA, NORBERTO RIVERA Y EL CASO SCHULENBURG

Recientemente, a raíz de una carta privada que Guillermo Schulenburg y otros prelados enviaron al papa para pedir que no canonizaran a Juan Diego y que, contra todo sentido de la ética, Andrea Tornelli publicó en el periódico italiano *Il Giornale*, una terrible campaña de linchamiento —más terrible aún que la de 1996— volvió a desatarse sobre el que fue el último abad de la Basílica de Guadalupe.

En 1996 guardé silencio. La imbecilidad, el amarillismo periodístico y la política antievangélica de algunos sectores de la iglesia me provocan asco. Hoy habría querido hacer lo mismo, si recientemente el noticiario de Joaquín López Dóriga, al rememorar la entrevista que en 1995 el pintor Ricardo Newman y yo hicimos a monseñor Schulenburg (*Ixtus* No. 15, invierno 1995) —entrevista que, retomada por Andrea Tornelli en *30 Giorni* ocasionó el primer linchamiento al entonces abad de la Basílica—, no hubiera pasado al aire ciertas declaraciones en voz de Schulenburg que López Dóriga dice ser las mismas de la entrevista que Newman y yo le hicimos.

Porque las cintas de esa entrevista están en mi poder y sólo existe de ellas una copia que tiene el cardenal Norberto Rivera, quien me dio su palabra de que no saldrían del arzobispado y de la Santa Sede, voy a contar aquí la historia de ese asunto y a exigirle a Joaquín López Dóriga y a Norberto Rivera que aclaren la cuestión de esas cintas que comprometen no sólo la honestidad y la credibilidad de ambos, sino la integridad de las políticas editoriales de *Ixtus* que son ajenas al escándalo, al amarillismo y a la imbecilidad de nuestra época.

En 1995, el pintor Ricardo Newman —entonces subdirector de la revista *Ixtus*— y yo entrevistamos a Guillermo Schulenburg. Su entrevista, junto con otras seis que hicimos a otros especialistas para conmemorar el misterio de Guadalupe (Alberto Athié, Mario Rojas, Donjad Hssler, Rafael Landerreche, Rodrigo Franyutti e Ignacio Solares), apareció, como he dicho, en el número 15 de la mencionada revista bajo el título de *El Milagro Guadalupano*. La revista tiraba entonces 300 ejemplares que circulaban entre sus suscriptores. Las declaraciones de Schulenburg pasaron entonces desapercibidas.

Casi un año después (1996), utilizando los fragmentos más polémicos de aquella entrevista, Andrea Tornelli (el mismo que divulgó la carta privada que ocasionó el escándalo) publicó un reportaje que desató una terrible indignación en Roma y una campaña de linchamiento en México que concluyó con la renuncia de Schulenburg a la abadía de Guadalupe y con el nombramiento de un rector. La época de los abades del Tepeyac había terminado.

¿Quién hizo llegar a Tornelli esa entrevista que nadie había atendido un año antes? ¿Cuál era el objeto si Juan Diego estaba ya beatificado? ¿Por qué buscar escandalizar la fe del pueblo?

Alguien —no diré su nombre, un muy alto funcionario de la iglesia, involucrado en el problema— me dijo: fueron Norberto y algunos sectores interesados en apropiarse no sólo de la economía de la abadía —por cierto, horriblemente utilizada por el propio Schulenburg—, sino del control de la abadía y del propio capital simbólico de Juan Diego.

En ese momento, cuando la tormenta estaba en su punto más álgido, otro alto funcionario, esta vez de Televisa, por el lado de la revista *Época* —tampoco diré su nombre—, me pidió que le vendiera las cintas. Le dije que no, que Schulenburg nos había dado esa entrevista para un medio impreso y que no utilizaríamos su voz ni mucho menos la entregaríamos a los medios, a menos que Schulenburg —cosa que nunca hizo— dijera que nuestra transcripción estaba falseada.

"Vamos a hacer esto —me respondió—: te mando un cheque en blanco y le pones los ceros que quieras". Le respondí: "Ni Televisa ni todas sus empresas juntas tienen el suficiente dinero para comprarlas. Simplemente te digo que no se venden".

Por ese entonces, López Dóriga —que tenía un noticiario en la radio— comenzó a sacar ciertas declaraciones que Schulenburg hizo a los medios, haciéndolas pasar como las declaraciones de la entrevista que Newman y yo habíamos hecho. Llamé a un asistente de López Dóriga y le dije: "Dígale al licenciado que deje de decir que las declaraciones que está pasando al aire con la voz de Schulenburg son las declaraciones que el propio Schulenburg hizo a la revista *Ixtus*. Las cintas están en nuestros archivos. Si continúa mintiendo vamos a demandarlo". Dejó de hacerlo.

El asunto no paró ahí. El 1 de junio de 1996 —con carta solicitud del 31 de mayo de 1996—, el cardenal Rivera nos citó a Ricardo Newman, a Tomás Reynoso (entonces director de la editorial Jus, que nos apoyaba en la publicación de *Ixtus*, y miembro de nuestro Consejo Administrativo) y a mí en la casa del arzobispado. El objetivo era que firmáramos una carta en la que declararíamos "que la entrevista al Señor Abad de Guadalupe Mons. Guillermo Schulenburg Prado, se realizó con motivo de un número especial de la revista *Ixtus* […]. Que la entrevista fue grabada y fielmente reproducida en el No. 15 de la revista *Ixtus* y que dicha información no está manipulada. Que lo único que les mueve a dar este testimonio es su preocupación porque este asunto quede plenamente documentado y ayude a evitar confusiones y daños a nuestra santa madre iglesia".

Después de una ríspida charla en la que Newman y yo le reprochamos la política antievangélica con la que se habían conducido en este asunto, firmamos. El cardenal Rivera, como lo había pedido en su carta de solicitud del 31 de mayo, insistió en que le entregara copia de las cintas. "¿Para qué las quiere?", le pregunté. "Para tener una documentación en el arzobispado y en la Santa Sede de la verdad", respondió. Dudé. Sin embargo, y en contra de Newman —que sabiamente no quería que la entregáramos—, lo hice (mi razón fue mi adhesión como católico a la investidura, no a la persona, de uno de mis altos prelados). "Voy a dársela —le respondí— porque no quiero ser un mal hijo de la iglesia, pero con una condición: déme aquí, delante de testigos, su palabra de que esas cintas no saldrán ni del arzobispado ni de la Santa Sede y que no se hará de ellas un mal uso en los medios". Me lo prometió.

Con la salida de Schulenburg de la abadía, el asunto volvió al silencio. Sin embargo, en vísperas de la próxima canonización de Juan Diego, resurgió con mayor virulencia. La manera en que se ha desarrollado tiene la misma mecánica. De la misma forma que en 1996 alguien hizo llegar a Tornelli la entrevista de la revista *Ixtus* para que publicitara las declaraciones de Schulenburg, hoy le hicieron llegar la carta privada que el mismo Schulenburg y otros prelados dirigieron al papa pidiéndole no canonizar a Juan Diego. Los fragmentos que reprodujo Tornelli en 1996 fueron usados a destiempo, cuando el papa lo había beatificado; la carta privada que Tornelli hizo pública en 2002 fue publicada también a destiempo, cuando el papa ya había dado su anuencia para la canonización.

¿Por qué entonces volver al escándalo? ¿Cuál es el nuevo motivo del segundo linchamiento a Schulenburg? ¿Por qué López Dóriga rememora la entrevista de *Ixtus* y pasa al aire las supuestas declaraciones que el exabad nos hizo a Newman y a mí? ¿Volvió a mentir o realmente tiene esas cintas en su poder?

Si mintió, como la primera vez lo hizo en la radio, engañando al público y utilizando falazmente un material que sólo pertenece a *Ixtus*, López Dóriga no sólo sería un pésimo periodista, indigno de ser informante del acontecer político de este país, sino un hombre despreciable.

Si, por el contrario, las declaraciones que de Schulenburg pasó al aire pertenecen a la entrevista que Ricardo Newman y yo le hicimos a

Schulenburg en 1995, entonces el responsable es Norberto Rivera que, traicionando su palabra y nuestra fe en ella, se las entregó. Si es así, Norberto Rivera no sólo sería indigno de la investidura que porta, y su palabra y su condición de hombre no valdrían ya nada, sino que, además, tendríamos delante de nosotros la sospecha de una repugnante red mafiosa en la que Tornelli, Norberto Rivera, Sandoval Íñiguez (recordemos que Tornelli reprodujo en el mismo *Il Giornale* documentos internos de la iglesia en torno al asesinato del cardenal Juan Jesús Posadas Ocampo, documentos supuestamente recabados por el propio Sandoval Íñiguez), López Dóriga, Televisa y sectores de la iglesia mexicana vinculados con los Legionarios de Cristo —quienes promueven la supuesta papalidad del cardenal Rivera— estarían involucrados.

¿Para qué? Primero, tal vez para destruir la credibilidad de Schulenburg —que con toda seguridad, después de lo de 1996, estaría golpeando fuertemente a Norberto Rivera en los altos círculos del Vaticano—: si no es posible rebatir los argumentos de Schulenburg sobre la existencia de Juan Diego (la iglesia debió haber utilizado únicamente el argumento de la fe: creemos en la palabra de los indios, porque son, como lo fueron la prostituta Magdalena y los pescadores discípulos de Jesús en relación con la resurrección, susceptibles de credibilidad y no argumentos científicos y racionistas que no posee), entonces destruyamos la credibilidad de la persona Schulenburg.

Después, quizás, porque lo que para estos grupos está en juego no es la existencia de Juan Diego, sino "la apropiación de lo que el indio representa para la iglesia como para la sociedad", como lo dijo Bernardo Barranco en un artículo recientemente publicado por *El Financiero*. Hay intereses comerciales y políticos en los medios por la representación simbólica de Juan Diego (recordemos el uso comercial que se hizo de la Virgen en la última visita de Juan Pablo a México y que pareció casi una simonía moderna): para unos continúa siendo el indio postergado, el pasivo y taciturno indígena de algún programa asistencial o gubernamental; aquel que nace excluido y que nunca dice "no" y siempre hablará en diminutivo. En esta perspectiva paternalista, el indígena siempre es manipulable (sea por Samuel Ruiz o por Marcos) y testimonia que el país necesita, más que un cambio de estructura, cambios en el corazón de cada mexicano al estilo Teletón... es decir, al estilo de la peor degradación de lo cristiano.

Sea lo que sea, Joaquín López Dóriga y Norberto Rivera están en entredicho y desde aquí les exijo que deslinden sus responsabilidades en relación con esas cintas para que eviten mayores confusiones y daños a la iglesia y al país. De lo contrario, habrán perdido para siempre no sólo la credibilidad, sino la verdad y la paz de su conciencia.

10/02/2002

La iglesia frente a la Conferencia de Monterrey

A raíz de la Conferencia Internacional sobre la Financiación para el Desarrollo que acaba de concluir en la ciudad de Monterrey, la Comisión Episcopal de Pastoral Social emitió un documento: *Declaración de Monterrey*.

El documento es importante no sólo por la defensa que hace de la persona frente al Moloch del libre mercado, sino, sobre todo, por su exigencia de volver a poner lo económico en el lugar que le corresponde en el orden de lo humano: "Los planteamientos y postulados del libre mercado por sí solos —dice el documento (las cursivas en el texto son mías)— no favorecen el verdadero desarrollo integral, esto se debe a que sus instrumentos colocan recursos y responden sólo a necesidades *solventables* con poder adquisitivo y para aquellos recursos que son *vendibles a un precio conveniente*. Existen numerosas necesidades que el ser humano tiene por el hecho de serlo, ligadas a su eminente dignidad, como es la vida que posee y debe desarrollar plenamente, en toda su integridad, en un ambiente sano, participando activamente en la construcción del patrimonio común de la humanidad, que implica no sólo bienes materiales, sino toda una riqueza espiritual que responde a las aspiraciones genuinas de la humanidad; aspiraciones que una economía del libre mercado, que lo quiere controlar todo, no solamente no alcanza a cubrir, sino que obstaculiza su realización".

Desde el punto de vista ético, el argumento de la Conferencia Episcopal parece impecable. Por desgracia, ese argumento, que defiende la dignidad humana y busca colocar a la economía en el lugar que le pertenece, utiliza el mismo lenguaje (recursos, necesidades, desarrollo, que aparece repetido muchas veces a lo largo del documento) que es el origen del malestar que el libre mercado nos provoca.

Me explico. Hasta antes del desarrollo del industrialismo, del armamentismo y de la expansión de las ideas de los economistas utilitarios, esas palabras no existían ni en el vocabulario de la gente ni en el de la iglesia. Las realidades del mundo visible no eran recursos —objetos manipulables—, sino creaciones de Dios que guardaban un misterio ontológico que los hombres debían tratar con respeto y moderación; los seres humanos no tenían necesidades: tenían sueño, hambre, deseos de sanar si estaban enfermos; trabajaban y se reunían después para compartir la alegría de vivir; aspiraban simplemente a ser en el común que los contenía. Todas estas nociones, que son verdaderamente éticas, desaparecieron con la idea del desarrollo que terminó por degradar el misterio del mundo a un recurso y generar en el hombre la noción de necesidades.

El concepto de desarrollo, como lo ha mostrado Iván Illich, y sobre el cual he insistido a lo largo de mis artículos en *Proceso*, nació el 20 de noviembre de 1949 cuando el presidente de Estados Unidos, Harry Truman, en su discurso inaugural anunció el programa de ayuda técnica a los países subdesarrollados, llamado el "Punto Cuatro". Hasta ese momento, vuelvo a Illich, "sólo utilizábamos el término [desarrollo] a propósito de las especies animales o vegetales, del valor inmobiliario o de las superficies en geometría. Pero desde entonces pudo relacionarse con pueblos, países y estrategias económicas. Y, en menos de una generación, estuvimos inundados de diversas teorías sobre el desarrollo". Ellas fueron destruyendo lentamente las economías vernáculas y sus ámbitos de comunidad para sustituirlos por las economías de mercado, el industrialismo y las exportaciones subsidiadas.

Después de la Guerra Fría, esta noción y su aplicación en todo el mundo no sólo ha adquirido un peso descomunal, sino que los sacrificios que desde los años cincuenta las generaciones han hecho para alcanzar el desarrollo, ha desembocado en la creación cada vez mayor de necesidades, en la búsqueda de recursos para su satisfacción y en la miseria más absoluta.

El problema, en consecuencia, no está, como lo señala el documento de la Conferencia Episcopal, en buscar un desarrollo, aunque éste sea integral y sustentable. La sustentabilidad y la integralidad son incompatibles con la noción de desarrollo, que se mueve en el territorio del uso sin moderación de la naturaleza, que es limitada (el término que nació también con el desarrollo lo dice mejor: "de la explotación de los recursos naturales), y en la utilización de la persona humana como otro recurso de la producción; tampoco en satisfacer necesidades, sean éstas de orden material o espiritual. Las necesidades, como bien lo ha señalado Gustavo Esteva, son la consecuencia del despojo. Cuando a la gente se le despoja de algo, se le crea una necesidad. El despojo que el desarrollo ha hecho de los medios de subsistencia y de los ámbitos de comunidad ha generado un conjunto de necesidades: el empleo remunerado, la comida adquirida en supermercados, el acceso a hospitales, el uso del automóvil, una nueva forma de espiritualidad, que no sustituyen lo que se perdió.

Por el contrario, el problema está en cómo se hace para restituirle a la gente su capacidad de vivir, de reconstruir sus lazos comunitarios y de autosubsistencia y de limitar el espectro de la sociedad económica que le dice que lo que necesitan no es una buena vida, en el sentido de la autosubsistencia, de la vida comunitaria y parroquial, sino empleo, seguridad social, atención médica, drenaje y *New Age*, que es una forma espiritualizada del mercado.

El hecho más terrible que estamos viviendo en este momento en que la sociedad económica ha llegado a su más alto índice de desarrollo, es que los que ahora llamamos miserables —se dice que en México 60% de los mexicanos están en esa situación— son el producto de más de cincuenta años de desarrollo dirigidos por los expertos en economía o, mejor, el producto de más de cincuenta años de despojo de sus formas ancestrales de vida. Esos que la economía desarrollista llama miserables, son en realidad seres que se les privó de su capacidad de subsistencia, de vida común y de memoria; seres que ya ni siquiera pueden, como aún podían hacerlo al inicio del desarrollismo, colocar algunos productos en el mercado, conseguir ingresos en alguna parte o mantener su espacio familiar de subsistencia. Hoy en día —de ahí tanta Conferencia para replantear la idea de desarrollo— ni el Estado ni el capital internacional pueden ofrecer una salida o un ingreso a millones de personas que su desarrollo ha despojado.

Así, cuando la Conferencia Episcopal lanza su documento en defensa de tantos despojados, tiene razón, pero comete el mismo error que cometen las izquierdas: discute con la terminología que ha provocado el malestar que ahora nos corroe. Ataca la globalización y la economía del libre mercado utilizando los mismos términos que han hecho posible la miseria. ¿Cómo se puede pedir un desarrollo justo cuando es el mismo desarrollo el que ha creado la injusticia? ¿Cómo se puede pedir la satisfacción de necesidades a un mundo económico que las ha creado? ¿Cómo se puede dignificar a la persona humana y a la naturaleza, si para referirse a ellas utiliza la misma terminología que utiliza el desarrollo: el recurso?

El problema de la iglesia no es su visión ética, sino la imposibilidad que tiene, al querer conciliar el mundo de Dios con los poderes del mundo que se han automatizado, de encarnarla.

La iglesia, y por ella entiendo el cuerpo místico de Cristo y la comunidad de fieles o, para utilizar la frase del Vaticano II, el pueblo de Dios, estamos obligados a buscar los caminos necesarios no para que los miserables accedan al mundo del desarrollo —cosa que es evidentemente absurda—, sino para restituirle a la pobreza, que es el testigo de Dios en la tierra, el lugar de dignidad que tenía cuando la comunidad, la autosubsistencia y la memoria de lo humano existían.

24/03/2002

CRÍMENES SIN CASTIGO

El escándalo que recientemente se suscitó en Estados Unidos con la denuncia de sacerdotes pedófilos que, encubiertos por su obispo, continuaron su abuso a menores, ha vuelto a sacar a la luz pública de nuestro país un caso que nunca quedó aclarado, pese a las denuncias y a las pruebas aportadas por quienes parecen haber sufrido los abusos: el del padre Marcial Maciel.

El problema es grave, no sólo por el hecho de la existencia de pedófilos que han abusado de menores. Los seres humanos somos, en uno y otro grados, pecadores cuyas faltas siempre hacen daño a nuestros semejantes; la iglesia está formada por ellos. Una iglesia de santos es una contradicción. No existe tal cosa más que en la mentalidad de los fundamentalistas. Ella, como lo definió bien Chesterton, es un "hospital de pecadores" o, como lo define la antigua fórmula teológica, una *casta meretrix*, que siempre es purificada y salvada por su Señor. Pero el problema también es más grave, por el encubrimiento y, en consecuencia, por la hipocresía, las faltas contra la fe, contra la esperanza y la caridad que el silenciamiento de tales actos y la complicidad que con ellos genera.

El problema no es nuevo. A lo largo de la historia de la iglesia, como a lo largo de la historia humana, siempre en proceso de salvación, los escándalos relacionados con el clero no han faltado: simonías, abusos sexuales, crímenes, usura, tráfico de indulgencias, desobediencias al colegio apostólico, etcétera. Hay, incluso, hacia el Renacimiento, un periodo oscurísimo del papado, que los estudiosos de la historia de la iglesia han llamado la "Pornocracia". Lo que sin embargo ha cambiado es la difusión de estas realidades: a causa del inmenso desarrollo de los medios de comunicación, los equívocos de la iglesia, sus pasos en falso, los pecados privados que se cometen en su seno ya no quedan en el dominio de la conciencia, del confesionario y de la comunidad eclesial, ahora se han vuelto del dominio público de los creyentes y de los no creyentes.

Este cambio es bueno porque obliga a la iglesia a asumir no sólo sus equívocos y sus traiciones, sino también a hacer justicia con sus miembros criminales; es malo porque los medios, en su afán de sensacionalismo, tienden a descontextualizar la problemática; el problema de la pedofilia y de los abusos sexuales en la iglesia —parecen decir— es hijo de una clerecía que hace voto de castidad y reprime los impulsos sexuales de sus sacerdotes.

El problema, sin embargo, no está ahí sino, en primer lugar, en un mundo hipererotizado que alcanza tanto al clero como al mundo secular y del cual los medios de comunicación, en nombre de una libertad sin referentes, promueven constantemente. En este sentido, los abusos sexuales y sus perversiones han crecido no sólo en el mundo clerical, sino también en el secular. Junto a los sacerdotes pedófilos, cuyos abusos han sido denunciados, está por un lado el crecimiento de la prostitución infantil (Tailandia, por ejemplo, es para los pervertidos heterosexuales y pedófilos adinerados un paraíso por la cantidad de burdeles infantiles que existen ahí). Así mismo, el crecimiento de abusos sexuales contra menores en las familias (en un reciente estudio estadístico practicado en el estado de Morelos, en donde vivo, se afirma que 10 niños sufren diariamente abusos sexuales por parte de algún pariente). En segundo lugar, el problema se encuentra en una institución eclesiástica que se comporta como un partido político o como una familia que, por un amor mal entendido, encubre y protege las aberraciones de un hijo.

Esta forma de la imbecilidad —no hay ocultamiento que tarde o temprano no salga a la luz pública— no sólo es un escándalo negativo para la iglesia, sino que pone en contradicción su fe en Cristo. Cuando la iglesia —ese hospital de pecadores—, que sólo se hace y se salva por el amor de su Señor encubre, en aras del buen nombre de la institución, los crímenes de sus malos sacerdotes, no sólo traiciona el misterio de la iglesia, sino que la reduce a un partido político, a una institución de hombres que silencia las corrupciones y los crímenes de algunos de sus miembros para salvar la abstracción institucional, a una realidad que desprecia lo humano concreto en nombre de lo abstracto. Cuando esto sucede, su valor salvífico, su condición de madre y maestra a la luz del Espíritu Santo, pierde credibilidad y se vuelve escándalo.

Este último concepto, en su sentido negativo —hay uno positivo: el escándalo del profeta que denuncia y el escándalo de la Cruz— se encuentra ya en el Antiguo Testamento. Escándalo, etimológicamente hablando, quiere decir caer en una trampa. Por ello, los ídolos, para el pueblo hebreo, eran causa de escándalo.

En el Nuevo Testamento, el concepto se volvió teológicamente más preciso: es "inducir a alguien al pecado". En este sentido, el grave escándalo, que parece haber olvidado la iglesia institución en nombre de una eclesioidolatría, no es sólo que unos de sus miembros hayan abusado de niños, destruyendo su inocencia y el equilibrio psíquico de sus vidas (sobre esto Jesús dijo palabras terribles: "Más valiera que les ataran una rueda de molino y los arrojaran al mar"), sino que las autoridades eclesiásticas los encubran. Ese encubrimiento constituye una terrible inducción al pecado porque, primero, lleva a los más débiles en la fe a perderla y a renegar de la iglesia y de su valor salvífico en Cristo; segundo, porque fortalece a sus enemigos y deja sin reparar el mal.

El descrédito que vive actualmente la iglesia frente a muchos de sus fieles y de sus enemigos, no se debe a sus profetas que, como el padre Alberto Athié, denuncian la iniquidad y con ella nos vuelven a poner de cara el verdadero papel que la iglesia juega en el misterio salvífico de la historia; tampoco a los padres de familia que se han atrevido a denunciar los abusos de ciertos prelados pedófilos; ni a esos católicos que, a pesar de la censura, del intento de descrédito, continúan denunciando los abusos que el padre Maciel y la complicidad de algunos de los miembros de su congregación hicieron sobre sus personas. Ellos no sólo creen, con justa razón, en las palabras de Jesús: "La verdad los hará libres", sino en que la iglesia pervive por el amor de su Señor que nos toma y nos salva. Ese descrédito se debe más bien al encubrimiento de la jerarquía que ha perdido de vista el valor crístico de la iglesia.

Frente a esta realidad escandalosa que, gracias a Dios, ya no es posible ocultar, ¿cuál es el papel que debe asumir la iglesia? ¿Es necesario que frente a su falta de rigor para castigar a sus clérigos criminales, sea intervenida, cuando haya crímenes de esta naturaleza, por los poderes civiles?

Yo no soy partidario de eso. La justicia civil, a diferencia de lo que nos enseña la justicia de la iglesia a través del sacramento de la reconciliación, aplica un castigo civil que es, pese a lo dicho por los códigos de derecho, una venganza en donde el criminal no repara sus faltas, sino que es sometido a un proceso de humillación que lo destruye. La iglesia, en cambio, es en su sustancia y en los ejemplos de sus mejores hombres y mujeres, un lugar de perdón y de reparación. Sus criminales deben ser, en consecuencia, llevados a la conciencia de sus faltas, al dolor de corazón por haberlas cometido, a una penitencia que, al mismo tiempo que repare en lo posible el mal que hicieron a otros, repare en sí mismos el mal que con sus actos hicieron a su propia persona y alcancen así el perdón y el acogimiento que está en el centro de la vida de la iglesia; por otro lado, la iglesia debe acompañar a las víctimas de esos actos y buscar con ellas y sus familiares la manera de resarcirlas en sus vidas, para que puedan abrirse y perdonar; debe también mantener una severa vigilancia sobre sus pedófilos, tenerlos apartados del contacto con niños y bajo una constante terapia de apoyo psicológico. Todo esto, en el caso de los sacerdotes denunciados y en el caso de Maciel, debe hacerse de manera pública (reducirlos al estado laical, como pretende la iglesia norteamericana, es simplemente una estupidez que no ayuda a nadie y deja suelto al criminal). Sólo así la iglesia volverá a colocarse en el centro de su misterio y a ser un ejemplo de caridad en la justicia en un mundo cuyo lema es el ocultamiento o la venganza.

Si no lo hace y continúa ocultando los desórdenes de algunos clérigos y dejándolos sin castigo, habrá dado un paso más en el camino del escándalo y habrá abierto las puertas para que la ley civil la intervenga a la menor sospecha.

Recuerdo, en este sentido, una hermosa anécdota de Gandhi en relación con lo que debe ser la reparación de un crimen. Fue durante la separación de India y Pakistán. Gandhi decidió ayunar hasta que la violencia se detuviera. Más allá del trigésimo día, cuando la violencia comenzaba a detenerse, un hindú se acercó al lecho donde Gandhi ayunaba. Ese hindú, en su furor, había asesinado a un niño musulmán, pero amaba a Gandhi. "Bapu —le dijo—, no te mueras". Gandhi, que había escuchado antes su confesión, le respondió: "Cuando la violencia termine voy a levantar mi ayuno. Pero en cuanto a ti, tienes que reparar tu falta. Adoptarás a un niño musulmán y lo educarás según su religión". ¿Cuál, en este sentido, sería el castigo reparador, la penitencia, que merecerían los clérigos pedófilos que han abusado de niños?

Es siempre un alivio ver a sacerdotes como Athié o como Roqueñí buscando el esclarecimiento de los hechos oscuros de la iglesia sin temor al descrédito y con una absoluta confianza del misterio que sostiene a la iglesia. Esos sacerdotes son de la misma estirpe que la del obispo Decortraye, que hace algunos años abrió, en Francia, los archivos del obispado para que se esclareciera si miembros del clero o de las órdenes y congregaciones religiosas habían o no ocultado a personas acusadas de crímenes antisemitas durante la Segunda Guerra Mundial.

21/04/2002

LA LEY DEL SILENCIO

Desde hace un par de meses no sé cuál es el tema que tocaré que desatará la indignación de ciertos hombres que provocan miedo. Si lo digo es porque hace aproximadamente dos meses alguien me informó que me cuidara porque ciertos sectores de Gobernación y de Presidencia me tenían en la mira.

No sé qué quiera decir eso ni de quién venga, pero una amenaza así da miedo. "Un hombre al que no se puede persuadir —escribía Albert Camus— es un hombre que da miedo" porque no quiere dialogar sino imponer el silencio. En este país, para desgracia de la democracia, hay muchos hombres así. Las amenazas a periodistas, los asesinatos de defensores de derechos humanos, las presiones para el silenciamiento de ciertos temas, por no hablar de la violencia callejera a la que cualquier ciudadano está expuesto, hablan de esos hombres que dan miedo. Frente a esa horrible realidad, uno debe cada día sobreponerse y poner en orden su vida para ser fiel a la verdad. Así, escribo desde hace dos meses y vuelvo a escribir hoy sobre un tema que compromete a un hombre de fidelidad y a varias víctimas de la pederastia que no han sido reparadas en su sufrimiento y en la justicia que no han cesado de clamar.

Desde hace algunos años el padre Alberto Athié ha sido víctima de una persecución de varios poderosos sectores de la iglesia católica. Sin ser hombre de izquierda, su labor en la redacción de esa magnífica carta pastoral, *Del encuentro con Jesucristo a la solidaridad con todos*, sus posiciones frente a los procesos democráticos que vivió el país y frente al zapatismo, su tarea para servir a los más pobres —a él se le debe la fundación de El Arca de Jean Vanier en México, comunidad que se dedica a vivir con discapacitados, y la banca de crédito con tasas de interés bajo para apoyar a las microempresas—, le valieron en marzo de 2000 ser depuesto de sus cargos como secretario ejecutivo de la Comisión Episcopal de Pastoral Social, como secretario ejecutivo de la Comisión Episcopal para la Paz y la Reconciliación en Chiapas, como vicepresidente de Cáritas Mexicana IAP, y como coordinador de la Zona Centroamérica-México de Cáritas Internationalis. Hoy, después del escándalo que vivió la iglesia norteamericana por el encubrimiento de sacerdotes pederastas, el padre Alberto Athié ha sido víctima de otra persecución. La falta que se le imputa es haber vuelto a sacar a la luz pública el caso del padre Marcel Maciel, sospechoso de abusos pederastas —un caso que ciertos sectores de la iglesia, vinculados con poderosos hombres de empresas, han intentado silenciar—. Este acto de Alberto Athié, que antes de ventilarlo en los medios había infructuosamente intentado ventilar dentro de la iglesia —hay una carta muy comedida que envió al cardenal Joseph Ratzinger el 20 de junio de 1999 y dos intentos de hablar sobre el asunto con el cardenal Norberto Rivera (uno directo y otro por vía telefónica), que fueron rechazados por el cardenal, arguyendo, sin más explicación, que se trataba de un complot— le ha valido ser acusado de mentiroso, de resentido, de un sacerdote que quiere dañar a la iglesia, además de la creación no sólo de un cerco de silencio a su alrededor, sino también alrededor de las víctimas: "No se debe hablar de este asunto, porque se le hace el juego a los enemigos de la iglesia"; "las víctimas, su sufrimiento y la justicia no cuentan, lo que importan es el prestigio de la institución y el buen nombre del padre Maciel". Bien decía yo que el miedo es una técnica para el silencio.

Sin embargo, ni Athié ni las víctimas de los supuestos ultrajes buscan dañar a la iglesia, todo lo contrario, buscan abrirla al misterio de la verdad para que su Espíritu la ilumine. Athié, como las víctimas a las que no se les ha hecho justicia, como muchos otros católicos, entre los que me cuento, creemos que la iglesia no es una institución —una palabra que cobró carta de naturalización con la formación de los Estados nacionales y que habla de las fundaciones que nacieron de él y cuyas abstracciones están por encima de las personas—, sino el cuerpo místico de Cristo —es una de las más antiguas formulaciones y una de las más completas— que se hace por su Señor y cuyos miembros, tanto en sus debilidades como en sus fortalezas, se dejan iluminar y transformar por la luz de su Espíritu: "La verdad los hará libres"; "Yo soy el camino, la verdad y la vida".

Por ello, la lucha de Alberto Athié, del padre Roqueñí y de los católicos que aman la verdad y la justicia, para que se ilumine el caso Maciel tiene, desde mi punto de vista, dos sentidos: primero, hacer luz sobre un caso ambiguo; después, hacer luz sobre el sentido de la iglesia en el mundo.

A raíz de los problemas de pederastia suscitados en la iglesia norteamericana, el papa fue perentorio: "Tolerancia cero". El propio cardenal Rivera, en la entrevista que el 30 de abril sostuvo con Mario Vázquez Raña en *La Prensa*, declaró: "La labor de carácter penal compete a los afectados y a sus familias, y sólo a ellos corresponde aportar las pruebas del caso. Es un derecho humano irrenunciable.

Pero a este propósito conviene hacer una seria reflexión, que al mismo tiempo es una advertencia: los tribunales deben ser muy cuidadosos y exigentes en la recepción de pruebas, porque existen casos documentados de difamación".

Esto está bien. Sin embargo, en el caso Maciel, ¿por qué no se ha abierto el caso en los tribunales eclesiásticos? ¿Por qué, a pesar de que la Rota Romana presentó el caso a la Santa Congregación de la Doctrina de la Fe, fue cancelado y congelado sin ninguna respuesta? ¿Por qué ni siquiera se han valorado las pruebas que los agraviados dicen poder aportar? ¿Por qué se presiona para silenciar el asunto arguyendo, sin presentar pruebas, que es una pura difamación? ¿Por qué en nombre de este silencio, hijo del miedo, se presiona, se persigue, se tilda de resentido y se pone en riesgo la vocación sacerdotal de un hombre excelente como el padre Alberto Athié? ¿Por qué se humilla y se maltrata con el desprecio a quienes dicen ser víctimas? ¿No hay confianza dentro de ciertos sectores de la clerecía en la grandeza de la iglesia y en la promesa de que "las puertas del infierno no prevalecerán contra ella?

Abrir el caso Maciel sería un triunfo para la iglesia en todos los sentidos: si realmente es inocente, las sospechas quedarían rotas y los difamadores tendrían que hacer un acto de contrición frente a la iglesia, frente a los hombres, frente al padre Maciel y su congregación; lo que redundaría en un bien para todos. Si es culpable, Maciel y quienes lo encubren tendrían que hacer un acto de contrición frente a la iglesia, los hombres y los ofendidos. En este caso no sólo la iglesia, sino la propia congregación fundada por el padre Maciel, los Legionarios de Cristo, quedaría enaltecida: si un hombre tan poco apropiado para hacer el bien pudo fundar una obra como la de los Legionarios, sería una de las pruebas más irrefutables del poder y de la grandeza de Dios.

En cambio, dejar el asunto en la ambigüedad es mantener a la iglesia bajo sospecha: sospecha, en primer lugar, de encubrimiento, en segundo, de un proyecto ajeno a su sentir profundo: no una iglesia abierta a la verdad, sino a un proyecto ideológico; no una iglesia entregada a la persona humana, a sus sufrimientos, a sus debilidades, a su dolor, sino a una abstracción de naturaleza institucional; no una iglesia que quiere caminar con el hombre y sus grandes conquistas: la pluralidad democrática y el diálogo, sino una iglesia que, al igual que el neoliberalismo, busca la intransigencia de lo unívoco; no una iglesia confiada en la libertad de los hijos de Dios e iluminada por el Espíritu Santo y que piensa en términos de entendimiento, sino una iglesia confiada en su poder estructural, que se hace por la fuerza de los poderosos y que piensa en términos de imposición; no una iglesia acompañada por su Señor, sino por opciones estratégicas que le permitan tener el control. En tercer lugar, sospecha de una jerarquía autoritaria que peca contra la caridad no sólo al negarse a escuchar a quienes dicen haber sido sometidos a abusos pederastas, sino también al desdeñar a otro hombre excelente, el padre Roqueñí, que representa a los quejosos ante la Congregación de la Doctrina de la Fe. Lo que, pese a las declaraciones del cardenal Rivera en la entrevista referida, nos pondría delante de la sospecha de una verdadera crisis estructural en la iglesia.

Hace muchos años, en 1959, Iván Illich, en una conferencia publicada en la Universidad Católica de Puerto Rico señalaba que la grandeza del hombre occidental radicaba en dos hechos que marcaron el mundo profundamente: el diálogo socrático y la revelación de Cristo. Mientras en todo el mundo el saber se efectuaba por la transmisión de lo que se creía saber, por repetición, Sócrates demostró que el diálogo, ese proceso de preguntas y respuestas, ese intercambio de ideas, era un método de conocimiento mucho más profundo que la repetición de opiniones aceptadas. Con ello, no sólo abrió un nuevo horizonte que transformó en colegas a los que hasta entonces eran sólo oyentes pasivos, sino "que la tradición misma se convirtió de depósito estable en reto intelectual". Por haber abierto este camino, Sócrates se volvió intolerable y fue sentenciado al martirio de la cicuta.

Sin embargo, el mundo cambió desde entonces: "el hombre finito, limitado, se sintió capaz de aceptar el reto de lo infinito como verdad, se sintió obligado a escudriñar lo insondable; en este diálogo entre hombres que tenían respuestas parciales, que tomaban posiciones frente a otros y frente a la tradición, la humanidad alcanzó la madurez necesaria para encararse con el reto supremo: la aparición de un hombre que dijo que no tenía una respuesta, sino que él era la respuesta. Este hecho ha obligado a la humanidad a tomar posición no frente a su opinión y sus enseñanzas, sino frente a su persona. Un diálogo a la luz de su verdad, un diálogo que dé confianza a los hombres y los acompañe en su caminar por el mundo.

En estos momentos, la iglesia —al igual que la sociedad económica y tecnológica bajo la cual ciertos sectores de la iglesia se cobijan— corre el peligro de degradar ese diálogo. El peligro más grave es el de emascularlo por la adherencia a las formas, este peligro conduce al mundo de los pragmatismos modernos que por miedo a encontrarse en el error niegan la posibilidad de encontrar la verdad.

El diálogo con la verdad que ha formado los rasgos culturales más grandes de Occidente está en crisis y hay que rescatarlo para que la iglesia continúe siendo luz para el mundo. La iglesia debe mantener ese diálogo con la verdad que ese hombre llamado Jesús reveló, aunque a causa de ello los que aman más las formas que la verdad y más la confianza en las obras de los hombres que en el Espíritu, se sientan agraviados, escandalizados y molestados. De lo contrario habrá pactado con el mundo, con ese mundo por el cual Cristo se negó a orar.

El padre Athié, las víctimas, el padre Roqueñí y muchísimos católicos hemos apostado por ese diálogo. Encerrarse en el silencio es ponerse del lado de quienes prefieren el miedo y el silencio a la luz de la verdad.

02/06/2002

MANTENGAMOS EL DIÁLOGO

En uno de mis artículos pasados, *La ley del silencio* (*Proceso* 1335), hablaba, refiriéndome al caso del padre Marcial Maciel, del peligro que corre la iglesia de degradar el diálogo y la verdad, esos dos grandes rasgos de Occidente: el diálogo, que nació con Sócrates, y la Verdad, que se reveló en la persona de Cristo.

La compra masiva de la edición de *Proceso* en donde apareció el artículo referido, vino dolorosamente a confirmar la tesis que desarrollaba en él: el miedo a la verdad por la adherencia a las formas y al prestigio; el miedo de los pragmatismos modernos que por temor a encontrarse en el error niegan la posibilidad de encontrar la verdad y son capaces de silenciar el diálogo.

Aunque hasta el momento en que escribo no está muy claro de dónde vino ese intento de negarle la palabra a *Proceso* —varios asuntos de importancia se tocaron en esa edición—, una de las posibilidades puede deberse a los artículos que Germán Dehesa y yo dedicamos al caso del padre Marcial Maciel, caso que, como el propio Dehesa lo consigna en su columna de *Reforma* del lunes 10 de junio, tiene antecedentes: el sabotaje que hace años ciertos anunciantes hicieron al Canal 40 para que retirara del aire la discusión que el propio canal había generado en torno al caso Maciel; la acusación, por parte de ciertos sectores de la iglesia, de que quienes abordamos ese asunto formamos parte de "un complot contra la iglesia".

Esa simple posibilidad y el hecho de que en ciertos círculos continúe soslayándose el asunto, me hace regresar a él. Se trata de volver a pensar en la iglesia y en la herencia del diálogo en relación con la verdad que heredó a Occidente.

Cuando Alberto Athié, los exlegionarios que claman perdón y justicia en relación con el caso Maciel, Germán Dehesa y yo buscamos que se abra un diálogo a la luz de la verdad, no estamos atacando a la iglesia. Por el contrario, confiamos absolutamente en ella. Vivimos de esas virtudes básicas que nos dio la sociedad discursiva cristiana y cuyas palabras no comprenden ciertos sectores. Parece que hay una gran dificultad para entender lo que queremos decir cuando insistimos en la dignidad, en el perdón y la justicia. Dignidad tiene el hombre que se encara en una conversación con otro para hacer evidente la verdad; la justicia sólo puede surgir ahí donde los hombres se dignan hablar con toda humildad y a reconocer sus faltas a la luz de la verdad; por último, el perdón es la expresión de la experiencia total que es fruto de la justicia y del amor. Tal vez por ello, Jean Vanier, uno de los más altos católicos de este siglo, ese hombre que decidió vivir en comunidad con discapacitados mentales y fundó las comunidades de El Arca —una de esas comunidades se instaló en Iztapalapa gracias al padre Alberto Athié—, llamó a su libro, en donde relata sus experiencias comunitarias: *Comunidad, lugar de perdón y de fiesta*. La iglesia es ese sitio.

Por desgracia, en esa misma iglesia, que conserva en su base el reflejo de una tradición milenaria de diálogo y verdad, hay ciertos grupos peligrosamente amenazados por condiciones que —semejantes a las que amenazan a ciertos grupos dirigentes en la sociedad contemporánea— conducen a la corrupción del diálogo. Permítanme que cite un peligro, entre los muchos, que juzgo particularmente pernicioso.

Es la tentación de hacer de la palabra del otro una negación del contenido; el peligro de la emasculación de la dialéctica —no en el sentido marxista, sino en el socrático— por la adherencia a las formas y a la imagen de un discurso; la tentación de hacer de este último un fin en sí mismo y ajeno a la verdad. Este peligro conduce, cuando el discurso se vuelve univocista, a la creación de mundos fanáticos: sólo hay una forma de entender y es la de mi discurso. Por tanto, el discurso del otro es ficticio, un intento perverso por dañar la imagen de lo que yo digo es la verdad; una mentira que hay que silenciar a cualquier precio; por el contrario, cuando el discurso se vuelve equivocista, conduce a la creación de relativismos absurdos y de la tolerancia: cada quien tiene su verdad o a la tentación de sustituir la verdad por el valor que se defiende. En ambos casos, el diálogo y la búsqueda de iluminar la verdad sufren una degradación.

Esta mentalidad, como ya lo referí en mi artículo pasado, es peligrosa porque produce personas que por miedo a encontrarse en el error, niegan cualquier posibilidad de encontrar la verdad. Así, ni la buscan ni permiten que se busque; así, también, transforman el soberano diálogo que heredó la iglesia a Occidente en escape de la responsabilidad personal frente a la verdad.

Puedo decir que, por parte del padre Athié —quien me lo refirió en la entrevista que le hice recientemente y que aparecerá muy pronto en el número 35 de la revista *Ixtus*— y de los exlegionarios que afirman haber sufrido abusos del padre Maciel, la disposición y la búsqueda del diálogo ha existido durante años y existe todavía. Lo mismo puedo decir de la actitud que Germán Dehesa y yo asumimos para defender la apertura a ese diálogo. De lo que se trata, primero, es de que se aclare la verdad; segundo, que la autoridad emita un juicio conforme a derecho; tercero, que se busque aplicar la justicia correspondiente, en el sentido de la caridad y, por último, que se vuelva a hacer la comunión a través del perdón y de la reconciliación; algo que está en perfecta consonancia con el sacramento de la confesión, tan amado por los católicos. Se trata, como señala bien el padre Athié en la entrevista referida, "de poner en práctica lo que nos ha dicho Juan Pablo II en sus mensajes sobre la paz. En ellos afirma que no hay paz sin justicia, justicia sin verdad, sin memoria histórica y sin perdón. Pero como en todo diálogo, tiene que haber espacios e instancias para ello".

Eso, por desgracia, es lo que empieza a faltar tanto en el caso Maciel como en el de algunos atropellos que vive la sociedad —me refiero, por ejemplo, a los Acuerdos de San Andrés, al problema del Casino de la Selva y de Atenco y al aumento del IVA en los libros, por nombrar sólo algunos—. El propio Athié, en esa misma entrevista afirma, como un gesto de su buena voluntad y de su adhesión irrestricta al diálogo y a la verdad: "En el supuesto de que yo haya sido manipulado por el padre Fernández Amenábar y se descubra la mentira en la que supuestamente me envolvió, pediré perdón públicamente al padre Maciel y a toda la comunidad del grave error que cometí y pediré que se me aplique la sanción correspondiente. Diálogo es la búsqueda incondicional de la verdad, es también la decisión de que se aplique la justicia necesaria a quien sea y la disponibilidad total al reencuentro, al perdón y a la reconciliación".

Bajo esa óptica, que ha formado los rasgos más profundos de Occidente, no hay nada qué temer. El propio Juan Pablo II lo dijo al inicio de su papado: "No teman la libertad de los hijos de Dios". Esa libertad, que es la fe en el Cristo que nos toma y nos redime a la luz de la verdad de su amor, afirma que la dignidad de las personas y de la justicia que les corresponde está por encima de la imagen de la institución o del prestigio de sus ministros. La iglesia, por tanto, no puede admitir que por no provocar escándalos se incurra en la injusticia. La verdad, lo dijo el mismo Cristo, esa verdad que sólo se hace a la luz del diálogo y del amor, es lo único que nos hace libres. Donde ese diálogo no se da, el Occidente no sólo decae, sino que la dialéctica se transforma en horror: en la dialéctica que se dio detrás de la Cortina de Hierro o en la dialéctica de las democracias modernas que en nombre de un liberalismo sin límites ni sustancia abren la puerta a los nuevos fanatismos.

Ese diálogo constructivo, que ha formado los rasgos culturales más grandes de Occidente está, como lo muestra el intento de silenciar la circulación de *Proceso*, en peligro de extinguirse si no hacemos un esfuerzo por mantenerlo vivo y hacemos que la luz y la verdad pervivan a cualquier intento de silenciarla. Todo católico debe defender ese diálogo por amor a la iglesia, a ese cuerpo místico de Cristo en el que nos movemos, nos amamos y somos.

16/06/2002

El mensaje de las santificaciones indígenas

El 3 de julio —28 días antes de que Juan Pablo II llegue por quinta vez a territorio mexicano para la canonización de Juan Diego Cuauhtlatoatzin y la beatificación de los mártires oaxaqueños, Juan Bautista y Jacinto de los Ángeles—, la Comisión Episcopal de Pastoral Indígena y la Comisión de Pastoral Social enviaron un mensaje a la nación. Su importancia es triple.

Primero, pone un coto a las tonterías de algunos sectores de la iglesia que han querido deformar la historia del beato Juan Diego presentándonoslo como un indio blanqueado —véase la imagen que por desgracia presidirá su canonización: la de un encomendero arrodillado—, hijo de la nobleza india. Segundo, vuelve a recordarnos el sentido de la teología guadalupana y, tercero, nos alerta sobre la profundidad que la iglesia busca con la canonización y beatificación de los indígenas.

El indio Juan Diego, que por su importancia en la historia de nuestra nación y de la iglesia de México preside estos festejos, no es el que ciertos sectores de la oficialidad de la iglesia nos han querido presentar utilizando la sofisticación de los medios, sino el pobre de los pobres. La Virgen, en ese Evangelio indio que se llama el *Nican Mopohua*, lo llama "el más pequeño de mis hijos"; el propio Juan Diego, frente a ella, se denomina "escalerilla", "cola", "gente menuda". A este pobre —rostro indígena de Cristo—, a este no sujeto de credibilidad por los conquistadores y los poderosos, a este sometido, a este desplazado de su historia y de su cultura, la Virgen —como nos lo recuerda el epígrafe con el que los obispos abren su mensaje— lo hace su embajador: "Y tú, tú eres mi embajador, en ti pongo toda mi confianza".

Lo que la Virgen hizo en 1531 fue no sólo reconocer la dignidad personal del indio Juan Diego, marginado y reducido a un objeto sino, a través de él, la dignidad de todos los indios como personas respetabilísimas y sujetos de su historia. Lo que los conquistadores negaban y comenzaban a destruir con la colonización; lo que los mismos frailes no podían ver —consideraban al indio idólatra, a veces adorador de demonios; los más avanzados, es decir, lo más cristianos, como fray Bartolomé de las Casas o fray Pedro Lorenzo de la Nada, lo miraban como un niño—, la Virgen lo reveló. Lo maravilloso de Guadalupe es que llevó al indio a través de su propia historia, de su propia cultura y de su propio lenguaje al encuentro con Cristo y, al llevarlo ahí, enfrentó a los colonizadores y a la iglesia con su propia ceguera y sus propias traiciones al mensaje evangélico.

Lo entendimos poco, como a lo largo de 2 mil años hemos entendido poco el Evangelio. Sin embargo, casi 600 años después del acontecimiento guadalupano —ocho años después del levantamiento zapatista en Chiapas por la reivindicación de los derechos indios—, la iglesia, al canonizar a Juan Diego y al beatificar a Juan Bautista y a Jacinto de los Ángeles, vuelve a actualizar la eternidad del mensaje de Guadalupe. Así, los obispos, al releer para nuestra época el sentido de las revelaciones del Tepeyac, ponen el dedo en el renglón de lo que yo llamo la teología guadalupana.

En su mensaje, que precede a los festejos, afirman que esta canonización y estas beatificaciones son "el reconocimiento de los indígenas como pueblos" (punto 3); que ese reconocimiento, por parte de la iglesia universal, significa que "ellos (Juan Diego, Juan Bautista y Jacinto de los Ángeles) son un ejemplo que nos puede ayudar a retomar los orígenes y raíces indias de nuestro pueblo" (punto 5); que "el mensaje guadalupano reivindica el lugar del pobre y del excluido en la construcción de una nación más justa y fraterna" (punto 9); que frente al embate del libre mercado, excluyente y destructor de las culturas y de sus formas económicas, "la nación mexicana tiene una deuda con los pueblos indios: crear una nueva relación entre gobierno, sociedad y pueblos indios, basada en el respeto y la inclusión" (punto 10), y que esa deuda, "en el proceso de transición que vive nuestra patria", debe, para saldarse, reconocer "los derechos y la cultura de los pueblos indios […] para pasar de una valoración que los considera sólo como objeto de nuestra generosidad y benevolencia [y] llegar a verlos como las personas y los pueblos que exigen hoy lo que les corresponde en justicia: ser sujetos de derecho" (puntos 10 y 12).

A partir de ahí, el mensaje llama al gobierno y a la nación a no postergar "por más tiempo el reconocimiento a los derechos y cultura de los pueblos indios" y, retomando lo que los mismos obispos dijeron en la carta pastoral *Del encuentro con Cristo a la solidaridad con todos*, a "reconocer y promover las diversas culturas que integran nuestra nación, para que nunca el poder del Estado o del mercado las vulnere, sino que las respete en su legítima soberanía" (puntos 12 y 15); reprocha también, con legítima justicia, el que, "a pesar de los consensos alcanzados por los poderes Ejecutivo y Legislativo al establecer reformas a nuestra Carta Magna, para reconocer los derechos y cultura indígenas, los resultados no han sido satisfactorios" (punto 18).

Por último, el mensaje señala varios puntos que son necesarios para garantizar el proceso de paz en nuestro país y responder a las demandas básicas de los pueblos indios que el propio mensaje de Guadalupe y la canonización y las beatificaciones que próximamente la iglesia hará en México contienen para estos tiempos (transcribo aquí los que considero más importantes): "1) el reconocimiento de los derechos y las culturas indígenas; 2) la más amplia difusión, a través de los medios, de la ética indígena, en lo que tiene de valor universal y congruente con el mensaje cristiano; 3) el apoyo a la educación de la niñez indígena en sus propias comunidades y lenguas, y de manera que no se desarraiguen de su cultura e historia; 4) la promoción de mecanismos para apoyar sus organizaciones productivas y la salida al mercado de sus productos; 7) la protección de sus conocimientos de la naturaleza, que están siendo apropiados por laboratorios transnacionales para desarrollar investigaciones que luego convierten en patentes; 8) la promoción de la organización productiva de los indígenas […]; 10) la protección de su hábitat y la preservación de sus valores culturales, ante los proyectos que contemplan corredores industriales y agronegocios que amenazan con la destrucción de bosques y la contaminación del medio ambiente donde viven" (punto 19).

Con este mensaje y la canonización y las beatificaciones que el 31 de julio y el 1 de agosto se harán, la iglesia de México vuelve a retomar en su verdadero sentido no sólo el mensaje que en 1531 la Virgen dio en el Tepeyac al indio Juan Diego, sino la buena nueva que en la Palestina de los primero siglos de nuestra era el pobre de Belén dio para toda la humanidad.

Frente a la estrechez del mercado y de la sociedad tecnológica, frente a la imbecilidad de ciertos grupos eclesiales que, como lo hicieron durante la beatificación de Juan Diego, quieren malversar la teología guadalupana y usar la quinta visita del papa a nuestro país con fines funcionalistas y para afianzar una noción eclesiológica autoritaria, cupular y vinculada con los poderes del mundo, la Conferencia Episcopal ha hablado de nuevo alto y claro, lo que los católicos agradecemos.

Su mensaje no es sólo un desafío a una nación que, contaminada por los poderes de la bestia económica, de la globalización y del mercado, olvida a menudo el sentido de nuestro ser guadalupano, sino un recordatorio —a un gobierno que equivocadamente quiere hacer convivir a Cristo con el dinero y la idolatría económica y tecnocrática, y a una iglesia que, extraviada ante el embate de la posmodernidad y del mercado, coquetea con la iniquidad del mundo y el autoritarismo— de que la democracia no se consolidará en nuestro país si no ponemos un coto al mercado y no reunimos a los miembros que constituyen nuestra nación dentro de una dimensión más amplia que la de los intereses del poder y del dinero; si no hacemos de nuestra pobreza, de nuestro pluriculturalimso y del profundo mensaje de Guadalupe —que no es otro que el mensaje evangélico a la manera india— el fundamento de nuestra grandeza y de nuestro ser nacional.

14/07/2002

EL PADRE AMARO Y LA IGLESIA MEXICANA

La ola de indignación que el estreno de la película *El crimen del padre Amaro* suscitó en ciertos sectores de la iglesia, incluyendo, por desgracia, a la Conferencia Episcopal, revela —al igual que lo hace el constante silenciamiento de los supuestos crímenes del padre Marcial Maciel— un miedo absurdo que, lejos de encarar y analizar la problemática que plantean, publicita la sospecha sobre la vida eclesial.

La mejor publicidad, en el sentido de éxito de taquilla, que se hizo a *El crimen del padre Amaro*, se debe a estos sectores de la iglesia: desde que pusieron el grito en el cielo, todo mundo quiere ver la manera en que esa película ofende "las creencias religiosas de los católicos y hace mofa de los símbolos más sagrados para la comunidad católica"; la peor publicidad que le han podido hacer, en el sentido de la explotación de la morbosidad, también se debe a ellos. Desde que invadieron con sus gritos el ámbito de los medios, desencadenaron las partes oscuras de la condición humana: mucha gente irá a ver la película no para confrontar la realidad que presenta, sino para, descontextualizando el drama de conciencia del padre Amaro, regodearse con sus escenas más escabrosas.

Lo terrible de esta actitud es que no ayuda a nadie: al querer negar la realidad terminan por hacer que se mire de manera distorsionada; al condenar acríticamente —toda condena es un juicio absoluto que inmoviliza la vida, de ahí que Cristo nos conmine a no juzgar— y negarse a analizar ciertos sucesos de la vida humana dentro de la iglesia, terminan por hacer que se mire con sospecha a toda la iglesia. A estos sectores no les importa si lo que retrata *El crimen del padre Amaro* es cierto o no; no les importa que el creyente o el no creyente confronten las pasiones humanas, las supersticiones y las corrupciones que retrata la película con las realidades espirituales que están de fondo; no quieren ver los defectos de esa iglesia que en lo humano se prostituye y que siempre es salvada por su Señor; no quieren entrar de lleno a los problemas que la atraviesan para tratar de enmendarlos. Debido a que para estos sectores —que se mueven no en el territorio de la vida espiritual, sino en el de la moral abstracta— las cosas que retrata *El crimen del padre Amaro*, o las acusaciones que pesan sobre el padre Maciel, no deben suceder en la iglesia, no pueden, por tanto, existir en la realidad y no deben ser retratadas y denunciadas por ningún medio. También el estalinismo proscribió el suicidio.

Estas actitudes, lejos de sanar a la iglesia la hacen ponerse justamente del lado del tema fundamental de la película: el abuso del poder, la caída en la tentación del poder. Con su escándalo de buenas conciencias, estos sectores de la iglesia afirman que quienes hablan o retratan temas de esta naturaleza están difamando a la iglesia y son conspiradores. Con ello abren la puerta a la peor de las intolerancias, el fanatismo. Su escándalo es una condena que llama a la tentación de la violencia, del autoritarismo, del control de los medios para que no saquen nada que pueda escandalizar o mostrar la realidad humana en su descarnada desnudez, al silenciamiento de todo lo que afecte el buen nombre de la institución, al encubrimiento de sus crímenes y de sus desaciertos, a sus traiciones a la verdad evangélica.

Estos sectores olvidan que la historia de la película, basada en la novela realista de Eça de Queiroz, no fue escrita por ningún enemigo de la iglesia, por ningún jacobino, por ningún ateo irreverente, sino precisamente por un católico. Vicente Leñero es uno de los raros católicos escritores de México que nunca ha negado su filiación ni su condición de hijo de la iglesia. Cuando en este país la catolicidad era mal vista y entraba siempre por la puerta trasera, Leñero fue el primero que le dio rango a la novela católica. Puso coto a la mochería ideológica heredada por el cristerismo e, influido por los grandes novelistas católicos europeos —Mauriac, Bernanos, Graham Greene—, inauguró en México la novela católica entendida como drama espiritual y de conciencia, y no como defensa ideológica. Su defensa de la catolicidad ha sido, en este sentido, el mostrar la realidad y, en consecuencia, inspirar compasión por esa realidad de los seres de este mundo, es decir, nosotros.

El novelista católico, como me lo dijo Leñero en una entrevista (*Ixtus* 35), "crea personajes que instan a la compasión" y con ello se pone del lado de Jesús que se compadece constantemente de la gente y siente dolor por el hombre y sus miserias.

En este sentido, *El crimen del padre Amaro* no es una película anticatólica ni irreverente. Por el contrario, es una película dura, que al mostrarnos lo humano, lo terriblemente humano de ciertas vidas en el seno de la iglesia, nos hace sentir compasión: delante del abuso de poder del padre Amaro, que se niega a asumir su responsabilidad después de embarazar a la muchacha de la cual se ha enamorado, enviándola a abortar y, después, encubriendo su crimen; delante de las maniobras de un obispo y del propio padre Amaro para tapar la denuncia periodística de las narcolimosnas; frente a la superstición demoniaca de una mujer que da una hostia a un gato, frente a la pasión desbordada de Amaro que tapa con el manto de la Virgen la desnudez de la muchacha que acaba de amar y le dice: "Te ves más bonita que la Virgen", el espectador no deja de sentir compasión, sentir la miseria del otro en relación con lo trascendente que traiciona.

En lugar de que esos sectores de la iglesia utilicen *El crimen del padre Amaro* para enseñarnos a mirar compasivamente; en lugar de que la revelación que hace de ciertas realidades que suceden en la iglesia las utilicen para sacar a la luz las faltas que cometen algunos sacerdotes y, bajo la mirada compasiva del Evangelio, busquemos la justicia en la caridad; en lugar de hacernos ver la condición humana con una mirada evangélica, esos sectores responden con el anatema y con él llaman al escándalo, al morbo y, lo peor de todo, a esa parte cultural de México que ha sido el azote de la democracia: la intocabilidad de las instituciones y de sus autoridades.

Si a lo largo del tiempo este país no ha podido consolidar su democracia —la que intentó Madero se perdió; la instaurada con Fox está tambaleante— es porque la autoridad siempre se ha ejercido a través de caudillos y de caciques, sean laicos o religiosos, jacobinos o católicos.

Una de las conclusiones que, como bien lo ha señalado Alberto Athié (*Ixtus* 35, *El caso Marcial Maciel y la búsqueda de la transparencia*), puede sacarse de ese espléndido documento que en vísperas de las elecciones dio a luz el Episcopado Mexicano, *Del encuentro con Cristo a la solidaridad con todos*, es que "la democracia no se dará sin la iglesia católica, una de las instituciones más fuertes y arraigadas en la cultura de las y los mexicanos, pero que tampoco se [dará] con la iglesia católica como está, pues, culturalmente hablando, fortalece todavía [no sólo] la idea de la primacía de la institución y de la autoridad sobre las personas y sus derechos fundamentales" —el caso de Marcial Maciel, el encubrimiento de sus supuestos crímenes y el desprecio a las supuestas víctimas que los han denunciado—, sino también la primacía de la abstracción moral y del encubrimiento de nuestras miserias, sobre la realidad concreta de los seres humanos que en sus crímenes y sus faltas claman por la justicia de la compasión redentora, la realidad que muestra *El crimen del padre Amaro*.

Albert Camus lo decía espléndidamente: "Conozco algo peor que el odio: el amor abstracto". En su nombre se han cometido los más terribles crímenes; sobre él se han edificado las inquisiciones, las hogueras, los sótanos de tortura, los campos de exterminio, los gulag y el silencio de los regímenes totalitarios. Lo que la iglesia enseña, en su depósito de fe, no es el amor abstracto, sino el amor y la compasión por el prójimo. Traicionarla y sobreponer al amor por los seres concretos el amor abstracto por la institución y la autoridad es abrirle la puerta al fariseísmo, que en nuestro mundo se traduce en represión, autoritarismo, encubrimiento de las dobles morales y destrucción de la democracia y su diálogo a la luz de la verdad.

Si estos sectores de la iglesia buscan realmente una nueva evangelización, no la harán con el anatema y el silenciamiento; por el contrario, la harán cuando comience a abrirse a las miserias del hombre moderno, que también están en su propio seno, y a dialogar con ellas bajo la justicia y la caridad evangélicas.

25/08/2002

La arquidiócesis simoniaca

¡Oh Simón, oh míseros secuaces, que las gracias de Dios, dulces esposas, dones de buenos, prostituís rapaces [...]! Dante, *Infierno*, círculo octavo.

No es la primera vez que la Arquidiócesis Primada de México se ve envuelta en un escándalo grave. Contra la noble tarea que ha hecho la Conferencia Episcopal de México (véanse sus últimas cartas pastorales, por desgracia poco difundidas, sobre la clonación y la dignidad del campo), la Arquidiócesis Primada de México se ha dedicado a humillar la dignidad del catolicismo. Una larga cadena de atrocidades no resueltas parece ser su marca distintiva.

Desde el caso Marcial Maciel —aún no resuelto y envuelto por la sospecha—, pasando por la difusión de la imagen de la Virgen de Guadalupe dentro de bolsas de papas Sabritas durante la beatificación de Juan Diego, la persecución al padre Alberto Athié, el pésimo manejo del asunto Schulenburg y la forma distorsionada en que presentaron a Juan Diego durante su canonización, hasta el más reciente: la venta de la imagen de la Virgen de Guadalupe a la compañía trasnacional Viotran para su comercialización —según la denuncia hecha por *Proceso* la semana pasada—, la Arquidiócesis Primada de México parece más una empresa atravesada por la corrupción que el rostro de la iglesia vivificante que debería ser.

Lo grave de este último escándalo no es sólo la ilegalidad del convenio frente a la Ley Federal de Derechos de Autor, sino sobre todo el terrible pecado de simonía que lo acompaña, una simonía que desde que Simón el Mago —quien le dio nombre a ese pecado— intentó comprar a Pedro el don del Espíritu Santo, no se había visto en la historia de la iglesia. Intentar comprar el don del Espíritu es una cosa grave —tan grave que arrancó esta respuesta a Pedro: "¡Así perezcas, tú, con tu dinero, si crees que el don de Dios está en venta! [...].

250

Arrepiéntete de tu maldad y pide que se te perdone tu pretensión. Te veo convertido en hiel amarga y en fardo de iniquidad" (véanse los *Hechos de los apóstoles* 8)—, vender a la Virgen es todavía mayor, significa tratarla como una prostituta.

La tilma de Guadalupe Tonantzin no es una simple imagen como la que hace un pintor o registra una cámara fotográfica. Es en la fe de los fieles —entre los que me cuento— y en la defensa que hizo de la tilma la propia Arquidiócesis de México para la canonización de Juan Diego un icono sobrenatural y sacratísimo: el icono de la pura entre las puras, de la Inmaculada Concepción, de la Puerta del Cielo, un don de Dios al pueblo de México y a la humanidad entera. Por tanto, venderla y usarla como un objeto comercial es prostituirla, mancharla, enlodarla. ¿Cuánto vale la Virgen? ¡Por Dios! Tan sólo pensar en esto es indignante y repulsivo.

Aunque la Arquidiócesis Primada de México, ante la denuncia de *Proceso*, respondió en su comunicado del 11 de febrero que sólo "existió un contrato-proyecto firmado por ambas entidades (yo no sabía que los proyectos de contrato se firmaban), mismo que fue nulificado por convenio expreso de las mismas [...]" —al parecer, el 30 de abril de 2002, según documento entregado recientemente por la Arquidiócesis a *Proceso*—, el hecho es que ese contrato existió y se firmó, y que, pese al comunicado y al documento de nulificación, carteles, llaveros, tarjetas de teléfono, encendedores, etcétera —objetos del "contrato-proyecto" de la Basílica con Viotran—, siguen circulando en el mercado, produciendo una enorme cantidad de dinero, y que, en consecuencia, el pecado de simonía se dio y cae sobre las espaldas de la Arquidiócesis y sobre el alma de los prelados que están involucrados en el asunto.

La simonía, un pecado sumamente grave que fue perseguido duramente por la iglesia medieval —el papa Nicolás II fue implacable con ella y Dante reservó a los simoniacos el tercer aro de su octavo círculo del Infierno, dedicado al fraude—, parece haberse oscurecido en la conciencia de la Arquidiócesis Primada de México. Con ello ha abierto la puerta al pecado de iniquidad, es decir, el de la maldad o el de la gran injusticia que suele aparecer en el seno de la iglesia y que, según la segunda carta de Pablo a los tesalonicenses, surgirá de la apostasía. Dicha apostasía no es aquí, como ha sido frecuente, una negación directa de los dogmas de la fe, sino una contaminación de la iglesia con los valores del mundo, una simulación del Evangelio a través de la aceptación de aquello que privilegia el mundo; en este caso, la economía.

En mi discusión sobre el género con Carlos Monsiváis y Marta Lamas, señalaba, siguiendo a Illich y a Polany, que la desincrustación de la economía de la vida humana y su erección en valor absoluto comenzaba a permear todos los ámbitos sociales: la destrucción del género y la emergencia del sexo económico era su consecuencia en las relaciones hombre-mujer; la forma en que la Arquidiócesis Primada de México ha tratado a Guadalupe-Tonantzin, sometiéndola al ídolo de la economía y explotando con ello la maravillosa fe de los pobres, habla de la manera en que lo económico ha invadido también el ámbito de la fe y ha arrodillado a la Virgen ante el nuevo ídolo.

Dante imaginó para este tipo de pecadores un suplicio lleno de un profundo simbolismo: el simoniaco, en este caso, el papa Nicolás II estaba enterrado de cabeza en un hoyo que apuntaba al centro del Infierno. Las piernas y los pies vueltos hacia arriba salían del hoyo y sobre las plantas de los pies caía una llama de fuego.

El que el simoniaco estuviera de cabeza es señal de que había invertido su dignidad. La condición del hombre es estar erguido: la cabeza hacia el cielo y los pies en la tierra. Esta postura es signo de que su destino, a diferencia del de los animales, cuya postura es horizontal, está en lo alto. Cuando el hombre prostituye los valores sagrados, invierte su sacramentalidad y con ello se invierte a sí mismo. La cabeza, signo de su dignidad, queda entonces vuelta hacia lo bajo, lo oscuro y lo infernal.

La llama, signo del Espíritu Santo, que cae sobre la cabeza y la ilumina con las dignidades de lo alto, al caer ahora sobre lo bajo, los pies, se vuelve sólo quemadura y suplicio.

La Arquidiócesis Primada de México está ahora en esa posición infernal. Para salir de ella lo único que le queda es poner en práctica las palabras que Pedro dirigió a Simón el Mago: "[...] Arrepiéntete de tu maldad y pide que se te perdone tu pretensión". De lo contrario, se convertirá en "hiel amarga", "fardo de iniquidad" y escándalo para la fe.

16/02/2003

ALBERTO ATHIÉ Y LA IGLESIA

Aunque hace poco escribí con la teóloga Patricia Gutiérrez-Otero una breve nota sobre la renuncia de Alberto Athié al sacerdocio (*Siempre!* 2596), no había querido abordar el tema con mayor profundidad: hay que vivir el duelo antes de decir algo. Ahora lo hago y con ello pago una deuda con él y con nuestra iglesia.

Si para mí y para todos los que lo amamos nos ha sido muy dolorosa su renuncia; si el silencio que Alberto Athié ha guardado ante algunos de sus amigos y compañeros de batallas, de diálogos, de eucaristías compartidas, me lastima, puedo imaginar lo que para Alberto Athié ha significado.

El padre Alberto Athié era, como siempre lo dije, uno de esos raros sacerdotes ante los cuales uno siente el orgullo de ser católico e hijo de la iglesia. Su profunda reflexión teológica y filosófica del misterio de Cristo en la iglesia y su agudo sentido de que la causa de Dios a través de ella es el hombre concreto, lo hizo emprender obras donde el amor de Cristo resplandecía: trajo a México esa maravillosa obra llamada El Arca, en donde los más pobres de los pobres —los discapacitados mentales— viven en comunidad con otros que no lo son; como secretario ejecutivo de la Comisión Episcopal de Pastoral Social redactó, al lado de monseñor Obeso, de monseñor Talavera y de Rodrigo Guerra, y después de largas consultas con laicos de todos los estratos y profesiones, esa joya de la iglesia mexicana que es *Del encuentro con Jesucristo a la solidaridad con todos*; como secretario ejecutivo de la Comisión Episcopal para la Paz y la Reconciliación en Chiapas no dejó de hacer su mayor esfuerzo para la reivindicación de las demandas indígenas; como vicepresidente de Cáritas Mexicana, IAP, y coordinador de la Zona Centroamérica-México de Cáritas Internationalis, no dejó de enviar ayuda y de acompañar a los pobres, a los excluidos, a los damnificados en sus más profundas desgracias. Fue, además, un gran promotor de la fe y de la cultura: su diálogo con los artistas y los intelectuales, sus homilías, sus artículos, son en este sentido un testimonio de su profundidad y de su fuerza en la fe.

Su divisa era y continúa siendo esta frase de Cristo extraída del evangelio de San Juan: "La verdad los hará libres". Para Alberto Athié, todo a la luz de la verdad cobra sentido y ese sentido no es otro que la dignificación del hombre en Cristo.

El padre Alberto Athié tenía también una clara noción del doble rostro de la iglesia: la de ser, a la vez, como lo definieron bien los padres de la iglesia, casta y meretriz.

Sin embargo, una cosa es saber que esa condición de meretriz existe en la iglesia y otra experimentar en carne propia y en la carne de los más desvalidos la manera en que ella maltrata, prostituye, calla, tolera; la manera en que traiciona a los hombres concretos que se les ha dado en custodia para servir al poder, al dinero y poner el prestigio de la institución por encima de la verdad, de la justicia y de la caridad.

Después de ser perseguido, violentado, difamado por ciertos grupos del Episcopado mexicano, a los que no convenía la opción que había tomado por los más pobres, el sacerdote Alberto Athié tuvo que enfrentar algo peor: el silencio de la propia iglesia institucional ante el caso de Marcial Maciel y los abusos que han denunciado con lujo de detalle quienes se dicen sus víctimas. Este silencio, esta brutalidad, esta falta del sentido de la verdad, de la justicia y de la caridad por parte de la institución eclesial, se agudizó durante su exilio en Chicago con el conocimiento de otros encubrimientos y otros daños de la misma índole que no han sido reparados.

Frente a eso, el sacerdote Alberto Athié entró en crisis, una crisis que un cristiano de su talla tuvo que dirimir, como bien lo señala el padre Miguel Mier, frente a su percepción del misterio de la muerte y la resurrección de Cristo; tuvo así que elegir entre dos fidelidades: la fidelidad a una institución que lo obligaba a un silencio cómplice y la fidelidad al sentido propio de la iglesia: la persona humana, el hombre concreto y la verdad. En la elección de una de las dos estaba su muerte y también su resurrección en la esperanza teologal. Fiel a lo que siempre ha sido su divisa y al sentido que encuentra en la iglesia y en la muerte y la resurrección de Cristo, eligió la segunda: eligió morir al sacerdocio ministerial para renacer en Cristo y lavar a su amada iglesia de sus prostituciones; eligió despojarse de lo que un sacerdote puede amar más: su sotana, signo de Cristo entre los hombres, para resucitar en y con Él. Su acto es, en este sentido, profético: habla de su fidelidad a la verdad; si Alberto Athié dejó su sacerdocio ministerial es para dar testimonio del mismo y decirle a la institución eclesial que una sotana no vale nada si no representa a Cristo, si tiene que llevarse manchada por el silencio, el dolor y el sufrimiento de aquellos que no hemos sabido socorrer; si tiene que ser a costa de lo único que constituye su dignidad: el servicio a la causa de Dios que es la del hombre, la causa de la persona humana.

Fue su opción. Hay otras: delante de una crisis de vida, no sólo un sacerdote, sino cualquier cristiano que se respete y respete a la iglesia en la que vive y ama, tiene, como he dicho, que tomar su opción de cara a su experiencia de la muerte y resurrección de Cristo; esas opciones tienen tantas posibilidades como la infinita profundidad que ese misterio encierra.

Alberto Athié tomó la suya, tan respetable como dolorosa; en estos lances, en donde se juega la vida de cara a la resurrección, nada puede dejar de ser doloroso y respetable. Esta opción, en su sufrimiento, es también el testimonio de lo que la falta a la verdad y a su justicia conlleva de mal y de dolor: los vergonzosos encubrimientos de la iglesia institucional, su negativa a tomar en la caridad el partido de la justicia; sus traiciones a los derechos de los hombres que se les dio en custodia, han acumulado en nuestra iglesia una carga de dolor y de mal que sólo puede beneficiarnos si en el amor de Cristo nos purifica y nos conduce a la verdad. Mientras llega, mientras aguardamos en la fe y la esperanza teologales, como aguardan cada uno de nuestros sufrimientos y miserias, la purificación de nuestro Señor, lo único que podemos experimentar es, como en el Viernes Santo, el escozor de las llagas y del mal: un hombre Marcial Maciel, agazapado en un silencio obstinado que no ayuda en nada ni a su salvación ni a la vivificación de la iglesia en el mundo; una congregación, la fundada por él, envuelta en la sospecha y el temor; un conjunto de hombres lastimados en su dignidad y en su esperanza humana; una iglesia que ante los hombres traiciona una parte de su misión fundamental y se vuelve fuente de escándalo y de oscuridad, y un hombre que ha debido renunciar a lo que más amaba en el mundo: su sotana, por servir a la verdad de la iglesia que un día lo llevó al sacerdocio.

De Alberto Athié, como de todos aquellos que amamos a la iglesia hasta la Cruz, se puede decir lo que otro gran sacerdote, el cardenal de Lubac, dijo en sus *Meditaciones sobre la iglesia* del hombre de iglesia: "Miembro del cuerpo [...] es sensible a todo lo que afecta a los otros miembros. A Él mismo lo afecta todo lo que paraliza, vuelve pesado y lastima al cuerpo entero [...]. Sufre, pues, por los males internos de la iglesia. Quisiera que ella fuera, en todos sus miembros, más pura y más unida, más atenta al llamado de las almas, más activa en su testimonio, más ardiente en sed de justicia, más espiritual en todas las cosas, más alejada de cualquier concesión al mundo y a su mentira [...]. Sin alimentar un sueño utópico y sin faltar de acusarse primero a sí mismo, no se resigna a una instalación de los discípulos en lo 'demasiado humano'".

Espero, como Patricia Gutiérrez-Otero y yo lo habíamos escrito en el artículo referido, "que el sacerdocio de Alberto Athié se transforme en la santidad de Alberto Athié y que así lave a nuestra amada iglesia de Cristo".

23/03/2003

LA IGLESIA Y EL CONDÓN

La oposición de la iglesia al uso del condón como medio preventivo para la concepción y la prevención del sida ha generado y continúa generando molestias en muchos sectores de la izquierda y de la misma iglesia. El problema, de por sí complejo en un mundo extremadamente poblado, economizado, hedonista y con graves epidemias, se hace más agudo, primero, por la forma tan poco sutil y sensible a la problemática con la que muchos prelados expresan esa oposición (véanse las citas que sobre el asunto hace Carlos Monsiváis en su artículo, *De condones, regalos y votos, Proceso* 1385); segundo, a la manera en que ciertos sectores de la iglesia, en nombre de una moral sin matices, obstaculizan la labor del Estado que, por motivos de salud y de prevención de males de orden social, promueve su uso; tercero, a la incapacidad de una sociedad que ha perdido los referentes espirituales para comprender la profundidad de lo que la iglesia resguarda y defiende con su oposición.

El resultado es una Babel de confrontaciones y acusaciones. La oposición de la iglesia al uso del condón tiene como fondo la defensa de una mirada espiritual sobre el hombre. Frente a un mundo que, en nombre de un elogio del individuo como centro evaluador de la realidad, ha comenzado a usar todo para gozo y provecho de esa pura individualidad, el condón es un síntoma. Su uso encubre la pérdida del sentido del acto de amor como una realidad sagrada que tiene, en el orden de lo natural —es decir, en el orden creado por Dios— un doble rostro: la donación de sí y la apertura a la vida; en otras palabras, la afirmación de la entrega que comporta en su realidad la fecundación del fruto de la procreación.

Cuando se utiliza el condón para exaltar la pura donación en detrimento de su otra cara, se mutila no sólo algo de la dignidad del hombre, sino de su responsabilidad frente al misterio del amor. La intromisión de un pequeño pedazo de látex —una fabricación tecnológica— en la intimidad de dos seres, introduce la desproporción y abre la posibilidad de una vida sexual vacía, que puede hacer del otro un puro instrumento de placer intercambiable.

El documento *Familiaris consortio* lo dice con una profunda fineza: "Al lenguaje natural que expresa la recíproca donación total de los esposos, el anticoncepcionismo impone un lenguaje objetivamente contradictorio, es decir, el de no darse a otro totalmente: se produce no sólo el rechazo positivo de la apertura a la vida, sino también una falsificación de la verdad interior del amor conyugal, llamado a entregarse en plenitud personal".

Esta visión de la iglesia es profunda y la norma que defiende en relación con ella muy alta. Ése es su papel: conservar y defender la más alta imagen espiritual del hombre.

Sin embargo, su defensa, en el mundo que hemos fabricado, es decir, en un mundo en el que el ser humano ha sido transformado en un objetivo institucionalizado, estandarizado y administrable en sus goces individuales y en su bienestar social, se presenta como un acto intolerante, tan intolerante, empero, como las propias campañas del uso del condón que buscan, sin dejar lugar a la conciencia, administrar la salud de los seres humanos para su propio bien.

El problema, por tanto, tiene sus raíces en el propio cristianismo. A lo largo de todas sus obras, Jacques Ellul e Iván Illich han demostrado que la institucionalización de la vida evangélica que comenzó en la Edad Media fue lentamente corrompiendo lo mejor del Evangelio, hasta dar nacimiento a esta sociedad, a esta civilización, a esta cultura que es verdaderamente contraria a todo lo que leemos en el Evangelio y a lo que el depósito de la fe de la iglesia trata inútilmente de proteger. La dignidad de la persona, la protección de su salud, de su bienestar —lemas que esgrime la propia sociedad secular cuando defiende la necesidad de generalizar a través de sus instituciones de salud el uso del condón— son una excrecencia del cristianismo, una perversión del bien de la que pocos nos damos cuenta.

Todas las instituciones modernas y sus aparatos tecnológicos —incluyendo el látex de los condones— no son más que formas en las que la búsqueda cristiana del bien se han pervertido a tal grado que nos impiden ver la realidad de lo que la iglesia defiende en su oposición al uso del condón.

El medio técnico en el que vivimos —hijo de la búsqueda del bien— y que domina nuestras vidas, nos ha vuelto inaccesible el mundo en sus realidades espirituales. La propia iglesia vive esa contradicción. Aunque capta muy bien la humillación a la que la técnica del condón somete al hombre y denuncia con mucha fuerza, pero a veces sin mucha claridad, la manera en que los preservativos frustran la función natural y espiritual de los seres humanos, nunca considera la analogía que existe entre los condones y las llantas. Si los primeros —como bien lo ha visto la iglesia y lo ha defendido en sus diversos documentos— oscurecen el sentido espiritual y profundamente sacramental que hay en la intimidad de dos seres, las segundas frustran la naturaleza pedestre del hombre, lo desarraigan de su sitio y de sus relaciones afectivas, deforman su percepción de la realidad: no es lo mismo palpar, a través de la caminata y con todos nuestros sentidos, los olores, los objetos y los seres que hay, viven y transitan en el suelo que piso, que verlos a través de una cabina, a veces climatizada que, gracias a las llantas y los motores de combustión, se mueve hacia un horizonte abstracto, tragando kilómetros a velocidades inauditas para los pies.

El condón, como evidentemente lo entiende la iglesia, es un síntoma, pero no sólo de la perversión del amor, sino de una raíz mucho más maligna: la técnica, que es un medio corrompido del bien que, en nombre de las categorías cristianas de la salud y de la vida, ha hecho del hombre un objetivo institucionalizando, estandarizado y administrable para su propio bien. La técnica en una sociedad como la nuestra, que se pretende un sistema para la vida, saca de su contexto a los sentidos a causa de los artefactos fabricados para dominar la realidad y generar un bien humano y, al hacerlo, nos impide tocar, incorporar y comprender lo real y sus dimensiones espirituales, que nos obligan a la proporción, a la moderación, a la donación y a la responsabilidad que se pone en juego con cada uno de nuestros actos.

La iglesia no sólo vive dentro de ese mundo, sino que ella misma —en su búsqueda de administrar lo mejor del Evangelio a través de las instituciones de servicio que produjo y que al secularizarse dieron las instituciones que hoy conocemos— es responsable de esta corrupción que ahora combate sin darse cuenta de la raíz del mal que la provoca.

En medio de un mundo así, su función es preservar y defender la más alta imagen espiritual del hombre; es decir, mostrar la altura de una norma que hemos perdido. Lo que no debe hacer —ya que ella misma vive inmersa en ese mundo y es víctima y parte de las contradicciones que ha engendrado— es tratar de imponer esa norma a un mundo que, a causa de su corrupción, no tiene los elementos para rehacerse ni para comprender lo que ella preserva en el depósito de la fe. Mantener viva la norma, explicar bien su sentido y acompañar a los hombres en sus miserias y en su incapacidad, no sólo para comprenderla, sino para vivirla, es lo mejor que puede hacer.

01/06/2003

LA IGLESIA TIENE DERECHO

Para Rodrigo Guerra

La publicación de dos instrucciones pastorales sobre las elecciones que dieron a conocer los obispos Mario de Gasperín, de Querétaro, *Un católico vota así,* y Florencio Olvera, *Cuernavaca, por un voto responsable,* han suscitado el desgarramiento de las vestiduras de la izquierda y su clamor para que se les aplique, al amparo del artículo 130 constitucional, las sanciones correspondientes.

Lo que asombra de todo esto no es ese desgarramiento ni ese clamor. México, el país, junto con Francia, más jacobino que hayan heredado la Ilustración y la Revolución Francesa, no ha dejado desde la Independencia de perseguir a la "Infame", como llamó Voltaire a la iglesia. Lo que asombra es que en pleno siglo XXI, en la era de la democracia, de las crisis de los nacionalismos, nuestra izquierda, siempre infantil, continúe actuando y hablando desde una paranoia histórica, como "si a la modernidad ilustrada —dice bien Rodrigo Guerra— no le hubiese sucedido algo en los últimos cien años"; como si el México y la iglesia de Juárez o de Calles siguieran siendo los mismos y no hubiéramos llegado a la democracia moderna; como si el laicismo no hubiese penetrado ya por todas partes y la iglesia no hubiese dejado de ser el poder omnipresente que algún día fue.

El problema, por tanto, no es si los obispos infringieron el artículo 130 y merecen ser penalizados. Este asunto, para los que verdaderamente han leído las instrucciones referidas, está resuelto: ni monseñor De Gasperín ni monseñor Olvera hicieron proselitismo por ningún partido ni por ningún candidato; tampoco, como lo expresa el artículo 404 del Código Penal Federal, "indujeron" al electorado a orientar su voto ni dieron a conocer sus instrucciones en actos propios del ministerio de culto. Por el contrario, las instrucciones se difundieron en una reunión, es decir, en un acto administrativo, y se dirigieron no al electorado, sino a los católicos; además, esas mismas instrucciones piden a los católicos votar con libertad y en conciencia de acuerdo con la imagen ética que la iglesia defiende del hombre y que en el orden espiritual es la más alta, y de no encontrar "un partido o un candidato que concuerde con sus principios religiosos y morales, votar por el menos malo" (De Gasperín) o "por algún candidato no registrado" (Olvera). Entonces el problema es más complejo y se dirige al orden de la democracia y de los derechos.

¿Una democracia que verdaderamente se respete, puede tener, como lo indica el artículo 130, ciudadanos de primera y de segunda; es decir, ciudadanos que tienen plenos derechos y libertades, y ciudadanos —los sacerdotes o los ministros de culto de cualquier religión— que deben abstenerse de esos derechos por ser sujetos riesgosos? Esta postura, hija del liberalismo revolucionario, ¿no posee a estas alturas del desarrollo político de la nación un criterio selectivo que frisa en el autoritarismo y que se arroga el espantoso y arbitrario derecho "de —vuelvo a Rodrigo Guerra— determinar quién merece ser reconocido propiamente como ser humano y quién no"? ¿Por qué ciertos partidos de izquierda, que defienden derechos desproporcionados como los reproductivos, se niegan a aceptar el derecho de la iglesia a hablar sobre estos asuntos? ¿No estas actitudes discriminatorias muestran una forma de totalitarismo encubierto? ¿Sólo quienes están de acuerdos con ellos tienen derecho a expresarse? ¿Es real que fuera de esa abstracción llamada Estado, hija de una racionalidad autorreferencial y autocomplaciente, no pueden existir otro parámetro para acercarse al mundo de lo humano? ¿Es posible hablar de democracia cuando los únicos grupos que no pueden hablar, que no tienen derecho a decir —para hablar con el código jurídico del laicismo— a sus "agremiados" cuál es la imagen que defiende del hombre en la vida social, son las iglesias, en particular, la iglesia católica? ¿Puede haber plenas libertades cuando el artículo 24 constitucional concede a los ciudadanos solamente el derecho a la "libertad de creencia" y no a la libertad religiosa, misma que defienden el artículo 18 de la Declaración Universal de los Derechos Humanos y el artículo 18 del Pacto Internacional de Derechos Civiles y Políticos y el 12 del Pacto de San José?

México quiere ser moderno, pero como siempre, lejos de traer a esa modernidad lo mejor de su tradición, arrastra tras de sí lo peor de ella. No sólo ha violentado, contra todo el derecho internacional y en nombre de su pasado encomendero, el derecho indígena, sino contra ese mismo derecho internacional y en nombre de su pasado jacobino atropella las libertades religiosas de sus ciudadanos.

La iglesia, en la medida no sólo en que es una institución que es parte de la vida civil y democrática del país —en ella vive y en ella ejerce su ministerio—, sino porque defiende la más alta dignidad del hombre —ésa sin la cual la libertad, la igualdad y la fraternidad de las sociedades occidentales no hubiera sido—, tiene derecho a hablar y a expresar a sus feligreses lo que en el orden de lo humano entiende por una vida social, política y económica digna. Esta obligación, por desgracia, no la ha ejercido con mucha claridad, incluso, a veces, contra todo el sentido de la caridad, lo ha hecho de manera agresiva e intolerante. Pido en este sentido y como parte de la iglesia perdón a los homosexuales por la forma tan indigna con la que monseñor Olvera se refirió a sus vidas de pareja: "caricatura grotesca de la familia"; la iglesia debe explicar y debatir con altura sus posiciones frente a problemas tan delicados y profundos como el aborto, el uso de los anticonceptivos y la homosexualidad; de explicar que frente a las normas que en este terreno defiende está también la casuística —es decir, cada caso particular— y la conciencia.

Si para conquistar este derecho y reformar plenamente los artículos 130 y 24, que denigran la libertad y la vida democrática del país, sus prelados deben ir a prisión, que vayan hasta que esos artículos se reformen. Nunca la iglesia ha sido mejor y ha dado sus mejores frutos que cuando ha sido perseguida a causa de la justicia.

Negarle el derecho a los obispos a hablar sobre asuntos de orden político y social, no es, como lo ha dicho Rodrigo Guerra, "camino para fortalecer un régimen de libertades de nuestra nación". Nada que no sea el daño a otros puede restringir el derecho a la libertad de conciencia, de religión y de expresión, y al pluralismo que tanta sangre y tanto dolor nos han costado. El propio monseñor Olvera, en su instrucción *El voto responsable*, antes de referirse a los pecados electorales —palabra que escandalizó a la izquierda por las connotaciones coercitivas que tuvo en la época de la Ilustración—, tuvo el acierto de definirlo como aquello "que va contra el amor a Dios, a uno, a los demás, a la patria", es decir, contra aquello que destruye la más alta libertad y dignidad del hombre y ante la cual la vida civil y el Estado deben dar cuenta si no quieren destruir la democracia que hemos iniciado y en la que apenas comenzamos a vivir.

15/06/2003

EL CONDÓN, LA IGLESIA Y EL HOMBRE MANCILLADO

En mi artículo *El infantilismo de nuestra cultura* (Proceso 1470) señalaba la manera en que la era de las libertadas se ha infantilizado, produciendo un individuo que, al mismo tiempo que exige ser protegido, exige que no se le someta a ninguna obligación, un niño mimado que ante la frustración de sus deseos, que generalmente toma por libertad, patalea y reacciona como víctima.

Esta condición del hombre moderno, descrita con el lenguaje de la ciencia ficción por Richard Matheson en *El hombre menguante* y analizada admirablemente por Pascal Bruckner en *La tentación de la inocencia*, se ha vuelto a manifestar con la posición que desde siempre ha asumido la iglesia frente al condón y el uso de anticonceptivos.

Al hombre menguante de nuestra sociedad, la posición de la iglesia le incomoda; él no soporta la grandeza espiritual, no quiere medirse con la más alta norma del amor que ella defiende y que el hombre menguante ha desechado en el cajón de las antiguallas. A este hombre que, como lo define Jean Baudrillard, vive después de la orgía, la virtud le parece una exageración, y toda defensa de ella, un acto totalitario. No se ha dado cuenta de que su histeria miserabilista, que esgrime con la indignación de los infortunios, oculta el peor de los totalitarismos, el que se disfraza de libertad.

Frente a este hombre menguante, frente a este hombre empequeñecido que hace pasar su individualidad —hecha del derecho a la realización de sus deseos y al consumo que oferta el mercado e impone la economía— como libertad, la iglesia, porque defiende una imagen muy grande del hombre, no puede más que oponer la más alta norma de la virtud. No es un capricho legalista, sino la expresión de la grandeza que la tradición cristiana ha descubierto del amor. No hay que ir a la encíclica *Humanae vitae*, escrita con el lenguaje frío de las encíclicas, sino a la catequesis que Juan Pablo II ha hecho sobre la familia, para comprender esa dimensión del amor que la iglesia defiende y que la lleva a su negativa al uso del condón y de los métodos anticonceptivos tecnológicos.

Para la iglesia, el don inmenso de la presencia del otro y del deseo que, inscrito en nuestra carne como otro don, nos pone en movimiento para ir hacia ese otro y "hacerse una sola carne", implica la libertad y la responsabilidad en la virtud; es donación y sacrificio; entrega y abstinencia; apertura en el límite y responsabilidad. El amor. Para esa iglesia —aunque muchos de sus hijos, entre los que me incluyo, no estemos a la altura de la altísima norma que defiende (una verdad, aunque se niegue por incapacidad, no deja de ser verdad y en consecuencia el más grande bien)—, el hombre es un todo en el que el sexo (el instinto y la procreación), el eros (la sublimación del sexo por los poderes de la imaginación) y el amor (la unión de esos dos poderes por la donación y el sacrificio) son indisolubles. Elidir, sin virtud, es decir, sin el ejercicio de la paciencia y de la castidad, el poder de la sexualidad o el del eros, es destruir el amor. Cuando al hombre, como lo hicieron los puritanos del siglo XIX y lo pretenden ahora ciertos grupos fundamentalistas, se le reduce a su pura sexualidad, se mutila la alegría de la donación, que es la fruición del eros; por el contrario, cuando se le reduce a su puro eros, como lo pretende el hombre menguante de nuestra cultura, se le mutila la responsabilidad frente a sí mismo, frente al otro y frente a la vida, que es la procreación, convirtiéndolo en un hombre sometido a dosis administradas por la industria erótica y médica de las instituciones modernas. En ambos casos, lo que merma es el fundamento de todo: el amor y la responsabilidad del hombre frente al amor, que es el rostro más acabado de la libertad.

La iglesia, con su negativa —que, por desgracia, expresa muy mal a través de sus voceros—, no pretende otra cosa que gestar un hombre libre, responsable de sí mismo, independiente, consciente de sus límites y de las alegrías que puede encontrar en ellos y abierto a la trascendencia. Su medida, como he dicho, es muy alta, y, por lo tanto, incómoda para el hombre administradamente infantil de nuestra cultura, caprichoso, impotente para asumir las alegrías de la vida y sus responsabilidades, y reducido a su pura inmanencia.

El hombre se supera a sí mismo por la medida más alta que ha descubierto en su humanidad. Ella es un horizonte con el que debe medirse. Desaparecerlo o querer que la iglesia, en nombre de las miserias del individualismo moderno, lo reduzca, es simplemente abandonar al hombre a los poderes del infantilismo de nuestra cultura, que reclama su independencia al mismo tiempo que reclama cuidados y asistencia administrada, y es convertirlo en una especie de bebé que habla el doble lenguaje del no conformismo y de la exigencia insaciable.

El problema de la iglesia en estos asuntos no está, por lo tanto, en la más alta norma que defiende, y que tiene un amparo ético y espiritual profundo, sino en que le da a esa norma el carácter de obligatoriedad jurídica, que no mide matices —que los tiene— y que en su perentoriedad olvida el otro rostro de la ley de Dios: la misericordia y la caridad. Una justicia sin misericordia —no lo digo yo, sino el teólogo que la misma iglesia ha privilegiado, Santo Tomás— es una justicia estúpida. Eso es lo que la hace odiosa, no al hombre menguante de nuestra cultura, que sólo quiere medirse con su pequeñez, sino a quienes, amando a la iglesia y queriendo vivir con responsabilidad ese sabio y amoroso designio, viven dentro de una historia que se construye día a día con sus numerosas opciones, con las presiones de una vida regida por la economía, sus ofertas de consumo y su ausencia de ética, y no pueden acceder tan rápidamente a esas alturas.

Cuando la iglesia habla del más alto orden moral y espiritual del amor de la pareja, que es el orden de la santidad, debe tener en cuenta la "ley de la gradualidad" o "camino gradual", expuesta por Juan Pablo II en su carta pastoral *Familaris consortis*. Esa gradualidad implica un caminar paso a paso hacia el horizonte de la más alta norma que defiende. "Esta excelsa vocación [que es la vida del amor de la pareja] —dice esa carta— se realiza en la medida en que la persona se encuentra en condiciones de responder al mandamiento divino con ánimo sereno, confiando en la gracia divina y en la propia voluntad", a través de una profunda y lenta pedagogía.

Es evidente que en una sociedad regida por el infantilismo cultural, por todas las ofertas de la industria erótica, por la reducción de la libertad al deseo del individuo y al derecho al consumo que lo satisfaga, esas condiciones no existen, y la iglesia debe trasegar mucho para enseñar la grandeza de la más alta norma. Su labor es entonces, sin rebajarla, sin ceder un ápice de la altísima imagen que se le ha dado descubrir y defender del hombre, acompañarlo caritativamente. Quizá, si a la norma que defiende antepusiera la "ley de la gradualidad", se pudiera llegar, junto con el Estado, a una pedagogía que apuntara hacia esa más alta norma, una pedagogía que se resumiría en fidelidad, abstinencia y condón. Cuando el hombre, por las circunstancias de su propia historia y de la sociedad menguante que hemos construido, no puede acceder a la plenitud del amor, por ese mismo sentido del amor y por confianza en la norma que defiende —en la gradualidad para llegar a ella y en la grandeza que Dios imprimió en el hombre—, la iglesia no debe condenar, sino mantener en el amor su maravillosa exigencia. Ella es un horizonte sin el cual el hombre estaría abandonado a la administración de las instituciones modernas y de los totalitarismos libertarios y menguantes con su carga de competitividad, de deseos multiplicados al infinito y de derechos sin deberes.

06/02/2005

La desintegración familiar y la iglesia

Entre las diversas formas de la vida moderna que preocupan a la iglesia, una en particular le duele profundamente porque vulnera su rostro sacramental en el mundo: la desintegración familiar.

La iglesia, que desde el siglo XVII se volvió extremadamente moralista, atribuye esta destrucción a causas éticas: la mercantilización de la sexualidad, la pérdida del símbolo trascendente del matrimonio y el individualismo extremo. No lo dudo. Sin embargo, por debajo de esas evidencias hay otra que la iglesia, obnubilada por las aparentes bondades del industrialismo y de la economía moderna, no ha visto y que, desde mi punto de vista, es la causa fundamental de esa desintegración: las formas económicas que el industrialismo privilegia.

La familia nuclear, es decir, los hogares organizados de manera conyugal, han existido siempre en donde la organización económica se basaba en la subsistencia, en una economía en donde los ámbitos de género estaban claramente delimitados: el hombre salía a cosechar y a cazar, y el fruto de ese trabajo era procesado por la mujer en el hogar; cada uno de sus miembros —incluyendo los hijos— estaba vinculado por la necesidad de crear juntos para su existencia. Paul Veyne, en un fino ensayo *La familia y el amor en el alto imperio romano*, afirma que fue allí, entre el periodo de Augusto y el de los Antonios, donde el concepto de familia nuclear, independientemente de cualquier influencia cristiana, apareció. Estaba en el interés de los propietarios hacer de ese género de familia una obligación para los esclavos, cuya organización económica era la subsistencia. Los cristianos que, iluminados por la iglesia, vieron en él un símbolo del amor de Dios por el hombre, lo retomaron de manera autocrática en la Edad Media. Según Georges Duby fue con el desarrollo del industrialismo que esa forma de la familia entró en crisis, una crisis cuyas consecuencias sólo comenzamos a ver cuando ese mismo desarrollo vulneró totalmente los valores morales con los que la familia nuclear se mantenía falsamente en pie.

Al irse rompiendo el equilibrio productivo de la familia nuclear con la sustitución del trabajo doméstico del hombre por el trabajo asalariado y productor de mercancías de la fábrica industrial, la mujer en el hogar comenzó a ser vulnerada. Ya no tenía lugar dentro de la economía. Su tarea doméstica se redujo a comprar con el salario del marido lo que antes producía en casa, y su actividad productiva se limitó a la dependencia económica y a lo que Iván Illich definió muy bien como "trabajo fantasma" —ese trabajo que es la sombra del trabajo asalariado: el de la compra de mercancías—. Lejos de la relación de complementariedad asimétrica que tenía con el hombre en la economía de subsistencia, su papel se volvió el de una esclava al servicio de las dádivas de un salario que ni siquiera ella percibía. No trabajar fue desde entonces la única y conveniente manera de vivir para las mujeres. Su sitio, el hogar, se volvió ya desde los siglos XVI y XVII —con el desarrollo de las urbes y del comercio, y entre los humanistas del norte— el ámbito religioso —el de la madre abnegada que en la privacidad del hogar sostiene los valores éticos—, en oposición al amoral, ateológico y público de la economía de mercado, que dará paso a la economía industrial. Como lo ha señalado muy bien Sarah Jane R. Hood: "La noción protestante de elección hizo del ideal de lo femenino (esposa y madre) la vocación de todas las mujeres de la Inglaterra de los Tudor. Desde entonces, las mujeres fueron llamadas al matrimonio y no pudieron hacer otra contribución que traer hijos al mundo".

Hoy en día, el desarrollo exacerbado del industrialismo —que en sus primeras fases comenzó también a crear trabajos asalariados para las mujeres, formas nuevas de la opresión fuera de la opresión doméstica: la máquina de coser para las industrias textiles o la máquina de escribir para las empresas— ha hecho que la mujer abandone por completo un ámbito que la economía industrial volvió sombra del salario y esclavitud, para entrar en el ámbito de la competencia sexual en el mercado económico.

En un orden así, la vida familiar que el cristianismo sacralizó ha dejado de existir: el hogar ya no es el lugar de la economía, del "cuidado de la casa", a través de relaciones de complementariedad asimétrica, sino un lugar del que se sale desde temprano para ir al empleo asalariado, donde se pernocta por la noche y se gasta el salario en todo tipo de mercancías inútiles; un sitio del que los hijos también salen desde temprano a las guarderías y a las instituciones escolares —a vivir también un trabajo fantasma: pagar para obtener la mercancía que producen los expertos en pedagogía, el aprendizaje—; un sitio en el que la maternidad ha dejado también de existir porque se ha depositado en las manos de los expertos en ginecología y en los hospitales; un sitio que ha dejado de ser un lugar, un suelo donde los miembros de una familia aprendían, se reconocían, se amaban, preservaban una memoria, se cuidaban y se sostenían, para convertirse en un simple refugio de paso, en una especie de hotel donde se paga por estar.

Esta realidad, que ni la iglesia ni las feministas radicales quieren ver por otras razones, es la base fundamental de la desintegración familiar, cuyos síntomas la iglesia critica con encono pero frente a los cuales no puede hacer nada, porque su base es la destrucción de la economía de subsistencia, que es el rostro de la economía de la encarnación, del hogar en el que el Verbo se encarnó. Mientras la iglesia no haga la crítica de la economía industrial —con la que por desgracia pacta alegremente—, verá de manera dolorosa destruirse cada vez más rápidamente ese mundo familiar donde los hombres del cristianismo miramos aún a Dios en la vida del mundo.

25/09/2005

El impostor

Sobre Marcial Maciel se ha escrito mucho a lo largo de los años. No ha sido menos la tinta que su reciente suspensión *ad divinis* ha dejado correr. El castigo, uno de los más duros que Roma puede infligir a un sacerdote y, sobre todo, a un fundador religioso cuya santidad parecía resonar en la palabra con la que su congregación se dirige a él, *Mon père*, tiene un doble rostro, el que viene de Roma y el que frente a él asume el propio Maciel.

La sentencia de Benedicto XVI, fuera de que olvidó algo fundamental en la vida de la iglesia, las víctimas —hasta ahora no las ha invitado a Roma ni reconvino a Maciel para que en la invitación que le hace a vivir una vida de penitencia incluya, como debió haber sido, la petición de perdón que les debe a las víctimas y a la iglesia; el perdón y el acogimiento que todo lo sana—, habla bien del papa. Benedicto XVI no es aquel a quien el prejuicio radical y su desempeño como prefecto para la Congregación de la Fe señalaban como un conservador recalcitrante. Su encíclica sobre el amor, su encuentro con Hans Küng y la reciente sentencia a Maciel revelan a un papa dispuesto a reconocer las vestiduras de la iglesia, a un papa —si logra hacer lo que todos los cristianos esperamos en este caso: el acogimiento a las víctimas de Maciel— de la justicia y de la caridad.

Pero si Roma ha sido veraz, justa y parcialmente caritativa, no puede decirse lo mismo de Maciel y de su congregación, cuyo nombre, Legión, la única vez que aparece en el Evangelio es para hablar de demonios (habría todavía que iluminar a la luz de la verdad las complicidades que en ella se tejieron para las victimizaciones y las mentiras que durante muchos años sostuvieron la "inocencia" de Maciel). Aunque *Notre père* y los Legionarios acataron la sentencia del papa, y aunque Roma salvó a la congregación al deslindarla de Maciel y elogiarla en los servicios que ha hecho a la iglesia, ni uno ni otros aceptaron las razones de la sentencia. De manera sutil, casi imperceptiblemente, dijeron sí, pero no. Las lacónicas palabras de Maciel lo delatan: "[Acato] con fe, con total serenidad y con tranquilidad de conciencia". Las de su congregación lo confirman: es "una nueva cruz que Dios ha permitido que sufra y de las que obtendrá muchas gracias para la Legión de Cristo". Las del cardenal Rivera dejan la duda: "Yo no estuve allí" [en los actos de los que se acusa a Maciel]. Si Roma lo ha encontrado culpable y ellos han acatado —para eso son parte de la iglesia y, en el caso de la congregación, prelatura—, no creen en el expediente que condujo a la sentencia papal. Para ellos, Roma se equivoca y las víctimas continúan mintiendo. Por ello Maciel dice tener la conciencia tranquila; por ello también la congregación lo mira como un santo incomprendido que completa en sus sufrimientos lo que falta a la pasión de Cristo.

Fuera del sacerdote Cenabre —el prestigiado cura que nunca creyó y cuyos tratados místicos, que todos elogiaban, estaban escritos como si en ellos "la caridad no existiera"— de *La impostura* (1927), de Georges Bernanos, un personaje de ficción, nunca la realidad había mostrado con tanta luz el horror de la impostura en el seno de la iglesia. Para encontrarla habría que leer *Felonía*, de Francisco Prieto (de próxima aparición en la editorial Jus), en donde Prieto, mucho antes de que la sentencia del papa se promulgara y con la clarividencia del novelista, retrató el alma del propio Maciel.

Lo que, semejante al *Notre Père* de *Felonía*, más aterra en Maciel no es su conducta pederasta, sino el vacío de una vida que, al sustituir la santidad, que sólo la caridad vivifica, por una imagen que es sólo el sueño de la ambición, pone en evidencia el pecado más atroz que alguien puede cometer, el que se hace contra el Espíritu. Si Marcial Maciel ha levantado la polvareda que hemos visto —una polvareda que en Michael Jackson es sólo un remolino de viento, bueno para el consumo morboso de una sociedad sin misterio—, es porque en él la santidad muestra el horror indecible que implica su corrupción. Maciel, abusando de su aura de santidad, no sólo sometió a sus víctimas a una doble humillación (usarlas para su placer, destruyendo sus vidas emocionales, e incriminarlas como falsarias), sino que, ahora, frente a la evidencia de su culpabilidad, se niega a aceptarla. Ni él ni su congregación han respondido cristianamente con el dolor de corazón y la petición de perdón que su pecado les reclama, lo que nos permitiría reconocer en ellos algo de la santidad y la grandeza que dicen poseer. Semejante al Cenabre de *La impostura*, el pecado de Maciel, con el que gran parte de su congregación parece solidarizarse, radica en su falta de amor, en el poder que se transforma en orgullo, en la simulación de la santidad y en creer que la vida de la iglesia se hace, como las instituciones del mundo, por la fuerza y la mentira, y no por la pobreza y la debilidad de su Señor.

Desde hace mucho, Maciel eligió traicionar la verdad, y sólo elige traicionar quien está habitado por la mentira. Es imposible pensar que un ser que aún posee un átomo de verdad lo sacrifique si la mentira no tomó ya posesión de él. Dina Dreyfus lo dice admirablemente: "No nos volvemos impostores; la impostura sólo tiene historia según una mirada retrospectiva que degrada la esencia intemporal de la mentira a una génesis histórica [...]. El mentiroso está habitado por una mentira que lo sobrepasa: no existe la mentira aislada, pero una sola mentira basta para pudrir el alma, pues en toda mentira está presente la totalidad de la mentira, la esencia de la mentira, 'la voluntad de mentir'".

La impostura de Maciel es, en este sentido, aterradora. En ella no está en juego la vida moral —su mentira no es simple—, sino su propia vida espiritual. Su respuesta a la sentencia del papa y su desprecio hacia sus víctimas es un inmenso acto de soberbia que sólo podrá sanar cuando pida un perdón público, acepte que Dios escribe sobre renglones torcidos y, humilde y dolorosamente, se retire, no a su rica mansión de Cotija, donde ahora está arropado por los suyos, sino —como lo hizo Courveille, el depositario de las revelaciones que inspiraron la fundación de los maristas— a la pobre y orante vida de un monasterio. Yo lo deseo, lo deseo inmensamente por él y por la verdad evangélica a la que dice servir. Nada conmovería y edificaría más la fe de la iglesia; nada pondría mejor un férreo coto a las dudas que el mundo lanza sobre ella, que ver el ejemplo del orgullo que se inclina ante la caridad y la verdad. Y si no, como lo escribí en el prólogo a Felonía, "que Dios tenga piedad de *Notre père*".

04/06/2006

Corrupción en la ciudad de Dios

Hemos festejado la Navidad —ese acontecimiento que cimbró al mundo y del cual somos, para lo mejor y lo peor, sus hijos— y estamos iniciando un nuevo año. Para los antiguos, inmersos en los ciclos cósmicos, era una vuelta, un retorno al inicio, donde las cosas eran recreadas. Para nosotros, los modernos, abiertos a la historia, es un paso a algo mejor, una construcción hacia adelante. Esta idea que, en sus formas corruptas, daría paso a las ideologías históricas —incluyendo la última de ellas, la globalización y el mercado—, estaba ya en germen en el cristianismo.

Después de la muerte y la resurrección de Cristo, los primeros cristianos comenzaron a vivir la redención desde una perspectiva histórica: se experimentaban a sí mismos como hombres de los últimos tiempos, recién creados en Cristo y en espera de su inminente regreso, que restablecería todas las cosas en él. Su vida, tal y como la describen los *Hechos de los apóstoles*, no era otra cosa que la prefiguración de ese reino que ya había llegado, pero aún no en plenitud: vivían fraternalmente y todo lo tenían en común. Sin embargo, con el desplazamiento de la Parusía a un futuro incierto, esta perspectiva se alteró y aquella primera experiencia se dividió en dos vertientes: una milenarista que, con Constantino (270/288-337), el Edicto de Milán (313) y el Concilio de Nicea (325) se hizo imperial, jerárquica, e intentó precipitar el tiempo escatológico mediante la conversión de los paganos, la institucionalización de la caridad, el diagnóstico y las terapias para la salvación, y la imposición de ellas como la única forma de vida. La otra, ontológica, intentó vivir en el orden de las primeras comunidades. Fue el fruto de hombres que, en el momento en que se promulga el Edicto de Milán, abandonaron la vida de las ciudades y comenzaron a poblar los desiertos de África.

Estos hombres debieron haber intuido que no podía existir, a menos que se traicionara su contenido, un "Estado cristiano"; debieron haber dudado que el cristianismo y una política de regulación institucional fueran compatibles. Para ellos, la única sociedad cristiana era del orden de los límites y, como la vida de los campesinos y los pastores —que el imperio quería regular y someter a sus diagnósticos—, de la autosubsistencia. Una sociedad donde todos fueran iguales, trabajaran y compartieran en común, una sociedad pobre donde la única autoridad por debajo de Dios fuera la autoridad de la sabiduría, de la experiencia y del amor. Una sociedad donde la conciencia cristiana no girara, como lo quería el imperio, en torno a un acontecimiento que vendría cuando todo se hubiese sometido a Cristo, sino alrededor de la adquisición de un nuevo estado ontológico en donde una vida pobre y común, como la de Cristo, fuera una expresión prefigurativa del reino.

Esta experiencia de los Padres del Desierto dio origen al monacato —fundado por san Benito en 529— y su *ora et labora*, y a múltiples experiencias —para hablar del Renacimiento y la modernidad— como las Reducciones jesuíticas de Paraguay, las comunidades eclesiales de base y la iglesia india.

El propio san Agustín, varios años después del Concilio de Nicea, en su tratado político de *La ciudad de Dios* elogiaba, contra la ciudad imperial y el rostro que adquiría el cristianismo en ella, esta forma de vida. Para Agustín, la ciudad de Dios no podía expresarse mediante las formas de civilización terrestre, que viven en "el amor de sí" y que habían provocado la decadencia de la Roma imperial, sino con las formas de una civilización basada en el amor y en los límites. Esa ciudad no tenía un modelo específico. No era ni la antigua Roma ni la iglesia imperial y jerárquica, sino una realidad trascendente e intangible que inspiraba cualquier ciudad que no sólo quería vivir su propio bien en los límites de su pobreza y de su amor, sino también, y por lo mismo, una posfiguración del reino donde "el Rey es la Verdad, la ley el Amor, y la duración la Eternidad".

Si Agustín podía alentar una idea de esa ciudad era porque frente al imperio tenía la enseñanza de los primeros Padres del Desierto y de las sociedades campesinas donde la vida no estaba jerarquizada, sino que era un vida común de producciones de autosubsistencia que recordaba la vida de las primeras comunidades cristianas; una vida donde la viuda, el huérfano y el más pobre tenían un lugar donde espigar, recoger leña y ser apoyados por el común; una vida en donde el mundo aún no estaba privatizado y, pese a los intentos imperiales por regular todo, los espacios eran todavía comunitarios.

Todos los grandes intentos reformistas posteriores —recordemos que Lutero y Calvino fueron agustinos radicales— intentaron encarnar esta ciudad. Sin embargo, paralelamente a estas formas de vida, la iglesia imperial y sus formas seculares continuaban su paso. En el caso de las iglesias reformadas, no sólo domesticaron su radicalidad, asesinando las disidencias campesinas, sino que incorporaron las consecuencias de sus doctrinas —la acumulación de excedentes— a sus fines institucionales; en el caso de los intentos católicos, como las Reducciones de Paraguay, a su aniquilación en función de los intereses de los Estados absolutistas y de la iglesia jerárquica. Así, lentamente, las formas imperiales, que intentaban reducir todo a una administración del alma y a la precipitación del reino por el poder, fueron confundiendo reino con bienestar y administración. Las ideologías históricas que nacieron de su seno, desde el liberalismo económico hasta las formas modernas de la globalización y el mercado, pasando por el fascismo y el marxismo, transformaron la noción de salvación en la noción de felicidad económica y adquisición de bienestar mediante dosis administradas por expertos. Al sacerdote como administrador de la salvación del alma y regulador de la caridad, sucedieron los expertos: el profesor y la escuela, para sacarnos del estado de ignorancia; el político, para regular nuestra vida social; el empresario, para racionalizar nuestro trabajo y aumentar el bienestar; el médico, para controlar nuestra salud desde el nacimiento hasta la muerte.

No es otro el rostro que los católicos imperiales, frente al Estado secular, han creado desde que las democracias cristianas en el siglo XX irrumpieron en el escenario político del poder. Ellos —el PAN en

México es su evidencia más clara—, hijos de la corrupción imperial del cristianismo, y de su rostro secular y moderno, han imaginado la ciudad de Dios como la ciudad terrena criticada por Agustín. Ya no se trata de someter a todos a la verdad cristiana, sino a las nuevas formas impuestas por la globalización y la economía, rostro moderno del reino: el despojo de las sociedades campesinas y vernáculas —la forma en que han golpeado a la APPO, a Atenco, y el desprecio al zapatismo hablan de ello—, el sometimiento de todos a la jerarquía de los expertos y a las directrices del mercado dentro de un orden estamentado que recuerda las formas más viles en que la iglesia imperial se expresó, y la construcción, no de la persona, sino del individuo sometido y administrado por los poderes de un Estado de nuevos sacerdotes expertos al servicio de los intereses privados y trasnacionales. Para ellos, la ciudad de Dios se ha vuelto la ciudad del mercado y del odio irrestricto a todo aquello que recuerde la pobre alegría de la encarnación y de la libertad de los hijos de Dios. El más del orden histórico que nació con el cristianismo y que nos aguarda en este año que empieza, es siempre un menos, un más que al corromper lo mejor de lo que nació, se ha vuelto siempre lo peor.

31/12/2006

La tentación católica

Desde el asalto del racionalismo a la iglesia y la devastación de la cristiandad por la modernidad y las democracias, el sueño de la catolicidad más tradicional ha sido el restablecimiento de un mundo jerárquico.

Pese al juicio ideológico de la modernidad, el sueño no tiene en su fondo un carácter reactivo de explotación y de poder. Su sueño hunde sus raíces en una percepción estable del Universo o, en otras palabras, en la concepción de que el orden social debe ser un espejo del orden jerárquico de la naturaleza dada por Dios, un reflejo de la armonía del cosmos, a cuyas jerarquías celestes, prefijadas e inmutables, las esferas sociales deben adecuarse para expresar esa misma armonía.

Aunque el marxismo, que tiene una visión anacrónica del medievo —juzga el pasado con categorías modernas—, nos ha enseñado que ése era un sistema de explotación de clases, en realidad, en sus inicios, después de la caída del Imperio y de la edificación del *feudum*, funcionó: la esfera eclesiástica, la de los señores y la del pueblo tenían funciones específicas cuya finalidad era proteger la economía de subsistencia de los pueblos. La sociedad por capas o estamentos, en donde aún no existe el Estado, y que es una articulación policéntrica de base predominantemente señorial del poder, fue el último rostro de esa visión tradicional.

El Estado moderno que, al disociarse del pueblo, separó las esferas religiosa y civil para convertirlas en una concentración soberana de poder que administra, desde afuera y desde arriba, al pueblo, corrompió ese orden, generando entonces un sistema de explotación. Su rostro más acabado, desde "la querella de las investiduras", es el Estado liberal, no un orden estamental, sino constituido por ciudadanos "iguales", administrados por el Leviatán.

La catolicidad "tradicional" tiene desde entonces nostalgia de aquel mundo, pero, corrompida por el surgimiento del Estado, ha creído desde entonces que la armonía cósmica de la sociedad sólo puede ser regulada por el Estado, sustituto de Dios. De ahí su pasión por el fascismo. Lo que el fascismo hizo al jerarquizar la sociedad en función del Estado fue venderle a una catolicidad devastada la idea de un retorno al orden cósmico. Todo el alineamiento de la iglesia y de gran parte de la catolicidad con el fascismo fue el sueño de volver a un mundo estable donde los estamentos servían a un solo fin: la comunidad. Sólo espíritus de una implacable lucidez como Bernanos, Bonhoffer, Mounier o Lanza del Vasto, vieron la trampa. Ajenos lo mismo al comunismo que al fascismo y al Estado liberal, sabiendo que la devoción al Estado es una forma de la idolatría moderna, comprendían que un mundo estable sólo tenía sentido en un retorno a una relación entre la comunidad, la persona, la subsistencia y lo proporcional, donde las esferas o los estamentos giraban en torno a la justicia, la caridad, el servicio y las virtudes. De ahí la simpatía de muchos de ellos por Gandhi o por el mundo medieval anterior al Estado.

El ascenso del panismo al poder ha vuelto a revivir en nuestro país esa tentación que en los años treinta hizo a la catolicidad "tradicional" alinearse con el fascismo, sólo que ahora bajo una nueva vertiente. Aunque la izquierda chata, que nunca ha estudiado el fascismo, acusa al gobierno panista de fascista, se equivoca. Su sueño estamental, de tintes liberales, no está arrodillado ante el Estado fascista y sus formas corporativas, sino ante el mercado. Su sueño es burgués: jerarquías económicas que fingen un orden cósmico. Para el panismo y la catolicidad alineada con Norberto Rivera y las reformas constitucionales que ahora impulsa, la nostalgia de aquel mundo medieval los conduce a la tentación de fincar un poder tan deleznable como lo fue el fascismo. Idólatras del mercado, el Estado es para ellos sólo un medio de jerarquizar al mundo en ricos, semipobres, pobres y miserables al servicio de un solo dios: la producción y el consumo, y custodiados no por el amor evangélico, sino por un moralismo burgués disfrazado de cristianismo. De ahí su hipocresía, sus oscuridades y su miedo a la democracia; de ahí su odio irracional al pobre que protesta, y su desprecio a las reivindicaciones de los pueblos indios, remanentes del orden cósmico; de ahí su amor por el empleísmo y el dinero, y su desdén por el campo y la vida sencilla. Mundo de señoritos persignados, esa catolicidad ha perdido la tradición para sucumbir a la tentación de hacer de la existencia cristiana una existencia burguesa perfeccionada, cuya jerarquización sólo sirve a un principio: no a la armonía del cosmos, que revela el reino, sino a la verticalidad de un poder que exalta el sometimiento mediante el servicio al ídolo del mercado y sus más despreciables técnicas.

08/05/2007

CRISTO, NORBERTO Y LA CND

¿Qué significa Cristo hoy? Podría decirse que ese hombre, que para los cristianos es Dios encarnado, y que partió en dos la historia, es el rostro del amor, del acogimiento, de la entrega hasta el sacrificio, incluso por algo odioso, un enemigo. Pero, al mismo tiempo, nuestra época muestra que este rostro perseguido y humillado continúa siéndolo entre nosotros y que seguimos todavía ciegos delante del más alto gesto del amor humano y divino.

Mucho podría decirse sobre ese rostro en el mundo: el de cada hombre privado de alimento, de trabajo y de paz, de cada hombre perseguido, para quien la libertad es sólo una esperanza que día con día se asfixia bajo la técnica del poder y el opio de las ideologías. Esos rostros concretos tienen a veces su expresión en realidades simbólicas. En nuestro país, una de ellas se encuentra en la larga disputa entre algunos miembros de la Convención Nacional Democrática (CND), Norberto Rivera y algunos fieles católicos, que llegó a uno de sus peores momentos con el largo repique de campanas de la catedral durante un mitin mayor de la CND, el cierre de la misma catedral y la negociación para reabrirla y reiniciar el culto entre cámaras de vigilancia y policías.

Ni Norberto ni ciertos católicos —que, en un acto más parecido al del Sanedrín de la época de Jesús que al del Cristo en el Gólgota, celebran la misa con un fuerte cinturón de custodios— ni quienes han entrado a las misas del cardenal para —en nombre de una ética que sus actos traicionan— increparlo y ofender así a los fieles, han comprendido que sus actos, lejos de defender la verdad, la humillan. Sus gestos no muestran otra cosa que la afirmación de lo mismo que dicen rechazar en cualquier poder: la defensa de lo abstracto ideológico contra lo verdaderamente concreto: el rostro de los hombres.

Es verdad que la persona de Norberto no es el rostro de lo que dice representar. Su ocultamiento de pederastas, su hipocresía frente a las verdades del Evangelio, su amor por el poder y el dinero, lo hacen odioso. Es verdad que, por fidelidad a la justicia, a un hombre así hay que combatirlo, como Cristo lo hizo con los saduceos. Pero es verdad también que el lugar para hacerlo no es la misa. Aquellos que han irrumpido en las misas del cardenal —como sólo los nazis lo hicieron en iglesias y sinagogas— para denunciarlo, deben comprender, por el mismo hecho del espíritu democrático que dicen defender, que allí se celebra un misterio sacratísimo para los católicos: el de Cristo humillado y triunfante en el amor; deben respetar, aunque no lo entiendan, que en ese momento, a través de ese hombre despreciable e indigno pasa, por el sacramento del sacerdocio, un misterio que rebasa su indignidad, y que en ese momento espléndido —en el que el tiempo eterno irrumpe en el cronos— el horrible Norberto resplandece en Cristo y, junto con la comunión de los fieles, hace a Cristo presente en medio de los hombres. Deben tomar en cuenta que, al irrumpir violentamente en ese lugar, no honran ni a la democracia ni a los pobres que dicen defender. Por el contrario, los humillan en esos pobres de carne y hueso que cada domingo se reúnen alrededor de la Eucaristía.

Es verdad, por otra parte, que esos tipos que irrumpen en la catedral cada vez que pueden para increpar al cardenal no son el rostro de la democracia y la dignidad. Su patanería, sus gritos más llenos de resentimiento social que de justicia, su ignorancia, que los lleva a confundir la misa con un mitin político, los hace tan odiosos como al Norberto que dicen combatir. Es verdad también que, por fidelidad a la iglesia, a la fe católica y a la democracia, a ese tipo de seres hay que ponerles un alto.

Pero es igualmente verdad que ese límite no puede trazarse mediante custodios o con cámaras de seguridad y cinturones policiacos; mucho menos saboteando un mitin con el repicar de las campanas de la catedral. Lo primero es contrario al espíritu de la misa —¿cómo hacer presente al que desnudo desafió al imperio romano y al Sanedrín rodeándolo de centuriones para protegerlo?—. Ese gesto traiciona y humilla al Cristo desnudo que sólo el amor convoca. Lo segundo iguala ese misterio inmenso con el de un mitin político, le da la razón a la ignorancia que confunde la misa con un foro y contradice el gesto de la Cruz.

¿Cómo salvar la justicia y la caridad? ¿Cómo dignificar a los hombres y no a su abstracción ideológica que, mientras dice amarlo y defenderlo, lo humilla en su carne? ¿Cómo responderlas? No lo sé. Pero empezar a hacerlo significa rechazar: no se reivindica el rostro de Cristo, ni en el misterio de la misa ni en los pobres, mediante la violencia y la imposición; la presencia de Cristo no puede surgir donde el odio y la disputa pretenden defenderlo. De eso estoy seguro, como estoy seguro de que la justicia no es una idea que se construye negando a los sujetos a quienes se quiere conferir, o usando un medio ajeno al fin que se persigue. Por el contrario, la justicia es un bien que se conquista a través del esfuerzo de cada uno hacia el amor que, sin dejar de denunciar, acoge hasta el sacrificio.

02/12/2007

El "agape" y la traición

Acabamos de celebrar una fiesta religiosa importante: la Semana Santa. Más allá de creencias o no creencias, esa semana —un momento de detención en el tiempo, que los modernos llamamos puerilmente vacaciones— nos atraviesa a todos. Las fiestas, en este sentido, son misterios, y todo misterio llama a la reflexión. El de la Semana Santa —inmenso en su profundidad— toca el tema fundamental no sólo del cristianismo, sino de la vida del hombre: el amor. No el amor eros, tampoco el de la amistad (filia), sino uno, terriblemente manoseado, corrompido y pervertido por el boato de cierta institucionalidad clerical, por la puerilidad de los valores burgueses y, para hablar de nuestro país, por ese partido que, semejante a las democracias cristianas, se dice de "inspiración" cristiana: el PAN. Ese amor que, como dice Bobin, "falta en todo amor", se llama caridad o, para usar el término griego, menos envilecido, *agape*.

Contrariamente a lo que la mayoría de los cristianos muestra —de ahí el desprecio y enojo que provocan congregaciones como los Legionarios de Cristo o los actos de nuestros peores obispos y funcionarios políticos— y claramente revelado en el signo de la cruz es un amor de disminución, de potencia que se vacía de sí y que tiene su base en dos momentos anteriores: la Navidad —la fiesta de la Encarnación, del descendimiento de lo alto hacia lo bajo, de la *kenosis* (el vaciamiento) de Dios— y la creación. Dios —decía Simone Weil, "la Virgen Roja", como la llamó Durruti— sólo pudo crear el mundo retirándose, renunciando a su poder omnipresente (de lo contrario sólo habría Dios) y mostrándose bajo la forma de la ausencia, del secreto, del retiro en lo creado (de lo contrario no habría nada). Ese acto creador es la primera expresión del *agape*. "Dios —escribe Weil— creó por amor, para el amor. Dios sólo creó el amor mismo". Pero ese amor, ese *agape*, no es, al igual que lo muestran sus correlatos: la Navidad y la cruz, un plus de ser y de potencia, sino una disminución, una debilidad, un renunciamiento.

El texto más bello sobre ese amor lo escribió san Pablo en la primera Epístola a los corintios XIII. Es un amor apasionado y loco, pero más profundo en su locura que el de los enamorados —siempre egoísta, siempre lleno de sí, aunque a veces su lenguaje y su sensibilidad sirvan entre los místicos para expresarlo—. Es el amor de la cruz, que está en el corazón de la Semana Santa.

A diferencia de la ley del *conatus*, esa ley que al decir de Tucídides es la de la fuerza que se ejerce como potencia que gobierna: "Siempre, por una necesidad de su naturaleza, todo ser ejerce la totalidad del poder de que dispone"; a diferencia de la hipocresía panista, que enmascara su *conatus* bajo el agua de rosas de una caridad degradada, el *agape* es un amor que se retira, que se niega a ejercer el poder para, como los padres hacen con sus hijos, dejarnos más lugar, más libertad, para no impedirnos existir; para no aplastarnos con su poder; para mostrarnos la medida profunda del sentido de la vida humana en el mundo. El poeta Pavese lo dijo dolorosamente en su diario *El oficio de vivir*: "Serás amado el día en que puedas mostrar tu debilidad sin que el otro la utilice para afirmar su fuerza". "Es —dice el lúcido ateísmo de Compte-Sponville— la modalidad de amor más escasa, más preciosa, más milagrosa. ¿Retrocedes un paso? El otro retrocede dos para dejarte más lugar, para no aplastarte, no invadirte, no empujarte, para permitirte más espacio, libertad, aire, y tanto más cuanto más débil te siente, para no imponerte su potencia, ni siquiera su alegría o su amor, para no ocupar todo el espacio disponible, todo el ser disponible, todo el poder disponible". *Agape* es un amor gratuito y, en el orden del egoísmo humano, inútil. Un amor tremendamente paradójico, un amor —lo dice el horror de la cruz— que está —parafraseo a Illich cuando habla del silencio que la acompaña— más allá del azoro y de las preguntas, más allá de las posibilidades de una respuesta racional. Es el amor impotente mediante el cual Dios creó, se encarnó, murió como un criminal, descendió a los infiernos —el sitio más sombrío de las sombras— y redimió al mundo. En apariencia, es decir, en el orden de nuestro egoísmo utilitario, ese amor fue inútil. Nacido para redimirnos, el hijo de María murió aplastado por los poderosos de su pueblo y del Imperio Romano, abandonado de los suyos y traicionado por Pedro y Judas, a quien amó, pero a quien no pudo salvar. Y sin embargo, en esa impotencia querida y aceptada, en esa gratuidad inútil del *agape*, se encuentra el misterio de la redención, su llamado inmenso, que culmina en la resurrección: la transfiguración del hombre en el amor.

El *agape* es todo lo contrario de la arrogancia que no ha dejado de desplegar la corrupción panista y su modelo de desarrollo; lo contrario de ese plus que está en la base de las aspiraciones de la globalización que en su poder ocupa todo el espacio disponible, que despoja y aplasta todo lo que no se le parece; es lo contrario de esa ley del *conatus* que está en el corazón de todos los partidos, en la de muchos prelados de la iglesia, y en la exaltación individualista de la vida moderna. Detenerse para pensarlo es redescubrir su grandeza y mirarnos en su espejo como traidores.

23/03/2008

LA HUMILLACIÓN DE LA IGLESIA

Nada ha sido más pernicioso para la iglesia que sus pactos con el poder. Desde que Constantino la colocó en el siglo IV al lado del Estado, el carácter gratuito, pobre, libre de Cristo se convirtió en una forma perversa del control mediante el poder.

El que se vació de su divinidad para nacer en un pesebre y morir como un delincuente peligroso para el Imperio y el Estado de su tiempo; el que durante los tres primeros siglos fue un peligro para el Imperio porque los cristianos rechazaban las alcaldías, las gubernaturas y los magisterios militares, y sus mentes más lúcidas, como Tertuliano, señalaban que Estado e Imperio son necesariamente anticristianos, perdió parte de su fuerza cuando la mayoría de las autoridades eclesiales cayeron en la trampa de hacer del cristianismo una religión oficial. Con ello, la pobreza evangélica, el no sometimiento a ninguna autoridad y la libertad del amor, fueron humillados por el boato, los privilegios y la corrupción.

Desde entonces, la historia de la iglesia se volvió compleja y difícil. Frente a una alta jerarquía corrompida, administrativa y controladora al servicio del Estado y sus poderes, un sinnúmero de movimientos que aún mantienen vivo el espíritu evangélico se han debatido bajo esas aguas turbias. Desde los Padres del Desierto, que le dieron la espalda al pacto con Constantino, hasta los movimientos de la Teología de la Liberación y los más espirituales, como los de El Arca de Lanza del Vasto, la vida de la iglesia ha sido una lucha entre la humillación por el poder y la vuelta al espíritu evangélico.

En México no ha sido distinto. Las mismas pugnas la han desgarrado: Junto a los grandes obispos —esos que, como lo señaló Cortés cuando pidió al rey el envío de franciscanos, "dan mal ejemplo"— y sus pactos con los encomenderos, los virreyes, los nostálgicos del Imperio, los que hacen componendas con el Estado laico y, actualmente, con el capital financiero, han estado hombres como Pedro Lorenzo de la Nada, Las Casas, extraños obispos como Méndez Arceo, Lona, Ruiz y Vera, e incontables seres anónimos que —ajenos a la prensa y a la historia que confunden iglesia (pueblo de Dios) con jerarquía y poder— revientan en los arrabales dando testimonio del amor de Cristo.

Estos últimos obispos sólo fueron posibles gracias a un hombre del poder que por las peores razones le devolvió su función a la iglesia: Benito Juárez. Al apartarla del poder con las Leyes de Reforma, la obligó a volverse evangélica, a buscar su rostro en el Cristo pobre, a ser una iglesia antiestatista, antimilitarista y, diría yo, contemplando a Cristo desafiar al Sanedrín y al imperio, anarquista. Sólo la derecha, aquella que, decía François Mauriac, "tiene los ojos reventados", no pudo comprender y, nostálgica de los privilegios que su alianza innatural con Constantino le trajo, quiso continuar corrompiendo el Evangelio.

La derecha está ciega. Obnubilada por el dominio y un retorno al orden cristiano —que sólo puede volver al precio de sus pactos con un poder mucho más corrompido que el de la época de los grandes emperadores y de los grandes reyes: el del capital, el de Mammón, tan señalado por Cristo—, se ha vuelto, como los saduceos de la época de Jesús, moralina hacia afuera y corrupta por dentro. Los rostros más claros en el ámbito secular son Felipe Calderón —no he visto a nadie traicionar más los ideales cristianos que a este hombre que antes de caer en el poder hablaba del personalismo de Mounier y exaltaba la subsidiareidad—, Santiago Creel, Emilio González Márquez, Juan Camilo Mouriño y los empresarios que han creído poder hacer convivir a Cristo con Mammón. Del lado de la jerarquía de la iglesia están nuestros más altos prelados: los cardenales Norberto Rivera y Sandoval Íñiguez, y esas congregaciones que llevan extravagantes nombres como Opus Dei o Legionarios de Cristo.

Si en sus inicios el Estado comenzó a dominar a la iglesia y a obtener de ella lo contrario de su pensamiento de origen hasta llevarla al fascismo, hoy es la alianza con el dinero la que, en una vuelta de perversión mayor, domina también al Estado; el dinero, esa monstruosidad que un par de grandes católicos modernos —León Bloy y

Giovanni Papini—, haciéndose eco de Cristo y de los primeros Padres de la iglesia, definieron como "la sangre del pobre" y "el excremento del diablo".

Con los ojos reventados, la derecha, hija de la alianza innatural que hace siglos la iglesia hizo con el Imperio, ha generado un mal sin precedentes en la historia humana: el del dinero y sus obras como bien. Este mal que los primeros cristianos llamaron el Anticristo —el que pervierte los dones de Dios haciéndolos pasar por obras de Dios— es el resultado de la corrupción de lo mejor que vino con el cristianismo. El resultado de un recurso al poder del dinero, a la organización, a la gestión, a las manipulaciones de todo tipo y a la ley para asegurar la presencia de lo que sólo puede llegar por la gratuidad, la libertad y la pobreza del amor; de aquello que sólo puede venir de quien, contra todo y pudiéndolo todo, renunció y se opuso al poder para vivir dentro de los límites de la libertad y de la confianza no en Mammón ni en el Estado, sino en la pobreza del Padre.

18/05/2008

In Gold we trust

El dinero se ha vuelto la deidad. Por vez primera en la historia humana, Dios y el dinero —dos realidades incompatibles en todas las grandes tradiciones— se volvieron uno. La leyenda estadunidense que aparece en cada dólar, *In God we trust*, guarda esa simbiosis, donde *God* (Dios) y *Gold* (oro), que vienen de la misma raíz, se unen en el rostro del dinero.

A ninguna otra sociedad se le hubiese ocurrido esa unión tan innatural. Realidades distintas e incompatibles sólo podían excluirse. Dios, lo trascendente, no podía convivir con una materia tan pueril. Para saberlo basta con seguir la tradición cristiana de Occidente hasta el nacimiento del capitalismo industrial y de los economistas utilitarios. Basándose en la sentencia de Cristo: "No se puede servir a Dios y al dinero", toda la tradición de los Padres de la iglesia y de los Padres del Desierto fue una condena perentoria al dinero que alcanzaba —bajo el pecado de la usura— al motor económico de nuestras sociedades: la banca. Un débil eco de aquella condena nos llegó bajo la pluma de dos grandes escritores olvidados, Léon Bloy y Giovanni Papini, quienes definieron el dinero como "la sangre del pobre" y "el excremento del Diablo".

Hoy, sin embargo, como lo muestra la divisa del dólar, el dinero se ha deificado. Todos lo buscan, todos lo desean; todos, incluida la iglesia —su más dura detractora en el pasado— se arrodillan, como Sandoval Íñiguez y Norberto Rivera, ante él. Por él se destruye el campo y el medio ambiente; por él se discute, se corrompe, se explota, se asesina; por él se miente, se malversa, se especula, se prostituye. Nadie escapa a su influjo. Legítima o ilegítimamente, el dinero dirige la conducta de los hombres y el destino atroz de la civilización.

El fenómeno, como lo mostró Georg Simmel en *La filosofía del dinero*, viene de lo que hoy en día es una de las formas más pueriles de la ética: el valor. Desde el establecimiento de la sociedad capitalista y su conversión de todo en valores, una de las obsesiones de la filosofía neokantiana fue la manera en la que estos se construyen. Para los neokantianos, el valor es el fruto de la cultura, que vuelve valioso lo que no lo es. La sexualidad, por ejemplo, un proceso biológico ajeno a cualquier valor se vuelve un suceso valioso en el amor. Lo que antes eran principios, virtudes, realidades de orden espiritual, se convirtieron, tocados por el mercantilismo, en valores, en realidades medibles. Si en este orden de cosas, en donde todo es valor objetivable, el dinero se vuelve el valor de los valores es porque, como lo señala Safranski al comentar a Simmel, "el dinero, originariamente una cosa material [contraria a la vida espiritual], se [convirtió] en símbolo real de todos los bienes [es decir, de todos los valores]".

Una vez que se establece el dinero como la medida suprema de una sociedad basada en la fabricación de valores, todo lo que entra en contacto con él queda hechizado, subyugado a su poder. Desde ese momento es posible tasar cualquier cosa como valor y "bien". Ya se trate de un collar de perlas, de una homilía, de una iglesia o del amor —ciertas feministas empiezan a exigir un salario para la vida doméstica—, el dinero se ha vuelto la categoría trascendental, el dios de la socialización. Ya no son Dios, las virtudes y los principios los que fundan las relaciones humanas, sino el dinero, que garantiza la condición interna de la sociedad moderna. El dinero se ha vuelto una deidad que "transforma al mundo entero en un 'bien' que es tasado en su valor y puede incrementarse".

Así, si el dinero es capaz de crear una expresión de valor que sirve en común para cosas tan dispares como una Biblia y una botella de ron, un sacramento y una prostituta, toma el lugar de Dios que, para Nicolás de Cusa, es la *coincidentia oppositorum*, es decir, la unidad de todos los contrarios y, al hacerlo, introduce una perversión demoniaca en el orden de la vida, donde *Gold* se convierte en *God*, esa realidad abstracta que campea en el cielo por encima de la multiplicidad de los objetos a los cuales les otorga una realidad común y que, como lo muestra la leyenda que acompaña al dólar, permite una confianza absoluta en su omnipotencia. Una abstracción que, como toda abstracción, genera, en sus consecuencias, no la unidad ni el bien, sino el individualismo, el egoísmo, las desigualdades y la explotación; en síntesis, el mal.

Ninguna sociedad había llegado ahí. ¿Cómo escapar a su influjo? Habría que volver a pensar no en función de valores y bienes, sino de virtudes, cuya fuerza radica en la búsqueda de lo que es bueno y bello en sí mismo y adecuado a lo humano y que, por lo mismo, genera no el intercambio de bienes, sino la solidaridad y la comunión en el bien. Habría que volver a pensar y a vivir a Dios no como una abstracción, sino como una realidad encarnada en el prójimo y en los límites de la naturaleza; es decir, como una realidad gratuita que pide la misma gratuidad y la misma generosidad para con él en la diversidad de sus rostros. Cuando esto haya vuelto a entrar en la historia, podremos recuperar a Dios en lo humano y arrojar el dinero en el cajón de las abstracciones, es decir, de las cosas atroces.

01/06/2008

UNA VELA EN LA OSCURIDAD

Al pedir la devolución de los 30 millones de pesos, "más intereses", que el gobernador de Jalisco, Emilio González Márquez, entregó a la Fundación Pro Construcción del Santuario de los Mártires, el cardenal Sandoval Íñiguez acaba de encender una vela en medio de las tinieblas con las que él y algunos de los altos prelados acostumbran ensombrecer a la iglesia. Hay que felicitarse por ello. Pero también hay que decir que esa felicitación no está exenta de pesar. Hace tiempo que muchos católicos esperábamos un gesto de dignidad por parte de quienes detentan la sabiduría más profunda de Occidente; hace tiempo que esperábamos que esos hombres que, contra las permisividades del siglo, defienden la más alta norma ética, tuvieran un gesto que los hiciera dignos de ella. Nuestro deseo era que el acto del cardenal se hubiese realizado en el momento mismo en que la ceguera etílica y la soberbia del gobernador hicieron "el donativo".

Por ello, ese gesto que aunque llega tarde, nos alegra, no nos satisface. Nosotros no sólo queremos alegrarnos por un acto que desde el principio debió haber sido perentorio —la iglesia no acepta dinero de ningún poder—; queremos admirar y fortalecer la fe. Queremos que el espíritu del Evangelio se pruebe antes de que la maldición en medio de la oscuridad tenga que venir a apoyarlo y a darle la razón.

Cómo nos hubiera gustado ver rechazar ese donativo en su momento; cómo nos hubiera gustado ver al cardenal Rivera poner en claro el asunto de la pederastia, y a Maciel y a su Legión pedir humildemente perdón por sus traiciones, para que Alberto Athié y muchos católicos no hubiésemos tenido que hablar y maldecir; cómo nos hubiera gustado y nos gustaría ver todavía a la Conferencia Episcopal hablar fuerte y duro contra el capital y las traiciones que los católicos en el poder hacen al espíritu evangélico, para que nosotros, los pequeños cristianos, no tengamos que levantar diariamente la voz.

Ese hablar con el discurso y los actos de la iglesia —que de alguna forma está en el pequeño gesto que el cardenal Sandoval Íñiguez acaba de hacer— es el único que puede pesar en medio de los abusos, de las persecuciones y de las hipocresías del dinero y del poder; es el único que puede devolverle al espíritu evangélico su fuerza en el mundo; el único que, como Jesús, puede recordar a los católicos y al mundo que no se puede servir a Dios y al dinero, ni ser cómplice del César.

Es duro pensar que la iglesia jerárquica ha dejado este cuidado a otros más oscuros que no tienen su autoridad, y es duro porque la iglesia, si es coherente con el mensaje evangélico, no tiene que preocuparse de durar o de preservarse como lo hacen los poderosos del mundo. Ni siquiera cuando ha estado cargada de cadenas, perseguida y pobre, ha dejado de existir. Por el contrario, cuando, como su Señor, ha sido más débil, es cuando ha sido más fuerte, más profunda y más verdadera; una fuerza que, dadas sus traiciones y su hipocresía, ya nadie quiere reconocerle.

Ahora que el cardenal Sandoval Íñiguez ha dado algo de lo que se esperaba de él y de los altos prelados, es decir, algo de lo mejor que custodia, debe recordar que se ha puesto del lado del bien; debe recordar que Cristo tuvo razón cuando al darle la espalda al César y devolverle la moneda del impuesto —la moneda de la "limosna"— nos enseñó que la iglesia, en su pobreza, es el oro y lleva otra efigie que no es la del Estado y sus poderes, sino la imagen y la semejanza de Dios, la del Cristo pobre que no tiene una moneda en el cinto ni un lugar donde reclinar la cabeza. Debe recordar que sólo los que viven para el dinero siguen las reglas de ese juego, que es el de la corrupción, la malversación, la mentira, la intriga y la servidumbre que se inclina siempre ante la razón del más fuerte. Debe recordar que contra ellos Jesús se negó a ser proclamado rey; llamó hipócritas y "sepulcros blanqueados" a los sacrificadores y a las autoridades del templo; calificó de "zorro" al rey Herodes, fue abofeteado a causa de su respuesta al sumo sacerdote y, cuando se halló en presencia de Pilatos, debió haberlo visto desde una altura muy grande para obtener esta respuesta: "¿Sabes que puedo hacerte crucificar?" Pero también, frente a eso, debe recordar que su gesto —apenas una vela tardía en medio de la oscuridad— es todavía muy moderado en relación con las exigencias de Jesús.

Ciertamente hay una moderación de la razón —una virtud— que debe conducir a una mejor inteligencia de la cosas sociales y de la vida del común, pero hay otras, tan tardías y con tantas precauciones, que pueden dar cabida a la más odiosa de todas las moderaciones, la del corazón. Son ellas, precisamente, las que permiten las condiciones de desigualdad, las que aceptan la prolongación de la injusticia y corren el riesgo de servir a los que quieren adueñarse de todo y no han comprendido que hay que limitarse y devolver lo que han tomado mediante el despojo. Ni Cristo ni los primeros cristianos eran moderados, y por ello la iglesia no debería encender velas, sino ser luz y, como alguna vez lo señaló Albert Camus, "tomar como tarea la de no dejarse confundir con las fuerzas de la moderación, es decir, de la conservación" en el peor sentido de la palabra.

29/06/2008

MARYMOUNT, EL COLEGIO "CRISTIANO"

Para Miguel Ángel Granados Chapa, gran maestro

El país se desfonda. Se habla de la corrupción y de la impunidad que reinan en el gobierno y los partidos, de los vínculos que algunos de sus miembros tienen con el crimen organizado, de la criminalización a disidentes políticos como Ignacio del Valle y de la exculpación a secuestradores y a gobernadores. Donde uno vuelve los ojos, la justicia está humillada y la criminalidad levanta su tienda.

No es necesario leer los grandes encabezados de la prensa, escuchar las emisiones noticiosas de la radio o mirar los noticiarios televisivos para sentir el peso del nihilismo que se ha apoderado del país. En casa del vecino, en el compañero de trabajo, en la mujer desconocida que toma café en la mesa de junto, el crimen —provenga del poder de las instituciones o de la delincuencia organizada— golpea sin piedad. El horror y la descomposición del país se miran con mayor estupor en sus microcosmos.

En el colegio Marymount, el colegio más prestigioso de Morelos —el colegio de los ricos, de los hijos de empresarios y políticos, de las grandes oligarquías—, un colegio de inspiración "cristiana", un adolescente, Santiago Sicilia, que no pertenece a esas clases —se encontraba becado porque su madre trabajaba en el equipo de psicólogas de esa institución— fue violentado sexualmente por Juan Pablo Mazón Trejo, profesor de biología y coordinador técnico de la secundaria del colegio ante la SEP. El acto, terrible en sí mismo, fue, durante la denuncia que se levantó ante el Ministerio Público, acompañado de su contraparte atroz: una campaña de desprestigio contra Santiago —se le acusó de mentiroso e inestable—, una protección indirecta al profesor, y finalmente su exculpación por parte de una juez, la magistrada Virginia Popoca González, que cuando dio la sentencia se encontraba ella también en delito: un año atrás, como lo marca la ley, debió haber dejado su puesto como integrante del Consejo de la Judicatura, al haber cumplido los seis años que la ley le otorga en el cargo a esos consejeros.

Lo grave del suceso no es sólo la humillación y el desprecio a Santiago y el encubrimiento del crimen y las alianzas corruptas para salvar el prestigio de una institución donde los cuadros del poder se forman, sino sobre todo que el colegio —como las instituciones de los Legionarios de Cristo— se dice de inspiración cristiana. Su proceder no sólo muestra en su microcosmos los estragos que viven las instituciones del país, sino, lo más grave aún, la corrupción a la que han llegado algunas instituciones de inspiración cristiana y que ilustra muy bien la sentencia de uno de los primeros padres de la iglesia, san Jerónimo: "La corrupción de lo mejor es lo peor".

Nacido en la Francia de mediados del siglo xix bajo la inspiración del padre Jean Gailhac y conducido por la madre Saint Jean Pelissier, lo que en México será el Marymount se llamó el Instituto de las Religiosas del Sagrado Corazón de María, cuyo fin, siguiendo el versículo de Juan 10, 10 ("Yo vine para que tengan vida, vida en abundancia"), era dar refugio a mujeres caídas en desgracia: huérfanas, prostitutas y abandonadas. Al consolidarse, las religiosas se extendieron por varias partes de Europa. A principios del siglo xx llegan a EU, donde fundan, ya con el carisma deformado —dejarán de trabajar con mujeres abandonadas para hacerlo con escolares—, en Tarryntown, el Marymount College y más adelante el Marymount School Los Ángeles. En 1957 llegan a Cuernavaca.

Aunque su carisma está en la base de sus fundadores: "Conocer a Dios y hacer que sea amado y seguir a Jesucristo que viene 'para que todos tengan vida en abundancia'", en la práctica es lo contrario. Una escuela, dirigida por laicos, que alberga a las clases ricas (el ingreso cuesta un donativo de 16 mil pesos; inscripciones anuales de 13,500 pesos —secundaria—; 14,900 —prepa— y colegiaturas semestrales de 36,300 y 46,200) y sin ningún vínculo con las mujeres caídas en desgracia; un puro negocio escolar enmascarado bajo presupuestos cristianos; un mundo de valores burgueses auspiciado y arropado por el poder inmoral del capital. Si alguna vez en sus orígenes protegió huérfanos, ahora los humilla —Santiago es huérfano de padre—; si habla de justicia en sus valores, en los factos protege pederastas —por sus aulas pasó otro que ahora, cuando ya no hubo una institución que lo protegiera, purga una condena en el penal de Atlacholoaya—; si alguna vez dio en Cristo "vida", ahora la llena de oprobio.

Cuando se miran los microcosmos institucionales del país, se entiende el horror que nos circunda. Bajo la divisa pervertida de *In Gold we Trust*, las instituciones cristianas han sentado a Cristo en el banquillo de los acusados y, junto con los criminales, no cesan de humillarlo. Hace unos días, en Zacatepec, un modesto empresario y dirigente del Movimiento Ciudadano de ese municipio, Jorge Sandoval Mejía, fue golpeado, de manera distinta a como Santiago lo fue, por denunciar los abusos del poder. Pese a todo, aún guardamos la Esperanza —esa esperanza que sólo nace cuando hemos aprendido a desesperar de todo— de que algún día se haga la justicia.

05/10/2008

LA GRATUIDAD PERVERTIDA

La debacle financiera; el más reciente escándalo de Onésimo Cepeda —obispo metido en un pleito de préstamos y demandas millonarios—; un mundo en el que todo, incluso los sacramentos, se han vuelto mercancía, y donde, "por usura", según el poeta Ezra Pound, "se mata al niño en el vientre de la madre", obligan a una reflexión sobre el misterio del mal. Una frase de San Jerónimo —"la corrupción de lo mejor es lo peor"— resume esta realidad sobre la que casi nadie —envueltos todos en el aire enrarecido de la economía— ha pensado.

Es innegable que lo mejor que llegó al mundo fue el Evangelio —una buena nueva ajena a la Antigüedad—, pero también que, con su corrupción, sobrevino un género de mal inédito y desconocido por las sociedades no occidentales, al grado de que el Occidente moderno, con sus instituciones de servicio, sus profesionales —esos sacerdotes laicos que administran nuestras vidas—, su recurso al dinero, al poder, y su capacidad expansiva, es impensable sin él.

Todo el Evangelio gira sobre un gozne: la gratuidad del amor. Desde el anuncio de un ángel a una muchacha hasta la Resurrección, pasando por la prédica y los milagros, el amor evangélico es la revelación de la gratuidad y, porque no hay verdadera gratuidad sin libertad, de una desconocida libertad. Al igual que la Encarnación no era necesaria, ni se debía (la Biblia nos enseña que el pueblo hebreo vivía alrededor de un presagio "en el sentido de que —dice Iván Illich— una preñez presagia un nacimiento —entendemos aquí nacimiento en el sentido antiguo de que una mujer 'esperaba un acontecimiento dichoso'", y no en el moderno en donde el útero se ha convertido en la fábrica de un producto genético programado que puede desmontarse si no cumple con las normas establecidas para crear un ciudadano—), también la parábola de "El buen samaritano", que resume toda la gratuita libertad evangélica, habla del amor como libertad y don. Por vez primera —es el sentido escandaloso de la parábola— se pudo amar y acoger no sólo a un extranjero, sino a un enemigo.

Este amor impensable para el mundo antiguo —para el que la hospitalidad estaba constreñida al ámbito de sus respectivos pueblos— hizo que la iglesia, en su afán por preservar y difundir este nuevo y maravilloso amor, lo institucionalizara, creando, desde el momento en que con Constantino se volvió imperial, *xenodochia* (casas para extranjeros).

Mientras en los primeros años del cristianismo era costumbre en cualquier casa cristiana tener un lecho, un cabo de vela y pan por si el Señor Jesús tocaba a la puerta en la persona de un desconocido, al volverse imperial adquirió el poder de fundar todo tipo de órdenes de derecho social financiadas por la comunidad y confiadas a una institución. Esta idea suscitó la indignación de Juan Crisóstomo (siglo IV), quien denunció que ese tipo de instituciones haría perder al cristianismo no sólo su carácter gratuito y libre, sino a los hogares su condición cristiana.

Lejos de atender las palabras de Crisóstomo, la institucionalización se impuso, lo que generó, por un lado, una concepción radicalmente nueva de la relación yo-tú —el mundo antiguo no tuvo nada comparable a hogares para extranjeros o a asilos para viudas y huérfanos. En esto la sociedad de servicios moderna, ahora administrada y generada por el Estado y sus instituciones, cumple bien con el ideal de la iglesia imperial de establecer y extender la caridad cristiana—, pero, por otro, generó la necesidad del poder y del dinero de proporcionar esos servicios —hospital, hotel, hospedaje, etcétera, son palabras que derivan de lo que en los inicios del cristianicto era la hospitalidad de la caridad—, y pervirtió ese acto personal, libre y gratuito del amor.

Al despojar a la caridad de esas características, que son el sello de la buena nueva, e institucionalizarla, la iglesia fundó una concepción impersonal del funcionamiento de la sociedad. Así, la sociedad moderna nacida del ideal cristiano, al haber suscitado pretendidas necesidades de servicio cada vez más variadas, más caras y más difíciles de colmar —¿habrá algún día suficiente salud, suficiente instrucción, suficiente energía, suficiente comunicación, suficiente vivienda, suficiente alimento...?—, "generó —dice Illich— un tipo de sufrimiento y de mal desconocido fuera de la cultura occidental de inspiración cristiana".

El sufrimiento que hoy vivimos frente a la debacle financiera es hijo de esa corrupción que perdió su sentido de gratuidad, de libertad y de límite, y conformó demandas infinitas de servicios y de dinero para obtenerlos. Es también, en el orden de la fe, algo peor: su perversión —Onésimo y sus más recientes pleitos lo muestran—: el pecado que se propone tergiversar la fe —la gratuidad de un don que nos llega sorpresivamente— y convertirla en una entidad sometida a los poderes de este mundo.

¿Cómo, desde esa oscuridad tan profunda como el bien del que vino, redescubrir para el hombre y su mundo ese carácter de novedad, de gratuidad, de libertad en los límites —los de las proporciones de la carne en la que vivimos— que está en eso mejor que llegó al mundo? Es una pregunta de cuya respuesta quizá dependa nuestra salvación.

02/11/2008

LA VIOLENTA PAZ DE BENEDICTO XVI

El mensaje de principio de año que Benedicto XVI dirigió con motivo de la Jornada por la Paz ("combatir la pobreza es construir la paz"), mensaje que como una cámara de resonancias se escuchó en todas las iglesias del mundo, asombra. No sólo contradice una de las fuentes fundamentales del cristianismo, la propia pobreza —tan relevante como el amor—, sino también un mensaje de profunda sabiduría evangélica que surgió de la vida y los labios de un hindú que escuchó a Cristo con el corazón, Gandhi: "Si quieres erradicar la miseria, cultiva la pobreza".

Desde la encarnación —esa fiesta que acaba de celebrar el mundo cristiano—: el empobrecimiento, la *kenosis* de Dios en la carne de un niño, hasta la crucifixión —que es ese mismo empobrecimiento de Dios en la condenación y la muerte—, pasando por las Bienaventuranzas, la parábola de los lirios del campo, las invectivas contra los ricos que nunca podrán pasar —como lo haría un camello— por el ojo de una aguja, el amor, en el mundo de Cristo, está cosido a la pobreza como el anverso al reverso.

Por ello, cuando la iglesia católica, por voz del papa —uno de sus más altos teólogos—, hace un llamado para "combatir la pobreza", alarma. Su lenguaje bélico para la construcción de la paz ya ni siquiera tiene el talante bélico de la época en que, reconocida por Constantino, se volvió imperial y al cristianizar la *pax* romana permitió al propio Constantino transformar la cruz en ideología, a Carlomagno justificar el genocidio de los sajones y a Inocencio III imponer por la espada la supremacía de la catolicidad. Se ha vuelto peor. Su lenguaje bélico es el mismo de los planificadores modernos que al proponer la paz hablan de "estrategias" para el desarrollo, de "guerra" y "lucha" contra la pobreza, y de "campañas" contra el subdesarrollo.

Si al volverse imperial la iglesia se contaminó de la fuerza bélica del Imperio y perdió de vista la paz de Cristo, hecha de la debilidad de la pobreza que es don de sí, desde el nacimiento de la era industrial, que tiende a reducir todo a un patrón de producción de mercancías, servicios y consumo, la iglesia se ha contaminado de la paz económica, una paz que, rompiendo las formas culturales en las que ella se expresa entre los pobres, se exporta y, como la antigua *pax* romana o la paz de las élites dirigentes desde Constantino, se impone a todos. Exportar e imponer la paz económica para "combatir la pobreza" es destruir las atmósferas culturales en las que la verdadera paz aún florece y transformarla en monopolio del poder. De ahí el lenguaje bélico con el que se expresa la paz del desarrollo globalizador, lenguaje que el papa, contradiciendo no sólo su gran saber teológico, sino la base fundamental del cristianismo y de su fe, hace suyo y de la iglesia. Sus buenas intenciones sólo encubren la guerra de la paz económica, cuyos costos en miseria humana y ambiental vemos emerger día con día.

Los arados de los ricos, esos arados que el papa elogia al querer domesticar la inmoralidad de la globalización para construir la paz mediante la guerra a la pobreza —"testigo de Dios en la tierra", según Bernanos—, son tan devastadores como sus espadas. En la evidencia de lo inmediato los camiones y aviones de la paz globalizada han resultado tan dañinos como los tanques y los aviones de guerra estadunidenses. El mundo, bajo esa paz, se ha convertido en un mercado masivo para los bienes, los productos y las formas de procesamiento diseñadas por y para los ricos, en donde los pobres, destruidos en sus formas ancestrales de vivir y despojados de sus tierras, dejan de ser pobres para volverse hordas de miserables que engruesan las filas del infierno del desempleo, de la explotación o de la delincuencia.

Al hablar como lo ha hecho, el papa, lejos de mostrarnos ese modelo cristiano —cuyo rostro más acabado está en el Cristo siempre pobre, en las comunidades cristianas de la primera época, en la vida monástica, en las Reducciones del Paraguay, en las maneras pobres de los pueblos agrarios, en los límites del mundo creado por Dios—, elogia las fábricas, los medios de comunicación, los bienes y servicios enlatados por los ricos, el perfeccionamiento de la producción y el consumo indoctrinado por las virtudes liberales y marxistas. Con ello, y contra lo que sabe, empieza a creer y a hacernos creer que el mundo económico de la globalización, que ha modelado soluciones patentadas para satisfacer necesidades creadas por él, ha sido configurado por el Creador y que esa economía, esa forma de la guerra moderna, si se ejerce correctamente, puede destruir la pobreza y traernos el paraíso.

La iglesia —y las palabras con las que el papa abrió el año lo dejan entrever con horror— se ha contaminado de mundo, del *mysterium iniquitatis* del que habla la segunda epístola a los tesalonicenses. Si el papa, y la iglesia con él, no vuelven su mirada al Cristo desnudo y, a partir de allí, a defender la pobreza y sus maneras diversas de encarnarse en el mundo; si a partir de allí no cultivan la pobreza y con ella hacen una crítica profunda del mundo económico y su guerra, la paz de Cristo, la paz del pobre, habrá desaparecido para siempre del mundo y, con ella, la posibilidad de lo humano, el sentido de la iglesia y el rostro de Cristo entre los hombres.

11/01/2009

La iglesia paquidérmica

Hay, entre todas las frases fundamentales del Evangelio, una que a lo largo del tiempo ha sido una de las piedras de tropiezo de la iglesia: "La verdad los hará libres". El problema no radica en su condición de iglesia —de asamblea, de pueblo de Dios, de cuerpo místico de Cristo, de depósito de la fe—, sino en su carácter de institución, es decir, de una enorme empresa administrativa no distinta a la General Motors, al Estado o a la estructura de un partido.

Una iglesia así —cuyos inicios administrativos se remontan al siglo IV, cuando se volvió imperial, y cuya estructura ha sido modelo de las instituciones seculares— está, como toda institución que busca conservarse, condenada a la traición. Cuando se quiere mantener el poder es imposible no llegar a la mentira; cuando sólo se cultiva un discurso de bondades, se llega a la complacencia.

Por gracia, otra afirmación evangélica, lanzada contra los fariseos y que tiene que ver con esa misma verdad —"Nada hay encubierto que no se descubra, nada oculto que no se divulgue […] lo que digan de noche se escuchará en pleno día; lo que digan al oído en las bodegas se proclamará desde las azoteas" (Lucas, 12, 2)— ha venido a sacudirla. Desde hace ya varios años, los actos pederastas de algunos de los miembros de la iglesia, las redes de complicidades para encubrirlos, sus alianzas antievangélicas (nada, entre todas las corrupciones de las instituciones del mundo, hace más odiosa a la iglesia que las traiciones a la grandeza que custodia), han comenzado a brotar como un agua estancada de una cisterna rota y la han obligado a una autocrítica y a un proceso de purificación tan paquidérmico como la dimensión de su estructura burocrática —la más grande del mundo.

Los visitadores que Benedicto XVI mandó a la congregación de los Legionarios de Cristo —una continuación de las acciones que inició en mayo de 2006 cuando, aceptando por fin las acusaciones que pesaban sobre su fundador, suspendió *a divinis* a Marcial Maciel y quitó a los miembros de su congregación los "votos privados"— hablan de ese proceso.

El proceso, pese a lo paquidérmico, es encomiable: un acto de estricta justicia y caridad frente a una rama de la iglesia cuyos escándalos han hecho más contra ella y el Evangelio que todos sus detractores juntos. Una pregunta, sin embargo, es pertinente: ¿Esa "visitación" llegará a lo que todas las instituciones llaman con una arrogante suficiencia "últimas consecuencias", es decir, no sólo a destituir, como lo prevé Fernando M. González —el mejor biógrafo de Maciel—, a "la cúpula dirigente para que la nueva dirigencia se encargue de ir limpiando lentamente la institución" (*Proceso* 1708), sino a tocar las redes que desde el centro de los Legionarios llegan a obispos, cardenales, empresarios y altos prelados de la Santa Sede, incluyendo al papa Juan Pablo II, y, a partir de allí, hacer, como lo guarda el corazón de la iglesia, un acto de contrición pública y de petición de perdón?

Como hijo de la iglesia, lo espero por nuestro bien, por el bien de los hombres de hoy que estamos necesitados más de gestos que muestren la verdad, que de discursos que hablen de ella. Pero también, como hijo de esa misma iglesia, casta y *meretrix*, que conoce sus oscuridades y sus sótanos, sé, por desgracia, que no irá más allá de una recomposición maquillada. La razón no está en lo que su corazón resguarda, sino, como he dicho, en su condición institucional.

Desde que la iglesia se volvió imperial puso un velo entre la radicalidad evangélica que —hay que decirlo en su descargo— ha custodiado durante 2 mil años y su accionar institucional. Ese velo la ha corrompido al grado de que ya no se diferencia, más que por el grado de esquizofrenia, de las instituciones modernas y seculares que salieron de sus entrañas. Con ello, la verdad evangélica, que ahora la hiere y le exige alcanzar su presencia, se ha ido oscureciendo. No podría ser de otra manera. Mientras la institución clerical pretenda que la iglesia se hace por los hombres que la administran —seres, como todo hombre, imperfectos, pequeños, caídos, necesitados del acogimiento y el perdón de los otros—, será como todas las instituciones, el rostro de una prostituta, cuyos oscuros comercios tratará siempre de disfrazar bajo el maquillaje de la decencia. Sólo cuando aprenda que a ella la hace su Señor: un Dios que se hizo pobre, una pobreza de carne que siempre es rescatada por la confianza; cuando aprenda que ella no es el cuerpo del César ni de sus poderes a los que hay que servir devotamente, sino el del Jesús desnudo —ese que en sus mejores hombres está en las cabeceras de los agonizantes, en la lucha por la justicia, en las chabolas, entre los apestados, los despojados, los humillados, entre aquellos que no hacen alianzas con el poder y están dispuestos a hablar con la verdad que siempre duele, pero que después consuela—, el del Jesús vuelto miseria, en cuya debilidad habita otra medida: el amor, entonces habrá renunciado a ser una institución, pero habrá ganado la sencilla grandeza de los que no temen la libertad de los hijos de Dios.

09/08/2009

LA PUTA CASTA

La iglesia me duele tanto que hasta ahora me había prohibido escribir sobre su escándalo. Pero guardar silencio cuando se tiene una presencia pública es otorgar, y yo ya no quiero otorgar nada. Así que hablaré de ella, como sólo puede hablarse de lo que se ama profundamente en su imperfección: de manera dolorosa.

Es evidente que en su condición de cosa social, de institución, la iglesia es —como lo señala una parte de la antigua fórmula que la define— una *meretrix*, una puta, y como tal ha sido la madre de las instituciones modernas: nada la distingue —a no ser que ella, desde su reconocimiento por el imperio romano en el siglo VI, fue la primera— de su hijo bastardo: el Estado y sus instituciones; nada distingue, en consecuencia —a no ser también que sus clérigos antecedieron a las clerecías políticas y profesionales que se forman en los partidos y en las universidades—, a sus clérigos, como Marcial Maciel, Norberto Rivera u Onésimo Cepeda, de políticos como Mario Marín, Ulises Ruiz y los encubridores de su partido; nada tampoco distingue la manera en que el cardenal Sodano defendió en la ceremonia del Viernes Santo a Benedicto XVI —"las 3 mil diócesis, los 400 mil sacerdotes estamos contigo"— de la política "del montón" con la que los partidos suelen defender a sus líderes cuando son atacados.

El rostro social de la iglesia es, como digo, el modelo de las instituciones modernas de la laicidad, tan prostituidas como ella. Lo que, sin embargo, la hace aún más odiosa —de allí la dureza de los ataques— es que ha traicionado lo que siempre ha defendido: no sólo la más alta norma moral de Occidente, sino su rostro más acabado, la caridad. Dura hacia afuera, como los saduceos de la época de Jesús —sus posiciones frente al condón, el aborto, los matrimonios fracasados, las mujeres y los homosexuales—, ha sido laxa e hipócrita hacia adentro —encubrimientos, simulaciones, corrupciones, pactos con los poderes de los Estados y de la economía, perdones obtenidos con los dientes apretados, complicidades y faltas a la caridad—. La injusticia de su hipocresía ha sido tan atroz que nada en el orden de lo humano puede colmar el dolor y el escándalo que ha causado.

Sin embargo, hay en esa antigua fórmula que cité y que la define con la exactitud de la metáfora, otra condición que su rostro social debe atender para verdaderamente purificarse. Su condición de casta, que nace de la apertura a su Señor.

La iglesia, no como cosa social, sino como realidad espiritual, se hace no por ella misma, como lo pretende parte de la jerarquía, sino por la gracia de su Señor (hay que recordar el poema 16 de Ezequiel). Ese Señor que la rescata no es, contra lo que piensa, un Sodano, un Norberto o un Onésimo, el rostro del César que tiene que movilizar a sus huestes para defenderse de su degradación, sino el del Cristo pobre y sometido a la intramundanidad. Ese Cristo —que, como una profecía cumplida, dijo: "Cuídense de la levadura de los fariseos. Nada hay encubierto que no se descubra, nada oculto que no se divulgue. Porque lo que digan de noche se escuchará en pleno día; lo que digan al oído en las bodegas se proclamará desde las azoteas" (Lucas 12, 1.2)— asumió todo el mal y, pobre, con la cruz a cuestas, se sometió al poder de los hombres. Ese Cristo no defendió nada. Asumió, en la pobreza de su caridad, todo el mal frente a la mundanidad de los poderes.

Lo que, por lo tanto, estamos esperando los católicos, que sólo desde allí amamos dolorosamente nuestro cuerpo prostituido, son signos de la presencia de ese Cristo. No nos basta que Benedicto XVI, quien eligió el ambiguo y lento camino de las reformas institucionales, vaya, arropado por el "montón" católico convocado por Sodano, a pedir perdón a las víctimas de país en país —ese gesto no lo distingue de lo que podría hacer cualquier hombre de institución—. Nos gustaría verlo —asumiendo uno de sus mayores epítetos: "el siervo de los siervos de Dios"— con la pobre y desgarrada túnica de Cristo, reuniendo a las víctimas en San Pedro, haciendo una misa de perdón y reconciliación y caminando con ellas hasta la plaza pública con el único testimonio de su pobreza y de su caridad. Nos gustaría ver a Norberto —que no dejó de encubrir a Maciel— y a una buena parte de la Legión haciendo lo mismo, y, después de renunciar, en el caso de Norberto, a su cardenalato, y, en el de los legionarios, a sus prerrogativas, caminar hacia un monasterio y someterse al rigor de esa vida. Nos gustaría ver en ellos el signo de Cristo y no el del César que se protege de sus miserias; ese signo que, en medio del cuerpo prostituido de la iglesia, se hace presente en cada sacerdote, en cada monja(e), en cada laico(a), en cada no creyente que, renunciando al poder, sin encubrir sus miserias, está, con el perdón en los labios, en la cabecera de los agonizantes y de los despreciados, de las víctimas y de los olvidados del mundo; en cada hombre que, sabiéndolo o no, da testimonio, en el amor, la verdad y la humildad, de la dignidad de lo humano y de aquello que, por encima de los poderes del mundo y sus hipocresías, lo sobrepasa y hace posible la castidad que nunca nos pertenece por nosotros mismos. Sólo desde allí la iglesia visible volverá a ser levadura.

16/05/2010

Un cristianismo sin religión

La crisis que viven la iglesia y el mundo nos coloca a los cristianos de cara a un problema que Dietrich Bonhoeffer —el teólogo luterano encarcelado y ejecutado durante el nazismo por su participación en el complot que intentó asesinar a Hitler— planteó en las cartas que desde la prisión de Tegel escribió a su amigo y discípulo Eberhard Bethege1: es necesario un cristianismo sin religión. La afirmación no es una mera ocurrencia; es el resultado de mirar la experiencia de la fe más allá o más acá del marco religioso en el que hasta ahora ha vivido. Expliquémoslo.

Hasta recientes fechas, la iglesia, a lo largo de su existencia como institución, ha intentado salvaguardar una interpretación del cristianismo desde una perspectiva religiosa: como moral y poder de la presencia de Dios. Sin embargo, la mayoría de los seres humanos que, para decirlo con Bonhoeffer, "han llegado a su mayoría de edad" —es decir, a ya no necesitar, a causa de sus desarrollos tecnológicos y de la independencia de la moral del marco religioso, de la hipótesis de Dios para vivir y estar en el mundo—, la miran desde hace tiempo, quizás desde la Ilustración, como una realidad obsoleta. Hoy en día, esa obsolescencia de la iglesia como cosa religiosa se ha vuelto casi absoluta; primero, por su recurso al poder y al dinero —una práctica completamente antievangélica—; segundo, por la puesta al desnudo del encubrimiento de prácticas inmorales y criminales en su interior —prácticas que cualquier moral condena—, y, tercero, por haber hecho de la intramundanidad de Cristo, es decir, de su estar en el mundo de los hombres, una realidad ajena a ellos, omnipotente, grandiosa, metafísica, incorruptible y moral que segrega a los que no están a su altura y que la propia iglesia, que se dice su cuerpo, ha negado con sus encubrimientos. Vivimos, por lo tanto, un mundo del que Dios, como cosa religiosa, ha sido totalmente desalojado, incluso de la iglesia.

El origen de esta realidad se encuentra en el momento en que la iglesia se volvió poder y dejó de tener como punto de referencia la intramundanidad de Cristo —al Dios que se hace carne, humanidad, debilidad pura, que vive en y con los hombres, independientemente de sus religiosidades, y que muere en los límites de su humanidad aplastado por los poderes del mundo, que son siempre formas de lo religioso, aunque no hablen de Dios—, para referirse sólo a sí misma, a su interpretación religiosa de un Cristo omnipotente y todopoderoso, y a su poder para custodiarla. Con ello, la novedad que Jesús trajo al mundo: la debilidad y la pobreza de Dios, se malversó, y el cristianismo se convirtió en una variante más de las interpretaciones religiosas que miran siempre a Dios como poder, y a sus custodios, en este caso la iglesia en tanto institución, como depositarios de ese poder que debe imponer la verdad.

En este sentido, la iglesia como realidad religiosa ha dejado de importar; es más, se ha vuelto, como cualquier poder, una evidencia escandalosa de la que los seres humanos —es lo que dice la crítica que se ha abalanzado sobre ella— debemos prescindir de una vez por todas. Por ello, afirma Bonhoeffer, "nuestra iglesia, que durante años ha luchado por su propia subsistencia, como si ella fuera una finalidad absoluta, es incapaz de erigirse ahora como portadora de la Palabra [del Verbo hecho carne] que ha de reconciliar y redimir a los hombres y al mundo". Por ello también "cada intento [como el que ahora está haciendo Benedicto XVI] de dotarla [...] de un poder organizador acrecentado no logrará sino demorar su conversión y purificación".

¿Quiere decir esto que la iglesia debe desaparecer? No. Quiere decir que debe desaparecer como cosa religiosa y social para asumir la experiencia intramundana de Cristo. Quiere decir que las nociones que están en el centro de su fe: reconciliación, redención, renacimiento, amor, encarnación, crucifixión, resurrección, deben vivirse y expresarse dentro del mundo con un lenguaje nuevo, quizás totalmente arreligioso, pero tan liberador, redentor como el de Cristo. Quiere decir que debe expresarse y vivirse como renuncia al poder, al dinero, como crítica a la *hybris* —a las desmesuras de lo humano— y como pobreza abierta a todos y llena de sentido común.

Mientras la iglesia y los cristianos que la habitamos no caminemos hacia allá; mientras no volvamos a vivir a Cristo como debilidad; mientras no comprendamos que tenemos que vivir con un Dios impotente y débil que, clavado en la cruz, acoge todo y permite que lo echen del mundo; mientras no asumamos que sólo así Dios está con nosotros y nos ayuda; mientras no sepamos que, como Jesús, debemos vivir "mundanamente", es decir, "libres —dice Bonhoeffer— de todas las falsas vinculaciones e inhibiciones religiosas", y nos neguemos a aceptar que ser cristiano no significa ser religioso de cierta manera —convertirse en una clase determinada de hombres y mujeres por un método determinado y aparentar que se es eso—, sino ser simplemente hombres y mujeres; mientras no comprendamos que no es el acto religioso el que nos convierte en cristianos, sino nuestra participación en la debilidad y el sufrimiento de Dios en la vida del mundo, la iglesia se precipitará día con día a su ruina.

30/05/2010

Samuel Ruiz, la palabra perdida

Tres años antes de su muerte, Luis Cernuda escribió unas palabras reveladoras en relación con la muerte de los poetas:? "¿Qué país sobrelleva a gusto a sus poetas? A sus poetas vivos, quiero decir, pues a los muertos, ya sabemos que no hay país que no adore a los suyos".

Estas palabras que, dice Octavio Paz en su ensayo fúnebre sobre Cernuda, fueron pensadas para la propia muerte del poeta, pueden hoy también ser pronunciadas en relación con la de Samuel Ruiz.

La analogía no es incorrecta. Don Samuel era un profeta, y los profetas —los poetas del mundo hebreo y del mundo cristiano en su tradición liberacionista— tienen una función semejante a la de los poetas en la modernidad: restablecer los significados, anunciar lo que extraviamos y debe encarnarse, y cimbrar, por lo mismo, el supuesto orden del mundo. Nada más natural entonces que en vida haya sido tan incomprendido como incómodo —perseguido y denostado por los poderes del mundo y asimilado infructuosamente por las particularidades ideológicas—. Nada más natural también que, a su muerte, los que lo denostaron y los que lo amaron dediquemos? homenajes al profeta y digamos lo que siempre es menester decir cuando uno de esos incómodos muere: "Puesto que don Samuel ha muerto, viva don Samuel".

Se trata de igualarlo para aplacar nuestra conciencia, de celebrarlo para no comprometernos o para decir que estábamos de su lado. Enterrado el profeta se acabó el virus. Podemos entonces (cito a Paz) "discurrir sin riesgo sobre él y hacerlo decir lo que nos parece debería haber dicho: ahí donde él dijo exclusión, leeremos unión; Dios, donde dijo demonio...", y si su lenguaje sigue siendo insoportable y repelente como toda verdad, podemos transformarlo —una práctica muy *ad hoc* en las simulaciones democráticas— en eufemismos que no ofendan a nadie y conmuevan a todos. Se trata no de una mala intención, sino de esa conciencia piadosa de las "democracias" modernas donde todos queremos tener nuestra parte en la unanimidad, aunque sea de manera disidente.

La vida y la muerte de don Samuel son, sin embargo, y como he dicho, las de un profeta, y todo profeta no habla por éste o por aquel, sino por Dios. No sólo restablece los significados originales, sino que los anuncia como una realidad que será, que se encarnará como pobreza, acogimiento y don, es decir, como el sentido extraviado de la realidad de Dios y del hombre. De allí su incomodidad en un mundo extremadamente utilitario que cree en el poder y el dominio como formas del orden; de allí también la necesidad piadosa de domesticarlo.

Tanto su vida como su nombre están asociados con los del profeta hebreo. El Samuel hebreo (xi y x a.c.), un juez, aparece en el momento en que Israel declara que está harta de los jueces —esos seres que, semejantes a los profetas, no tenían ninguna autoridad particular, pero que Dios inspiraba para rearticular los significados y resolver una grave crisis— y quiere "un rey como todas las naciones". Samuel protestó y oró. "No te inquietes —le dijo Dios—, no es a ti a quien rechazan, es a Mí [...]. Desde que los liberé [de Egipto] no han dejado de [...] rechazarme. Acepta la petición del pueblo, pero adviérteles lo que sucederá".

Samuel fue a la Asamblea y dijo: "Ya que quieren un rey, lo tendrán. Pero [...] sepan lo que el rey hará: tomará a sus hijos para hacerlos soldados, tomará a sus hijas para meterlas en su harén o para hacerlas sus sirvientas, elevará los impuestos y cosificará sus tierras [...]". El pueblo respondió: "No nos importa, queremos un rey". Samuel y la descendencia profética de ese periodo no dejaron de señalar el sentido perdido. Lo mismo hizo don Samuel. No sólo denunció a esas nuevas realezas modernas —el Estado y el mercado, que han despojado al pueblo de sus tierras, continúan elevando los impuestos y nos han convertido en sus empleados, desempleados, sirvientes y "bajas colaterales", en pura instrumentalidad—, sino que también denunció a quienes, desde ideologías radicales, quieren poner otro tipo de realezas.

Don Samuel, como todo profeta, no llegó en ayuda del poder; tampoco hizo causa con los disidentes que buscan establecer otros poderes. Su presencia y su prédica fueron lo que llamaríamos, en términos modernos, un "contrapoder". Ese contrapoder no representa, como quisieran algunos, al pueblo; tampoco a la iglesia institucional o a alguna ideología —unos y otros, como en la época del profeta hebreo, continúan queriendo algún tipo de realeza—, sino a Dios, cuyo rostro es la libertad, la pobreza y el no—poder de Jesús.

Don Samuel no era de nadie, sino de Dios, y como rostro de Dios en Jesús era un hombre para todos: amoroso, terrible, incómodo e indómito como su fragilidad. Don Samuel era, como Cristo quería que fueran sus discípulos, "sal de la tierra", esa sal que no está hecha para dar sabor a los alimentos, sino para escocer la carne y evitar que se pudra. El mejor homenaje que podemos hacerle no es el de la domesticación del elogio, sino el de sentirlo como un grano de sal que, incrustado en nuestra carne, nos escuece, nos duele y nos dice que hay que renunciar a lo que nadie quiere renunciar: el poder, y que hay que abrazar lo que nadie quiere abrazar: la pobreza y su libertad.

06/02/2011

Epílogo

Además opino que hay que respetar los Acuerdos de San Andrés, liberar a todos los zapatistas presos, derruir el Costco-CM del Casino de la Selva, esclarecer los crímenes de las asesinadas de Juárez, sacar a la Minera San Xavier del Cerro de San Pedro, liberar a todos los presos de la APPO, hacerle juicio político a Ulises Ruiz y devolver la dignidad a las víctimas de la guerra de Calderón.

Índice

La iglesia, esa puta casta